EDITORA AFILIADA

Dados Internacionais de Catalogação na Publicação (CIP)
(Câmara Brasileira do Livro, SP, Brasil)

Terapeutas em risco : perigos da intimidade na relação terapêutica /
Lawrence E. Hedges... [et. al.] — São Paulo : Summus, 2001.

Outros autores : Robert Hilton, Virginia Wink Hilton, O. Blandt
Caudill, Jr.

Título original : Therapists at risk.
Bibliografia
ISBN 85-323-0724-8

1. Psicoterapeuta e paciente 2. Psicoterapeutas — Estatuto
legal, leis etc. 3. Psicoterapeutas — Estresse no trabalho 4. Psicoterapeutas — Ética profissional 5. Psicoterapeutas — Responsabilidade profissional. I. Hedges, Lawrence E. II. Hilton,
Robert. III. Hilton, Virginia Wink. IV. Caudill, O. Brandt.

01-3283   CDD-616.8914
                                                 NLM-WM 420

Índice para catálogo sistemático:

1. Psicoterapeutas e paciente : Relacionamento
clínico : Medicina   6161.8914

Do original em língua inglesa
THERAPISTS AT RISK
Perils of the intimacy of the therapeutic relationship
Copyright © 1997 by Lawrence E. Hedges
por acordo com Jason Aronson Inc. e Mark Peterson

Tradução:
Sonia Augusto

Capa:
Tereza Yamashita

Editoração e fotolitos:
JOIN Bureau de Editoração

NOTA: Recomendamos ao leitor consultar os códigos de ética do Conselho Nacional de Psicologia e do Conselho Regional de seu estado para orientar sua conduta em situações que assim requeiram. Sob o aspecto da legislação, a prática da psicoterapia em clínica privada ou por profissional autônomo é considerada prestação de serviço e, portanto, regida pelo Código do Consumidor. Recomenda-se que seja firmado um contrato de prestação de serviços entre terapeuta e cliente. Para eventuais litígios, os sindicatos de psicólogos costumam manter serviços de assistência jurídica aos seus filiados.

Proibida a reprodução total ou parcial
deste livro, por qualquer meio e sistema,
sem o prévio consentimento da Editora.

Direitos para a língua portuguesa
adquiridos por
SUMMUS EDITORIAL LTDA.
que se reserva a propriedade desta tradução.
Rua Itapicuru, 613 – cj. 72
05006-000 – São Paulo, SP
Tel.: (11) 3872-3322 – Fax: (11) 3872-7476
http://www.summus.com.br
e-mail: summus@summus.com.br

Impresso no Brasil

Os autores agradecem a permissão para reproduzir material de:

Trecho de "The waste land" em *Collected poems 1909-1962* de T. S. Eliot. *Copyright* 1936 de Harcourt Brace & Company, *copyright* © 1964, 1963 de T. S. Eliot, reproduzido com a permissão do editor.

"Observations on transference love", de Sigmund Freud em *Collected papers. Copyright* © 1959 de Harper Collins Publishers.

"The erotic transference in women and in men: differences and consequences", de Ethel S. Person. *Copyright* © 1985 de *The Journal of the American Academy of Psychoanalysis*, vol. 13, número #2.

Sumário

Apresentação à edição brasileira 9

Introdução 15
    Lawrence E. Hedges

I – Os Riscos e a Face em Mudança da Psicoterapia

1   O Demônio, a Sombra e o Dilema do Terapeuta 23
    Virginia Wink Hilton

2   O Desafio das Memórias Recuperadas em Psicoterapia .. 37
    Lawrence E. Hedges

3   Os Perigos da Intimidade do Relacionamento Terapêutico .. 97
    Robert Hilton

4   A Sedução do Terapeuta Inocente 117
    O. Brandt Caudill, Jr.

5   A Resposta do Terapeuta à Acusação:
    Como Evitar Reclamações e Processos 131
    Virginia Wink Hilton

6   Sobrevivendo à Psicose de Transferência 141
    Lawrence E. Hedges

7   O Processo Curativo para Terapeutas:
    Alguns Princípios de Cura e de Auto-Recuperação 181
    Robert Hilton

II - Toque, Sexualidade, Relacionamentos Duais e Contratransferência

8   O Toque na Psicoterapia 195
Robert Hilton

9   Sexualidade no Processo Terapêutico 217
Virginia Wink Hilton

10 O Elogio do Relacionamento Dual 261
Lawrence E. Hedges

11 Contratransferência: Uma Perspectiva
Energética e Caracterológica 295
Robert Hilton

III - Considerações Legais e Éticas

12 Documentação: A Proteção do Terapeuta 307
O. Brandt Caudill, Jr.

13 Os Terapeutas Podem Ser Indiretamente
Responsabilizados pela Má Conduta Sexual
de Outras Pessoas? 313
O. Brandt Caudill, Jr.

14 O Negócio da Mente 319
O. Brandt Caudill, Jr.

IV - Terapeutas em Risco

15 Acusações Falsas contra os Terapeutas:
De onde Elas Vêm, por que Estão Aumentando,
Quando Irão Parar? 333
Lawrence E. Hedges

16 Terapeutas em Risco 349
Virginia Wink Hilton; Robert Hilton;
Lawrence E. Hedges

Referências Bibliográficas 351

Apresentação à edição brasileira

Virginia Wink Hilton e Robert Hilton têm sido personagens influentes nos rumos da análise bioenergética e das psicoterapias corporais em geral, que na sua maioria buscam na fonte da análise bioenergética alimento para construir seus referenciais teóricos. Este casal de psicoterapeutas residente em Costa Mesa, na Califórnia, Los Angeles, vem desenvolvendo há anos um pensamento sério e profundo sobre as relações entre a psicoterapia corporal, a teoria psicanalítica clássicam, que se apóia no tripé edipiano, e as teorias de desenvolvimento, que evoluíram a partir de Melanie Klein, dando origem à psicologia do ego e à teoria das relações objetais.

Trabalhando na Califórnia onde talvez, mais que em outros lugares, as questões de abuso sexual e assédio sexual tenham se tornado matéria tanto para denúncias justas quanto para processos injustificados movidos por pessoas motivadas pelo desejo de beneficiar-se financeiramente, a população atendida por Virginia e Robert Hilton levou-os a se aprofundar nos meandros da transferência e contratransferência para ajudar terapeutas em dificuldades com processos movidos por ex-clientes.

"Segundo o psicólogo inglês James Reason, autor do livro *Erro humano*, o erro é o preço que os seres humanos pagam pela habilidade de pensar e agir intuitivamente. É a possibilidade de errar, ou acertar, que torna a espécie humana a única dotada de livre-arbítrio, a capacidade de escolher entre idéias, caminhos, soluções e alternativas diferentes. É também esse mecanismo que faz as pessoas melhorarem com o aprendizado e o acúmulo de novas experiências. Sem a perspectiva do erro, seríamos todos exatamente iguais, homens e mulheres aborrecidamente infalíveis e previsíveis." ("Quando os médicos erram" – Revista *Veja* de 3/3/99)

Numa profissão em que gente cuida de gente, a imprevisibilidade é a regra, não a exceção. Com as recentes transformações nas relações entre clientes e profissionais de saúde, e a tomada de consciência por parte dos clientes, que deixam de olhar o profissional como alguém em quem se deve confiar cega e irrestritamente, estes passam a ver o psicoterapeuta como um prestador de serviços do qual se deve cobrar qualidade, competência e respeito.

Nos Estados Unidos, a indústria dos processos tornou economicamente rentável a exploração de situações que seriam mais bem resolvidas por supervisão, consultoria com um segundo terapeuta, continuidade do tratamento e inclusão de recursos terapêuticos adequados.

Embora no Brasil a onda de processos contra profissionais liberais não alcance a mesma magnitude que nos Estados Unidos, este livro escrito por dois terapeutas de análise bioenergética, por um psicanalista e por um advogado traz ao leitor brasileiro alguns temas raramente explorados com tal intensidade e conhecimento de causa. Trata-se dos sentimentos mais íntimos do terapeuta, inconscientes e não integrados, que vão se manifestar na relação com seus clientes, justamente os que apresentam personalidades mais frágeis, que estabelecem relações fusionais de extrema ambigüidade amor-ódio com o terapeuta. É quando o terapeuta ferido é conduzido pelo cliente ao confronto com suas próprias necessidades arcaicas de ser amado, reconhecido, admirado, tocado. Robert Hilton desvenda os níveis mais ocultos da atuação contratransferencial. Com exemplos tocantes e depoimentos pessoais, o leitor vai percebendo que existem regiões bem protegidas de seu inconsciente infantil, partes que ele preferiria deixar intocadas. Mas na relação com clientes igualmente feridos essas partes cobram o direito de se manifestar. A diferença, segundo o autor, reside em terapeutas que conhecem esses sentimentos e já lidaram com eles em si mesmos, podendo ajudar o cliente, e terapeutas que ao negar que possuem tais feridas internas acabam atuando na relação situações infantis fortemente carregadas de emoção. Tais atuações resultam em confusão na terapia, envolvimento inadequado entre cliente e terapeuta, o cliente sentindo-se ferido novamente e o terapeuta sentindo-se injustiçado, uma vez que suas intenções eram as melhores.

Robert Hilton conta como se tornou "um terapeuta de terapeutas" e abre-nos uma janela para vislumbrar as entranhas desses espaços nebulosos, trazendo luz, nitidez e talvez esperança e desejo de compartilhar as dificuldades para inúmeros terapeutas que vivem, já viveram situações semelhantes ou desejam prevenir-se para não cair despreparados nelas. A compreensão da dinâmica contratransferencial elucida como as feridas não tratadas do terapeuta o tornam vulnerável, recriando na terapia as condições para trazer à tona sua história infantil.

Outro tema de extremo valor para todos os terapeutas, em especial os que lidam com corpo, movimento, toque, é a discussão sobre a habilidade para conduzir a terapia lidando adequadamente com questões sexuais, respeitando os limites do cliente e do terapeuta. Virginia Wink Hilton aborda neste livro, e em outro artigo seu ("Trabalhando com a Transferência Sexual"), a cura da ferida sexual, a postura do terapeuta, como a análise bioenergética desenvolveu compreensão e técnicas que permitem ao terapeuta manter-se enraizado na sua própria sexualidade para promover o crescimento do cliente com segurança.

Já o debate a respeito de abusos (os que de fato aconteceram, bem como abuso emocional ou histórias familiares com violência e desrespeito aos limites) permanece em aberto. O que constitui, por exemplo, abuso emocional? O que é melhor para a criança, mesmo quando se constata o abuso? Por muito tempo a questão do abuso sexual infantil ficou enterrada, tendo o reconhecimento, o atendimento e o suporte às vítimas o poder de curar feridas intergeneracionais nas famílias. Por outro lado, há o perigo das falsas memórias, que podem ser implantadas mesmo por pessoas bem-intencionadas como terapeutas e grupos de ajuda. Criamos nosso passado ao lembrá-lo e recriamos ao contá-lo. Hedges sugere que, num grande número de casos de memórias de abuso recuperadas em terapia, "as pessoas tomam como literalmente verdadeiras lembranças que deveriam antes ser vistas como metáforas psicológicas para outros traumas que não conseguem ser historicamente reconstituídos. As pessoas que poduzem essas memórias não estão mentindo. Elas acreditam numa construção psicológica ou numa metáfora que representa outro fato, outro trauma que realmente aconteceu mas não pode ser lembrado com precisão". Ao recriar o passado, é possível descrever os fatos com maior gravidade do que realmente se deram. A intensidade dos sentimentos da criança, de medo e desamparo pode traduzir-se num relato feito hoje pelo adulto em terapia em que os fatos se adaptam aos sentimentos infantis. Como diz Helen Resneck em seu artigo "A Feeling in Search of a Memory", "nosso trabalho é curar, não encontrar culpados ou promover punições. Não sabemos o que de fato sucedeu com nossos clientes, mas podemos reconhecer e validar a realidade dos sentimentos que viveram. Podemos ajudá-los a recuperar o senso de seus direitos, de sua identidade e valor próprio. Conseguindo isso, a pessoa descobre valores mais profundos, que contribuem para melhorar seu potencial para renovar-se por meio de relacionamentos, trabalho, prazer e espiritualidade".

Nestes tempos em que o fenômeno das organizações *borderline* ganha terreno sobre as estruturas neuróticas, Lawrence Hedges contribui com "Sobrevivendo à psicose de transferência" em socorro dos terapeutas que atendem clientes *borderline*. Freud lançou as bases para a compreensão das neuroses de transferência. O paciente "adoece" novamente, só que a dinâmica patológica passa a ser vivida agora com o terapeuta que representa a figura parental frustradora. Quando a dinâmica patológica atravessa o limiar dos distúrbios chamados neuróticos, atingindo uma qualidade de interação diferente, um mundo de tudo ou nada, no qual a cisão entre os impulsos e o ego é a defesa predominante, aliada a uma negação obstinada cujo objetivo é proteger a frágil estrutura narcísica de uma ruptura que levaria ao contato com "angústias inimagináveis", como diria Winnicott. Assim, o terapeuta se vê envolvido na psicose de transferência. Tanto terapeutas que utilizam abordagem analítica verbal como os que incluem a linguagem corporal no espaço analítico se sentirão compreendidos ao lerem Hedges. A questão posta por ele, da ameaça sentida pelo profissional quando o cliente no meio de sua psicose de transferência se desliga da terapia no momento em que sua organização defensiva se sente ameaçada, voltando o ódio à figura do terapeuta, é se o terapeuta vai evitar atender esses pacientes para se proteger. À medida que avança nosso conhecimento, isso seria um retrocesso. Mas o desafio é grande. Provavelmente terapeutas e supervisores descobrirão, com a leitura de Hedges e Caudill, como estabelecer limites que protejam a saúde mental e física do terapeuta bem como seu funcionamento no cotidiano. Isso pode significar reconhecer a psicose de transferência para talvez limitar o número de clientes com tal característica, distribuí-los em dias e horários que possibilitem ao terapeuta se refazer nos intervalos. A terapeuta grávida ou lactante poderia considerar seriamente a idéia de encaminhar os clientes *borderline* a um colegal, nesse período em que se encontra mais vulnerável, quando suas fronteiras egóicas tornam-se mais permeáveis pela demanda da relação com seu bebê. Interessante o alerta do advogado O. B. Caudill a respeito do fascínio da excitação negativa. Terapeutas podem cair em armadilhas transferenciais ultrapassando limites razoáveis porque se deixam excitar e fascinar pelas terríveis imagens e lembranças produzidas pelo cliente. Essa forma de erotização da relação terapêutica por meio de relatos vívidos de horror, se não reconhecida a tempo pelo terapeuta, pode ser a mola propulsora para atuações em que ele se transforma em salvador ou investigador e permite que os limites da terapia excedam a hora e o *setting* terapêutico, com resultados danosos para o cliente e para o próprio terapeuta.

Salienta-se a partir dos artigos dos quatro autores a importância do diagnóstico para diferenciar o tratamento adequado às patologias neuróticas, diferente do que ajuda pessoas com condições *bordeline* ou psicóticas. Para nós, brasileiros, mais do que inventar mecanismos de autoproteção, a leitura nos motiva a buscar recursos terapêuticos mais diversificados de modo a responder com maior eficácia às necessidades de cada caso em particular. Talvez seja este um caminho do futuro para a psicoterapia: uma vez diagnosticadas áreas de dificuldade, ou funções não desenvolvidas plenamente, que o cliente receba atendimento específico voltado para essas funções, as quais correspondem a áreas pouco desenvolvidas de sua personalidade. É fato conhecido dos terapeutas corporais como ganhos terapêuticos acontecem rapidamente em pessoas com musculatura flácida, quando assumem uma atividade física regular que equilibra o tônus muscular. Nota-se também como uma função precoce como o sugar, quando não plenamente desenvolvida, causa prejuízos à respiração do adulto. Ao tratar a disfunção com fonaudiologia, complicações terapêuticas como excessiva dependência podem resolver-se.

Com os resultados obtidos por melhor treinamento e supervisão, com a consciência por parte dos terapeutas da necessidade de uma terapia pessoal em profundidade, com o diagnóstico mais preciso, a disponibilidade de recursos variados e adequados ao problema de cada cliente, há espaço para melhorar o atendimento, minimizar o sofrimento do cliente e aliviar o peso sobre o profissional de saúde mental. A busca do aperfeiçoamento, ainda que a perfeição seja inatingível e mesmo indesejável num relacionamento humano, parece ser a saída mais compatível com a ética.

Odila Weigand
Psicóloga, terapeuta certificada em Análise Bioenergética – CBT, *local trainer* do Instituto de Análise Bioenergética de São Paulo, formação em Core Energetics, Terapia Familiar Sistêmica, PNL, Terapia da Linha do Tempo.

Introdução

Lawrence E. Hedges

Numa tarde preguiçosa, Virginia, Bob e eu estavámos resmungando sobre o terrível destino dos psicoterapeutas atualmente. Nós três estamos envolvidos no treinamento de terapeutas por mais de vinte anos e testemunhamos as mudanças chocantes e alarmantes que aconteceram na profissão nesse período. Várias práticas terapêuticas consideradas comuns há duas ou três décadas são vistas agora por muitos como causa potencial de processos legais. Muitos modos de lidar com dilemas éticos e profissionais que têm sido amplamente aceitos, e ainda são ensinados nas escolas de graduação, estão se transformando na base para reclamações éticas e legais, e também para procedimentos disciplinares. As exigências mutáveis no mercado da psicoterapia, com procedimentos cada vez mais rígidos na revisão do uso do seguro e a regulamentação de *managed care*, estão colocando mais e mais os terapeutas sob suspeita. Os profissionais de saúde mental que trabalham com tais parâmetros não podem mais atuar conforme os padrões de cuidado aprovados e verdadeiros, coerentes teórica e clinicamente, mas devem fornecer serviços de acordo com o que as companhias de seguro e a empresas de saúde estão dispostas a pagar. Parece que, quanto mais os terapeutas procuram ajustar-se aos tempos e às condições em mudança, mais perigos surgem em nosso campo de trabalho, em nossa sociedade cada dia mais litigiosa.

Em nossos papéis como professores, supervisores, e consultores de psicoterapia, Virginia, Bob e eu temos observado o desenvolvimento de inúmeras tragédias nas quais as vidas de terapeutas, de seus colegas e de suas famílias foram viradas de cabeça para baixo ou totalmente destruídas por procedimentos de reclamação deslocados e/ou errôneos, dos quais eles se tornaram vítimas. Começamos comparando anotações sobre nossas diversas experiências e sobre os numerosos casos nos quais fomos consultados, apenas para descobrir que estávamos cada vez mais chocados com a vulnerabilidade assustadora e imprevisível a que os terapeutas estão sujeitos hoje. Sim, diversos terapeutas no decorrer dos anos saíram da linha, de vários modos, e foram disciplinados de acordo com o que fizeram. Mas o risco cada vez maior de exposição que os terapeutas têm sofrido recentemente indica que aconteceram muitas tragédias com terapeutas que não as provocaram, por meio de seu comportamento.

O que começou como uma simples conversa vespertina logo se transformou numa troca multifacetada e totalmente desenvolvida que se expandiu, com intensidade e preocupação cada vez maiores, até formar este livro. Nossa primeira percepção era de que a grande maioria dos terapeutas não tem consciência — e, pior, não tem como se tornar consciente — da magnitude e da natureza das mudanças que estão ocorrendo na área das reclamações legais e éticas. Os terapeutas não têm a menor idéia da natureza dos perigos que estão enfrentando, ou de onde eles vêm. Os terapeutas são como patos imóveis em meio a um fogo cruzado letal. Eles estão despertando muito devagar para a deslealdade que os rodeia e que, cedo ou tarde, irá atingi-los direta ou indiretamente.

Mas, pior ainda do que uma simples falta de conhecimento, começamos a perceber que a maioria dos profissionais que conhecemos e com os quais trabalhamos está vivendo uma negação maciça a respeito das coisas horríveis que podem facilmente acontecer a qualquer terapeuta atuante — não importa quão bom, ético ou experiente ele seja. É chocante perceber quantos terapeutas profissionais estão sendo processados e disciplinados por práticas que têm sido e continuam a ser muito difundidas e claramente estão de acordo com um padrão nacional de cuidados.

Mas as pessoas que fazem os julgamentos ou dão opiniões contra os terapeutas em geral não têm treinamento ou experiência em psicoterapia dinâmica, intensiva e de longa duração. E, assim, elas não estão em condições de determinar que tipos de interação ocorrem freqüentemente num processo terapêutico. Mesmo um profissional bem treinado em terapia breve, comportamental ou cognitiva não será capaz de apreciar as sutilezas e as complexidades envolvidas nas transferências, resistências e contratransferências do trabalho intensivo de transformação. Psicoterapeutas maduros estão bem conscientes das variações da técnica-padrão que com freqüência se sentem pressionados a usar com o objetivo de trabalhar com um cliente particularmente difícil e ajudá-lo a trazer alguma questão ou imagem incomum à luz do dia. Todos os psicoterapeutas experientes podem apontar muitas coisas que fizeram e continuam a fazer quase diariamente pelas quais não gostariam de ser responsabilizados. Qual juiz, júri, ou conselho de exercício profissional pode entender os estranhos limites em que várias vezes temos de agir para mostrar a uma pessoa algo a respeito de si mesma e da ação de suas atividades inconscientes? Os comitês de ética, formados por profissionais atuantes, em geral tendem a estar mais sintonizados com as exigências das técnicas terapêuticas — mas mesmo eles podem cair na rotina, empregando táticas simplistas e/ou estreitamente moralizadoras em vez de encarar a tarefa complexa e difícil de compreender as demandas das circunstâncias terapêuticas incomuns e experimentais, e as táticas e técnicas não-convencionais.

Nossa conversa inicial nos levou a muitas outras discussões sobre este importante tópico. Até começarmos a trocar experiências e formular dilemas, não tínhamos percebido quantas facetas de nossas vidas sociais, profissionais e pessoais são afetadas pelos perigos que se acumulam. A maioria das reclamações chega a um acordo silencioso e confidencial, pois os processos e as ações disciplinares colocam em perigo a privacidade e a reputação de ambos, terapeuta e cliente. *Por causa da atmosfera de segredo que rodeia as acusações contra os terapeutas, a amarga verdade do que está acontecendo aos psicoterapeutas raramente é discutida ou vem a público.* Os rumores e murmúrios confidenciais que chegam aos ouvidos da maioria dos terapeutas não conseguem expor o alcance e a profundidade dos muitos problemas e questões envolvidos. Mesmo nós, terapeutas experientes e professores de psicoterapeutas, ficamos surpresos como sabíamos pouco a respeito das numerosas sutilezas e implicações que descobrimos quando nossas informações coletivas foram reunidas. Surgiram novas questões que colocamos a nosso amigo comum, Brandt Caudill, um advogado conhecido e respeitado por seu trabalho de defesa dos terapeutas. Vários outros colegas foram consultados e outros materiais foram reunidos à medida que lutávamos para revelar toda a amplitude dos riscos que ameaçam os terapeutas atualmente, em virtude da natureza íntima de nosso trabalho.

As mudanças nas condições sociais e culturais parecem responsáveis por grande parte da atmosfera de caça às bruxas que permeia os processos de reclamação em que os terapeutas estão envolvidos. O medo das terríveis conseqüências para o terapeuta parece fazer com que muitos imprevistos e incertezas do processo terapêutico sejam encobertos, tornando cada vez mais difícil e arriscado que um terapeuta reconheça enganos e táticas erradas que são uma parte necessária do processo de tentativa-e-erro da psicoterapia. Além disso, a atmosfera de acusação tornou-se tão assustadora que os terapeutas responsáveis estão reconsiderando se desejam trabalhar com um cliente que apresente um grave distúrbio de personalidade ou uma história de abuso.

A finalidade da psicoterapia tem se ampliado de forma constante no decorrer dos anos, desde o objetivo original de tratar dos conflitos neuróticos até a transformação da vulnerabilidade narcisística, do funcionamento da personalidade *borderline* e todos os tipos de distúrbio de caráter. Mais recentemente, ela passou a incluir o tratamento psicológico de aspectos psicóticos ou "organizadores" da personalidade e, assim, pacientes e constelações psíquicas, julgados anteriormente como não passíveis de tratamento psicoterapeutico, estão agora envolvidos no processo de tratamento com terapeutas profissionais. Ninguém poderia ter previsto a multiplicidade de problemas que esta extensão do tratamento às pessoas mais profundamente perturbadas acabaria trazendo para a vida profissional e pessoal dos terapeutas. Mesmo há uma década, ninguém teria imaginado que as transferências simbióticas, psicóticas e organizadoras que finalmente aprendemos a evocar no processo de tratamento poderiam produzir acusações perigosas de natureza falsa contra um terapeuta inocente. Ninguém teria adivinhado que o conceito de *relacionamento dual*, cunhado em 1973 pelo Comitê de Ética da Associação Americana de Psicologia (APA), para controlar a atuação sexual por parte dos terapeutas, seria usado sem crítica e erroneamente como uma acusação moral contra os terapeutas, a tal ponto que o Comitê de Ética da APA teve de abolir completamente essa palavra no Código de Ética de 1992. Os terapeutas tendem a acreditar que se agirem com sinceridade e de boa-fé, se fizerem um bom trabalho e se comportarem de modo ético, estarão a salvo de censuras. Não podíamos esperar a epidemia de falsas acusações e de procedimentos disciplinares equivocados que nos atinge hoje, ameaçando nossa paz mental, nossa vida profissional, o bem-estar de nossas famílias, nosso direito ao trabalho e a segurança de nossos bens financeiros pessoais.

Nossas descobertas foram tão alarmantes que Virginia, Bob e eu decidimos organizar um simpósio sobre esse assunto no Centro de Estudos de Perspectivas de Escuta, em Orange, Califórnia. Conforme discutíamos essas questões e nossos medos com Caudill, ele ampliou nosso alarme crescente sobre a vulnerabilidade dos terapeutas, apontando exposições legais e éticas que nós, como terapeutas, nem sequer imaginávamos! A amplitude de preocupações expandiu-se bem além do que podíamos esperar realizar num simpósio. Ray Calabrese, um planejador financeiro certificado, que tem trabalhado há muito tempo com terapeutas atuantes e testemunhou uma série de tragédias similares, concordou em juntar-se a nós como coordenador da conferência sobre os perigos para os terapeutas, realizada em 25 de abril de 1994. Este livro examina muitas das idéias e questões levantadas nessa conferência, as quais continuam a se desenvolver em nossas discussões. Jason Keyes administrou a conferência e compilou os manuscritos para publicação.

A conferência foi ao mesmo tempo animadora e repleta de preocupações. A resposta da platéia foi opressivamente entusiástica. Os terapeutas expressaram seus agradecimentos por serem finalmente obrigados a considerar um conjunto de tópicos difíceis e desagradáveis que podiam afetar sua qualidade de vida pelo resto de suas vidas, de tão perigosas as implicações. Eles compartilharam nosso choque e desalento com as questões que haviam estado ocultas no segredo dos processos acusatórios e manifestaram sua gratidão por termos afinal exposto essas questões. Estão disponíveis fitas de vídeo e de áudio da conferência[1].

---

1. *Therapists at Risk*. Conferência realizada no Hotel Sheraton Anaheim, em Anaheim, CA. Contate o Centro de Estudo de Perspectivas de Audição, 1439 East Chapman Avenue, Orange, CA 92666.

A conferência também deu origem a este livro. A Parte I contém o que aconteceu na conferência. Na Parte II, expandimos as áreas relacionadas de interesse especial para cada um de nós — toque, sexualidade, relacionamentos duais e contratransferência. A Parte III apresenta uma série de considerações atemporais sobre assuntos legais e éticos, como contribuição de Brandt Caudill. A Parte IV retoma muitas das preocupações dinâmicas que surgem por todo o livro, focando-se especialmente nas acusações falsas contra os terapeutas. Esperamos que este livro seja forte, claro, estimulante e atemporal para você. Os perigos que encaramos por causa da profunda natureza pessoal e íntima de nosso relacionamento terapêutico estão claramente nomeados, junto com alguns dos modos por meio dos quais nós, terapeutas, podemos limitar nossa vulnerabilidade pessoal e profissional e ao mesmo tempo continuar fiéis à tarefa de ajudar as pessoas a descobrir seus eus mais interiores.

Esperamos estimular na comunidade de psicoterapeutas atuantes um diálogo que já deveria ter começado há bastante tempo e que é muito mais difícil e abrangente do que poderíamos imaginar. Mas esse diálogo é vital e deve ser realizado com cuidado, sensatez, humildade e alguma agitação. Mais de um século de experiência, *insight* e especialização levou a psicoterapia a se desenvolver como uma disciplina para o crescimento pessoal e para a cura. Sua contribuição para o bem-estar dos humanos tem sido e continuará a ser enorme. É importante que não permitamos que nossa criatividade e espontaneidade como seres humanos sejam diminuídas enquanto seguimos esta forma tão pessoal e íntima de vida profissional.

Parte **1**

Os Riscos e a Face em Mudança da Psicoterapia

1

O Demônio, a Sombra e o Dilema do Terapeuta*

Virginia Wink Hilton

Há pouco tempo uma estudante da Universidade da Califórnia em Irvine procurou tratamento por causa de um distúrbio alimentar. Enquanto estava em terapia com uma "terapeuta cuidadosa de Orange County" — como escreveu mais tarde o *Los Angeles Times* —, a jovem lembrou-se de ter sido sexualmente molestada, quando criança, por seu pai. Ela o confrontou, e como resultado o pai, Gary Ramona, sofreu um divórcio, perdeu a esposa, foi separado dos filhos e perdeu seu emprego como executivo numa vinícola. Ele processou a terapeuta, a psiquiatra consultora e o Western Medical Center, pedindo uma indenização de mais de oito milhões de dólares (Warren, 1994). De acordo com a versão desta história apresentada pelo *New York Times*, a terapeuta agora atua na Virgínia, e a psiquiatra abandonou a psiquiatria e mudou-se para o Havaí (Gross, 1994). O mesmo artigo citava um caso em andamento no estado de Minnesota no qual cinco mulheres estavam processando um psiquiatra por implantar memórias de abuso ritual satânico, e outro caso no Texas no qual uma mulher, tratada por causa de bulimia, foi bem-sucedida ao processar dois antigos terapeutas, alegando que eles a tinham

---

* Este capítulo foi adaptado de uma apresentação realizada na Conferência de Bioenergética do Pacífico Noroeste, em Whistler, Colúmbia Britânica, em agosto de 1993, e foi publicada anteriormente, num formato um pouco diferente, em *California Therapist*, volume 6, número 1, jan./fev. 1994.

persuadido de que ela havia sido sexualmente abusada por sua mãe, irmão, avô e um vizinho.

Como terapeutas, costumávamos acreditar que se agíssemos segundo nosso código de ética, e fizéssemos o melhor trabalho possível, não teríamos de nos preocupar com processos legais, nem com os conselhos de exercício profissional. Mas casos como os citados e dúzias de outras reclamações e processos que não foram relatados pelos jornais nos deixam chocados e aterrorizados!

Sabemos que no passado, em nossa profissão, aconteceram casos graves de erros profissionais que não foram relatados; sabemos que os casos de assédio sexual praticados por terapeutas foram varridos para baixo do tapete por um tempo longo demais. O fato de tantos abusadores estarem sendo processados significa que a justiça está finalmente sendo feita. Sérias questões de relacionamento dual, de desrespeito de limites e de fronteiras pouco claras têm sido bastante comuns e ignoradas demais. É muito bom para a profissão e certamente para a população geral de clientes que essas questões sejam trazidas a público e esclarecidas, que exista um diálogo rigoroso a respeito da ética.

O que nos preocupa, porém, não são as reclamações e os processos justificáveis. O que causa tanta ansiedade e até mesmo pânico entre os psicoterapeutas são as acusações injustas e infundadas — acusações sobre comportamento de terapeutas, retirado de seu contexto, exagerado, distorcido ou simplesmente inventado. Além disso, somos confrontados com o perigo de sermos processados por um familiar de um cliente justamente por fazermos nosso trabalho.

Muitos terapeutas têm pelo menos um colega que acredita ter sido vítima de uma acusação falsa ou de um processo injusto. Temos escutado histórias de horror sobre o estresse causado por processos legais prolongados, por depoimentos, pela inquirição de um advogado de acusação, pela investigação feita por um conselho de exercício profissional ou pela perda do seguro feito para cobrir erro médico — tudo por causa de reclamações injustas ou infundadas.

Essas histórias e o medo que elas nos provocam têm causado uma *contração* na profissão, para usar uma metáfora biológica. Quando um organismo está em perigo, ele se contrai, minimiza sua exposição ao perigo e, portanto, limita seu comportamento em resposta ao medo. Nós, terapeutas, temos medo de fazer muitas coisas que anteriormente teriam sido consideradas práticas-padrão aceitáveis. Por exemplo, vários terapeutas cujos métodos incluem alguma forma de toque estão agora questionando se devem ou *não* realizar *qualquer* toque. Muitos outros estão com medo de lidar com questões sexuais e evitam-nas sempre que possível. E agora alguns terapeutas dizem que tentam manter-se afastados de questões de abuso infantil e de trauma. Não é incomum que os terapeutas se perguntem ao entrevistar um cliente em potencial: "Este é o tipo de pessoa que poderia um dia me levar ao tribunal?".

Uma conseqüência infeliz do que estou chamando de contração profissional é que para muitos terapeutas ela representa uma perda de espontaneidade, de criatividade, e uma perda de alegria e de satisfação em seu trabalho. Mas a situação atual de nossa profissão reflete uma realidade cultural bem mais ampla.

Na última década, estivemos envolvidos num processo profundamente doloroso, e há muito necessário, de expor o comportamento de abuso sexual que tinha infectado todos os níveis de nossa sociedade. Nesse período milhares de mulheres e homens corajosos vieram a público, apesar da dor e da humilhação, para contar suas histórias de abuso e de violência praticada por seus pais, sacerdotes, professores, terapeutas e outros adultos nos quais confiavam. Esses crimes eram bem mais comuns do que se imaginaria há uma geração.

Recentemente as acusações de abuso sexual transformaram-se em grandes acontecimentos da mídia: vimos celebridades contando suas histórias pessoais de abuso na infância e de incesto, acusando outros e sendo acusadas de crimes sexuais. Enquanto isso, o número de vítimas e de acusações crescia bastante por todo o país. Muitas dessas acusações basearam-se em memórias recuperadas.

Além das acusações das vítimas, tem havido respostas cada vez mais furiosas dos que, como Gary Ramona, dizem: "Fui acusado falsamente".

Em maio de 1993, o *New Yorker* publicou em duas partes o artigo "Remembering Satan", de Lawrence Wright, que mais tarde o publicou como livro (1994). O autor conta a história da família Ingram de East Olympia, Washington. Em 1988, duas filhas, de 22 e 18 anos, acusaram seu pai de abuso sexual. No início, o pai, Paul Ingram, negou as acusações. Mas, depois de horas e horas de interrogatório e do apelo de seu pastor para que confessasse, ele começou a recobrar a memória de ter abusado de suas filhas. Com o tempo, as filhas passaram a lembrar horrores crescentes, inclusive abuso ritual satânico. Após ser informado das acusações, Ingram ia gradualmente confirmando as histórias com relatos detalhados das cenas. Ele implicou outros dois amigos e colegas que trabalhavam no departamento do xerife. Finalmente, a mãe foi acusada de também fazer parte de um culto. O problema era que as histórias nem sempre combinavam, não foi encontrada nenhuma evidência de crianças esquartejadas ou de corpos mortos, e não havia cicatrizes nas filhas nos locais em que supostamente tinham ocorrido cortes e queimaduras.

Antes do julgamento, o promotor decidiu trazer um psicólogo social, Richard Ofshe, para entrevistar a família Ingram. Ofshe decidiu testar a credibilidade de Paul, criando um cenário. Ele disse a Ingram que dois de seus filhos tinham jurado que o pai os tinha obrigado a fazer sexo enquanto ele olhava. Ofshe o incentivou deliberadamente e o estimulou de modo muito semelhante ao utilizado pelos investigadores do caso. No início Ingram disse que não se lembrava, como fizera inicialmente com as outras acusações. Depois de algum tempo, porém, ele fez uma confissão assinada com detalhes gráficos de uma cena que nunca tinha acontecido (Ofshe, 1992).

Paul Ingram foi condenado, embora não houvesse nenhuma evidência de abuso ritual satânico e nenhuma prova conclusiva de abuso sexual, como fica claro no artigo de Lawrence Wright. Mas este caso deflagrou o que o autor descreveu como *"um debate furioso sobre abuso ritual satânico, investigação de crimes sexuais e acusações criminais feitas com base em memórias 'recuperadas'"* (Wright, 1993, parte II, p. 54).

Histórias como estas fazem com que muitos de nós perguntem: O que está acontecendo em nossa cultura? Será que os cultos de adoração ao demônio existem numa escala ampla e atravessam gerações, como vários afirmam, ou será que pessoas aparentemente sãs estão produzindo fantasias horrendas que elas vivenciam como se fossem fatos? Qual opção é mais assustadora?

Será que inúmeros pais e mães não só molestam sexualmente seus filhos, crianças e adolescentes, mas também cometem atos lascivos com bebês que ainda usam fraldas?

Ou será que tais "memórias" são criadas por uma pessoa que luta para encontrar uma razão para uma disfunção ou um foco para a ansiedade? Será que os pais que afirmam estar sendo acusados falsamente são vítimas inocentes, ou eles estão negando, lembrando distorcidamente, mentindo? Os professores de escolas maternais cometem de fato atrocidades sexuais múltiplas com as crianças sob sua responsabilidade, ou as crianças inventam histórias sob a sugestão repetida dos investigadores e a pressão de pais histéricos? Existem pessoas periodicamente abduzidas por alienígenas, como afirmam cerca de três milhões de americanos, ou esta é uma metáfora para uma experiência interior de sofrimento? São estas as questões que estão sendo abordadas na literatura atual, e as questões que nos confrontam como clínicos em nosso trabalho com os clientes. Elas são cruciais para nós que somos testemunhas e réus potenciais em processos e apelos.

A tentativa de lidar com esses assuntos perturbadores resultou em muitos artigos e discussões inflamadas sobre as memórias recuperadas, o conceito de repressão, o funcionamento da memória, o uso e o abuso da hipnose e de entrevistas quimicamente induzidas. O resultado tem sido uma polarização de nossa profissão. O caso Ramona foi um exemplo claro.

Gary Ramona acusou a terapeuta e a psiquiatra consultora de estimular sua filha a produzir memórias de fatos que nunca aconteceram. As rés viam Ramona como um homem manipulador que molestou sua filha por muitos anos, e então gastou mais de um milhão de dólares para desacreditar as terapeutas que a haviam salvo. Segundo o *New York Times*, um famoso psiquiatra forense contratado por Ramona testemunhou que as conclusões de estupro a que a terapeuta havia chegado eram um "equívoco escandaloso", e ele disse que ambas, terapeuta e psiquiatra, haviam deixado de seguir os padrões de prática terapêutica aceitável (Warren, 1994).

A acusação feita por quem critica o movimento de recuperação de memórias é que métodos duvidosos e irresponsáveis têm levado à indução de lembranças falsas. O principal crítico tem sido a Fundação Síndrome de Falsas Memórias, uma organização formada há vários anos que inclui educadores, profissionais de saúde mental e pais acusados. Muitos membros estão atualmente envolvidos em litígios, e existem inúmeros outros processos por acontecer.

Do outro lado do debate estão os especialistas em trauma e em abuso sexual e escritores (alguns dos quais foram vítimas), especialistas em distúrbios de personalidade múltipla e alguns pesquisadores da memória. As preocupações expressas por essas pessoas incluem o fato de que a questão das falsas memórias é uma indicação da ampla resistência ao reconhecimento do abuso sexual e outro exemplo que visa culpar e desacreditar as vítimas (Relatório Masters e Johnson, 1993). Alguns terapeutas expressam uma profunda preocupação de que a grande publicidade recebida pelas atividades da Fundação Síndrome de Falsas Memórias possa intimidar os membros da profissão e fazê-los abandonar o trabalho com as vítimas (Kluft, 1992). Outros temem que a Fundação Síndrome de Falsas Memórias esteja transformando-se num porto seguro para os perpetradores.

Desse modo, a discussão a respeito das memórias recuperadas continua acalorada. Enquanto isto, os clientes estão processando seus pais, e os pais estão processando os terapeutas de seus filhos. Brandt Caudill comentou que esta situação profundamente dolorosa e causadora de separação está se transformando em outro tipo de guerra civil (comunicação pessoal).

Mais uma vez perguntamos: O que está acontecendo na cultura — e como chegamos a isto? Ao contemplar esta questão e tentar chegar a algum entendimento, parece-me útil rever nossa história recente.

Os anos 1960 e 1970 foram um período de expansão cultural — de exploração e movimento. Houve o movimento de direitos civis, o feminismo e a revolução sexual. Em nosso campo, aconteceu o florescer da psicologia humanística e do movimento do potencial humano. Foi um período de crescimento, de exploração e de expansão. No início dos anos 1980, estávamos lidando com as doenças sexualmente transmissíveis e com uma epidemia de Aids. Os anos 1980 e 1990 representam um período de contração cultural, uma etapa de reação contra os excessos dos anos 1960 e 1970, mas também de reação contra o que é *desconhecido, incerto ou não compreendido*. Os seres humanos parecem ter pouca tolerância ao desconhecido, e ainda menos à ansiedade criada pela liberdade e pela ausência de respostas absolutas.

Vivemos numa época em que o mapa mundial mudou drasticamente em poucos anos: muros caíram, governos e ideologias desabaram da noite para o dia, e em alguns meses um número inimaginável de pessoas morreu de fome e de limpeza étnica. É demais. Rápido e aterrorizante demais. Podemos também acrescentar a essa lista as catástrofes naturais que ocorreram. Na Califórnia, não podemos nem mesmo contar com o chão sob nossos pés! Num momento de mudança rápida demais, de instabilidade, de desintegração, de incerteza, existe um anseio para que as coisas sejam brancas ou pretas, boas ou más, por respostas definidas e claras.

Após ler o artigo de Wright (1993), comecei a pensar sobre o demônio e fiz alguma pesquisa. Descobri que ele — ou às vezes ela — tem assumido muitas formas neste milênio. (Só nos últimos duzentos anos é que temos a imagem do cara vermelho e pequeno, com uma cauda bipartida, segurando um tridente.) Quando a mente racional concluiu que não existia essa criatura, criamos o demoníaco sob outras formas. Parece que nós, seres humanos, sempre necessitamos de uma representação, de uma personificação do mal e da destruição que experienciamos em nós mesmos e em nosso mundo[1].

Depois do declínio da Idade Média, vieram quatro ou cinco séculos em que as bruxas eram consideradas as representantes do demônio. Os leitores podem ficar surpresos ao saber que mais de três milhões de mulheres — alguns historiadores dizem que esse número chega aos nove milhões —, algumas com apenas quatro ou cinco anos, foram queimadas em fogueiras ou presas e torturadas por serem casadas com Satã (Green, 1992). Em alguns períodos históricos os judeus foram acusados dos mesmos atributos e atividades atribuídos hoje aos cultos satânicos.

Durante a guerra, o inimigo se transforma facilmente no demônio. Na Segunda Guerra Mundial, os soldados japoneses e alemães eram representados nos *cartoons* e nos filmes americanos como demônios. Hitler chegou tão perto quanto possível de realmente personificar o arquétipo satânico. Na Guerra do Golfo, os iraquianos chamavam os Estados Unidos de "o Grande Satã". Na Guerra Fria, o comunismo se transformou em nosso demônio. Tudo o que havia de errado em nossa ordem social era atribuído aos vermelhos. Ainda no início dos anos 1980, Reagan chamou a Rússia de "Império do Mal". Mas bem antes do fim da década o comunismo desabou. De repente não havia mais um Império do Mal. E agora?

---

1. Devo muito a Thayer Green, Ph.D., cujo trabalho não publicado, *Satan and psyche*, me trouxe inspiração para grande parte deste capítulo.

Tenho pensado a respeito do aumento dos relatos sobre abuso ritual satânico neste momento histórico, e também na epidemia de acusações de abuso sexual. Será que estamos vivendo numa época em que as imagens demoníacas estão sendo elaboradas de modo a proporcionar uma explicação desesperadamente necessária para a brutalidade da existência? Existe alguma verdade na afirmação de que os pais substituíram as bruxas como a projeção do mal? Talvez seja assim. E pode ser que os terapeutas estejam transformando-se no próximo grupo.

O problema é que não sei se existiu alguma bruxa real entre as milhões de mulheres acusadas falsamente. Sei que existem perpetradores reais: pais reais que de fato molestaram seus filhos, terapeutas reais que de fato violaram seus clientes. Pessoalmente, não conheço nenhum satanista, mas sei que os livros de história e os jornais estão cheios de relatos de atrocidades inimagináveis cometidas contra mulheres, crianças e homens. Sei que algumas dessas atrocidades aconteceram em nome de Deus, Jesus e Maomé. Assim, estamos de volta ao problema central: não existem respostas fáceis, apesar de precisarmos delas.

Este é o nosso dilema como terapeutas: em face de todas essas questões não resolvidas, dos dados conflitantes e das opiniões contraditórias dos especialistas, algumas de nossas suposições mais básicas estão sendo desafiadas. Nossa credibilidade profissional está sendo seriamente questionada, e corremos um risco potencial como indivíduos. O que devemos fazer? O que é preciso para manter nossa integridade e proteger a nós mesmos e a nossos clientes? Desenvolvi diversas diretrizes em resposta a essas perguntas.

Primeiro, acredito que seria bom aceitarmos o fato de que, segundo todos os dados disponíveis, *não* existem respostas fáceis. Acredito que precisamos resistir à tentação de obtê-las. Respostas fáceis podem fazer com que nos sintamos melhor com nossa tarefa, tornar nosso trabalho mais simples, podem dar-nos um senso de poder. Mas elas não ajudam nossos clientes a lidar com a realidade. Nossos críticos dizem que os terapeutas têm entrado sem questionar numa onda criada pelo que às vezes é chamado de indústria do abuso sexual. "Você deve ter sofrido abuso" é uma resposta fácil demais diante da ansiedade e da disfunção.

30

Segundo, não importa de qual lado da controvérsia sobre falsas memórias estejamos pessoalmente, creio que é nossa responsabilidade como clínicos estar atentos em manter nossa objetividade e nossa neutralidade em relação ao que é verdadeiro e ao que é falso. Quando uma pessoa recupera uma lembrança de ter sido molestada, isto pode ser ou não um fato histórico verificável. Acredito que a maioria das memórias reprimidas de abuso sexual é real, embora sua lembrança possa não ser precisa. Também acredito que alguns fatos traumáticos podem ser esquecidos e depois relembrados. Mas os dados sugerem que várias memórias recuperadas podem muito bem ser falsas. Será que isto quer dizer que as pessoas que têm falsas memórias são mentirosas ou loucas? Longe disso. Muitas possibilidades pessoais podem explicar o fenômeno das falsas memórias (Hedges, 1994b, d). Ou o efeito combinado de tudo o que está acontecendo na cultura — na psique coletiva — pode estar agindo sobre a pessoa para produzir uma falsa memória. Como seres humanos somos suscetíveis à sugestão; nossos clientes podem ser altamente suscetíveis a *nossas* sugestões.

Nós, terapeutas, devemos lembrar quanta autoridade potencial temos. A natureza transferencial e culturalmente definida como hierárquica do relacionamento significa que para o cliente existe um enorme poder no que dizemos. Pessoalmente, sinto que precisamos ter muito cuidado — em todos os aspectos da terapia, não só com relação a questões de abuso sexual — para não fazer sugestões nem guiar o cliente inadvertidamente, para não dizer ao cliente o que fazer nem fazer afirmações referentes à verdade.

Qual é a atitude responsável ante o que pareça ser, por exemplo, uma duvidosa memória recuperada que o cliente vivencia como a verdade absoluta? Minha posição é que nosso trabalho não é acreditar nem desacreditar, independentemente de quão bizarra a história seja. A pessoa está nos contando *algo* sobre sua experiência, e precisamos dar atenção a ela. Envolver-se na questão "Isto é verdadeiro ou não?" pode fazer-nos perder o ponto principal.

Há quem aponte a necessidade imperiosa que o cliente tem de que sua experiência seja validada pelo terapeuta, que deveria acreditar na verdade e precisão da memória. Quando trabalhamos com casais, freqüentemente temos dois lados distintos de um argumento, e às vezes duas histórias completamente diferentes sobre o que aconteceu. Nessa situação não sentimos a necessidade de validar uma ou outra como verdadeira. A tarefa é trabalhar com as questões, reconhecer e estar empaticamente presente para a *realidade* da mágoa, a angústia, o sentimento de ter sido traído, ou quaisquer outros sentimentos que tenham sido evocados. Isso também acontece com as memórias recuperadas; mesmo se um acontecimento relembrado de abuso for comprovadamente falso como fato objetivo, podemos validar a experiência emocional da qual ele é uma representação. Os *sentimentos* são reais, independentemente de o *fato* ter ou não acontecido. Alguns fatos reais do passado, que a pessoa vivenciou como traumáticos, estão sendo representados no que a pessoa afirma lembrar.

Na literatura sobre abuso sexual, alguns autores têm incentivado as vítimas a expor e confrontar os perpetradores, e a processá-los civil e criminalmente para recuperar seu poder. Esse processo pode sem dúvida trazer uma sensação de recuperação do poder. Mas também pode trazer uma enorme dor provocada pela exposição e vulnerabilidade. O sistema legal pode ser brutalmente abusivo para a vítima ou para o queixoso. Muitas vezes, o simples fato de confrontar os pais anos após o fato ter ocorrido não produz os efeitos desejados, mas cria mais dor e uma alienação mais profunda. E se as representações do trauma infantil tomarem a forma de memórias falsas, distorcidas ou deslocadas, será pouco provável que o efeito de uma confrontação com um suspeito de abuso, que acredite ser inocente deste crime, seja a sensação de aumento de poder. Mas, embora a sensação de maior poder possa ser importante em alguns momentos, o paradoxo é que a cura definitiva do ferimento acontece quando, no ambiente seguro e sustentador da terapia, a pessoa reexperimenta e aceita a impotência que sentiu ao ser vítima.

Hedges (1994 b, d) sugere que os terapeutas podem estar inadvertidamente indo pelo caminho mais fácil quando aconselham seus clientes a abrir um processo. Isto é, eles podem estar cooperando com a resistência e evitando o difícil trabalho de lidar com as profundas transferências que estão emergindo no processo terapêutico. A resistência refere-se a ter de reexperimentar na situação de transferência, aqui e agora, o pleno impacto emocional do trauma original, com o terapeuta sendo vivenciado transferencialmente como o perpetrador.

Uma terceira diretriz que considero importante é que, como terapeutas, temos de estar absolutamente vigilantes para não usar nossos clientes de modo a atuar nossas próprias emoções não trabalhadas — raiva, ressentimento, vingança, ou luxúria — e direcionadas a um dos pais, um antigo terapeuta, um parceiro ou outra pessoa. Talvez uma boa pista de que parte de nosso material está entrando no processo seja quando nos descobrimos experimentando raiva intensa ou indignação justa diante do que o cliente sofreu, ou quando sentimos uma *urgência* de que a vítima faça algo a esse respeito. Nesse caso, precisamos procurar um consultor ou talvez um terapeuta para nós mesmos, que examine nossas reações intensas ou nossa necessidade de sair de nossa postura terapêutica usual, sugerindo a confrontação e/ou a retaliação.

Finalmente, como terapeutas precisamos ter consciência em todos os momentos de um conjunto de forças internas que Carl Jung denominou de "sombra". Considero-o uma síntese útil e muito importante com relação às questões que estou considerando. A sombra é definida como o agregado de todos os impulsos e idéias inconscientes indesejáveis — tudo o que é incompatível com nossas atitudes conscientes e nossa auto-imagem. Sombra é aquela parte inaceitável de nós mesmos, não afirmada, não integrada, que se expressa apenas de modos inconscientes — por meio de sonhos, fantasias, ou dos mecanismos da negação e da projeção. Os junguianos falam de uma sombra pessoal e de uma sombra coletiva. Também a sociedade tem seu lado inconsciente e inaceitável, que é projetado nas minorias étnicas ou em outros grupos definíveis, e em outras nações.

A projeção do lado sombrio individual e coletivo pode explicar algo a respeito do que está acontecendo em nossa cultura, em vários níveis. O que não conseguimos aceitar em nós mesmos ou em nossa sociedade transforma-se no *demônio*.

Por que isso continua a acontecer, mesmo depois de tanto esclarecimento, tanta sofisticação e terapia pessoal? Sugeriu-se que a *ética da perfeição* que permeia tanto a psique ocidental faz parte do que impede a integração da sombra e faz com que a projeção seja um mecanismo poderoso em nós mesmos e em nossa sociedade (Green, 1992). Nosso desejo consciente ou inconsciente pela perfeição encontra precedente na ordem bíblica: "Portanto, seja perfeito" (Matheus, 5:48). Se esta for, de algum modo, a meta inconsciente da terapia, ou a meta inconsciente de nossas vidas, então a repressão e a projeção são os únicos meios para atingi-la. John Sanford (1981), um analista junguiano, diz que a palavra *perfeito* na Escritura foi uma tradução da palavra grega *teleios*, que significa "levado à plenitude". Se nossa meta não for a perfeição, mas a plenitude ou totalidade, a tarefa se transformará na aceitação e na integração da sombra — reunir o lado sombrio com a luz, o ruim com o bom. Se atingir a totalidade for a nossa meta terapêutica e também a de nossos clientes, então poderemos compreender a necessidade de validação da verdade objetiva, nos clientes e nos terapeutas, como uma defesa contra o acolhimento de nossa sombra.

Green (1992) escreve em *Satan and psyche*:

> Existe uma tribo indígena no Sudoeste que realiza a prática de convidar o Coiote, o equivalente deles para Satã, para suas reuniões do conselho tribal e reserva um lugar para ele. A idéia por trás disso, é claro, é que se ele estiver presente eles poderão vigiá-lo. Se ele for ignorado, excluído, mantido fora de vista, não haverá como saber o que ele pode estar fazendo (W. A. Miller, 1981, nota de rodapé 34, p. 136). Isso nos traz, de muitas maneiras, a lição de que a negação da sombra, especialmente a sombra do grupo, leva a uma intensificação do poder destrutivo do mal... A alienação e a falta de conexão com nossa própria escuridão é que irão infligir o mal inconsciente sobre os outros e sobre nós mesmos. [p. 125]

Em nenhum lugar este princípio está mais bem exemplificado do que na história da família Ingram, no artigo de Wright (1993).

Não quero que me entendam mal e pensem que estou dizendo que as coisas ruins que acontecem são meramente resultado de projeção. O mal está *lá fora* — e sempre estará. Só quero dizer que vivemos em tempos difíceis e perigosos, e isto coloca uma pesada responsabilidade sobre nós, como terapeutas e seres humanos. O que podemos fazer para ajudar a curar o abuso real, a acalmar a histeria imaginada e a nos proteger é dar atenção a nossa sombra pessoal e coletiva. Seria bom que examinássemos com rigor as reações emocionalmente carregadas ante as pessoas, os grupos e as idéias, que descobríssemos e assumíssemos a responsabilidade por nossas projeções, que convidássemos com aceitação amorosa essas partes inaceitáveis de *nós mesmos* à consciência: o pervertido, o perpetrador, o adicto, a vítima. Walter Wink em *Unmasking the powers* (1986) resume a tarefa: *"O objetivo de nossa luta [é]: Encarar nosso próprio mal tão corajosamente quanto pudermos; amá-lo na luz; liberar a energia outrora dirigida para contê-lo e usá-la a serviço da vida"* (p. 40).

2

O Desafio das Memórias Recuperadas em Psicoterapia*

Lawrence E. Hedges

Algumas questões psicodinâmicas envolvidas na crise das memórias recuperadas

Mudanças recentes na opinião pública têm causado modificações em nossa sociedade, com o objetivo de corrigir antigos padrões de abuso. As pessoas que passaram por um tratamento que as prejudicou têm se sentido incentivadas a falar e a buscar reparação para os erros cometidos no passado. As memórias de experiências dolorosas nas quais as pessoas procuraram não pensar por muito tempo estão sendo revividas, e os abusadores estão sendo confrontados com os efeitos de seus atos. Esta vanguarda do movimento de direitos civis gerou indignação pública e um clamor por leis mais efetivas e procedimentos judiciais que limitem os extensos abusos de todas as naturezas.

Mas outro fenômeno veio a público, junto com o reviver de memórias dolorosas de abuso que as pessoas tentaram o quanto puderam esquecer — "memórias recuperadas" que emergem com um poder

---

*   Muitas partes deste capítulo foram publicadas anteriormente em *Remembering, repeating, and working through childhood trauma* (Hedges, 1994b). Elas foram publicadas pela primeira vez sob o título "Taking recovered memories seriously" em *Issues in child abuse accusations* 6 (1):1-30, *copyright* 1994 e republicadas com permissão do Instituto para Terapias Psicológicas.

emocional arrasador mas existem para contar uma história que poderia não ter acontecido ou não aconteceu exata ou literalmente da forma como é recordado. Com base nessas memórias, que em geral foram recuperadas em algum tipo de psicoterapia ou no contexto de um grupo de recuperação, têm sido feitas acusações a pessoas que afirmam não serem perpetradoras de abuso. Desse modo, em agosto de 1994, a Fundação Síndrome de Falsas Memórias, em Filadélfia, reunia mais de 15 mil familiares que afirmavam ser inocentes dos crimes pelos quais eram acusados. Figuras públicas altamente respeitadas e também cidadãos comuns conhecidos em suas comunidades por levar vidas bastante decentes tiveram um dedo acusador apontado contra eles. A controvérsia é acalorada e infelizmente tem se limitado a discutir se as memórias de abuso são "verdadeiras" ou "falsas".

Acredito que as memórias da infância recuperadas são sem dúvida registros de traumas reais, mas as representações do trauma precoce estão sujeitas a diversas fontes de confusão e de variação. Levar a sério as pessoas que relatam essas memórias arrasadoras não significa que as imagens e as histórias devam ser consideradas literalmente, mas precisam ser avaliadas no contexto geral em que aparecem e ser compreendidas como produto de diversos tipos de condensação e deslocamento similares aos do sonho, além de serem formadas a partir de diversos pensamentos inconscientes de representações visuais e narrativas.

Parte desse grupo de pessoas que estão sendo acusadas é formada por inúmeros indivíduos bem-sucedidos no campo da saúde mental e em outras profissões de ajuda, como enfermeiras, médicos, advogados, sacerdotes, professores, chefes de escoteiros, pessoas que trabalham com crianças e chefes de corais — em resumo, pessoas que se dedicam a cuidar dos outros. Em mais da metade dos estados americanos, novas leis mudaram o estatuto de prescrição dos crimes para "três anos depois que o abuso for lembrado", embora não se saiba se essas leis se manterão nos tribunais. Atualmente as acusações baseadas em memórias recuperadas por hipnose, entrevistas com "soro da verdade", grupos de recuperação e psicoterapia estão sofrendo sérias críticas — em parte porque muitas acusações são bastante bizarras, em parte porque várias memórias mostraram-se falsas e ainda por causa da atmosfera de caça às bruxas que rodeia a controvérsia das memórias recuperadas e ameaça provocar uma ampla injustiça se controles sociais responsáveis não surgirem.

Em meio a todo o clamor acusatório, os psicoterapeutas encaram hoje dois grandes desafios que precisam ser abordados e controlados. Primeiro, os clientes anseiam, e até exigem, que acreditemos nas memórias recuperadas em psicoterapia. E os analistas estão numa posição difícil quando encaram uma pessoa soluçante e abalada que relata com horror claras cenas de abuso na infância e pede que a "validem" e acreditem nela. Este desafio pode ser superado quando o terapeuta aprende a não cooperar com a resistência e a estabelecer o pleno impacto do trauma na profunda transferência da terapia. Em segundo lugar, a psicodinâmica do trauma da primeira infância significa que será apenas uma questão de tempo para que a profunda constelação emocional presente nas acusações de abuso seja transferida para a pessoa do terapeuta, no contexto da psicoterapia, de tal modo que ele seja experienciado como o perpetrador. Se o trauma aconteceu quando a criança era muito pequena, o que ocorre na maioria dos casos, a transferência assumirá a forma de uma psicose de transferência, e o profissional será alvo dos impulsos de vingança que atingem proporções psicóticas e correm o risco de ser atuados na arena pública. Este desafio pode ser superado quando o terapeuta aprende a ir de encontro, administrar e trabalhar com a psicose de transferência.

A insistência dramática e às vezes quase desesperada em ser acreditada freqüentemente *exige* que a crença seja literal e completa — e traz um pedido ou ameaça velada: "Se você não acreditar em mim, não sentirei que minha experiência está sendo validada e nunca conseguirei sentir que sou uma pessoa real e de valor. Essas coisas realmente aconteceram comigo, elas precisam ser acreditadas, e se você não acreditar em mim, será o fim de nosso relacionamento, e eu encontrarei alguém que acredite". Mas essa exigência (tipo chantagem), colocada como um apelo desesperado ou um ultimato para o relacionamento, não termina aqui. "Essas atrocidades aconteceram. Você acredita em mim. Agora você deve apoiar-me na minha compensação por meus sofrimentos, em meus esforços para obter indenização pelos crimes que foram cometidos contra mim. A 'recuperação' de minha sanidade depende de ser acreditada, validada e auxiliada em minhas tentativas de obter compensação. 'Eles' devem ser obrigados a confessar e a pagar pelos erros que cometeram contra mim." No caso de memórias de abdução por alienígenas, a parte final do apelo não é tão clara, mas é mais ou menos assim: "As pessoas precisam ser obrigadas a acreditar que essas coisas estão acontecendo, que vidas estão sendo destruídas, que minha vida está arruinada pelos medos com que vivo. Até que a verdade seja conhecida e acreditada, não teremos um modo coletivo de nos reunirmos para nos proteger desses alienígenas invasores e de parar esse uso que fazem de nós como se fôssemos animais num zoológico ou num laboratório de pesquisa".

Existe certa lógica impulsora nesses diversos apelos e exigências. E parece que essa lógica, junto com a persuasão apaixonada de seu valor absoluto, tem levado os terapeutas a perder sua posição terapêutica usual.

Os analistas foram ensinados durante seu treinamento a nunca "acreditar" em nada que é dito na psicoterapia, mas a levar a sério tudo o que é dito. *"Acreditar" é sair do papel profissional de terapeuta e entrar num relacionamento dual com o paciente, e isto irá destruir a posição terapêutica e a possibilidade de ser capaz de interpretar os aspectos ilusórios e fantasiosos da transferência e da resistência.* Até mesmo entrar na vida do paciente de modo realista coopera secretamente com a resistência inconsciente. Assim, somos ensinados a permanecer neutros, "equidistantes" entre os agentes da personalidade do id, ego e superego, e a realidade externa do paciente.

Uma pessoa chega em nosso consultório e diz que tem dores de cabeça por causa de muito "estresse". O clínico geral diz: "São os nervos". Acabaríamos rapidamente com nossa prática se acreditássemos em qualquer uma dessas conclusões. Em vez disso, aprendemos a receber a queixa e as interpretações que a acompanham. Depois pedimos que o paciente continue falando-nos sobre si mesmo. Uma mulher vem-nos contar que sente dor nas relações sexuais porque seu marido insiste em ter sexo com ela o tempo todo. Ouvimos que a criança que é trazida para a terapia está mentindo e roubando apesar de todos os esforços de seus pais para educá-la corretamente. No trabalho com casais ou com famílias sempre ouvimos "realidades" conflitantes. Levamos cada uma das realidades a sério enquanto trabalhamos, mas evitamos perder nossa neutralidade, nossa posição terapêutica e, portanto, nossa possibilidade de fazer algo válido, e não sermos varridos pela questão de qual versão da realidade é correta ou verdadeira. Nunca consideramos o que ouvimos por seu valor aparente, mas sempre o recebemos com seriedade e pedimos mais informações.

Ao considerar o dilema referente a acreditar nas memórias recuperadas, comecei a perceber que alguns de meus colegas não são afligidos por essa exigência de acreditar nas memórias que lhes são contadas. Percebi que em sua maioria são terapeutas amadurecidos, com grande experiência e competência em analisar a transferência e a resistência, independentemente da escola de terapia em que foram treinados. Eles levam a sério o que lhes é contado e pedem mais informações. Agora o caminho para o quebra-cabeças das memórias recuperadas está ficando mais quente! Os terapeutas amadurecidos que entendem o trabalho com a transferência e a resistência, independentemente de que nome dêem a isso, não sentem a necessidade de "acreditar" nas memórias de abuso infantil ou de abdução, mas levam a sério essas preocupações e crenças e trabalham com elas. Se pressionados, esses profissionais podem estar inclinados a acreditar que a experiência de determinada pessoa aconteceu ou não, mas esta não é a sua preocupação. Eles têm consciência da existência de abuso e de negação massivos em nossa sociedade (V. Hilton, 1993). E não sentem a necessidade de acreditar ou de duvidar, sem que haja evidências objetivas esmagadoras de fatos específicos — sabem que simplesmente "acreditar" não faz parte de seu trabalho como psicoterapeutas. Um colega perguntou: "Quem decidiu que devemos ser os árbitros da verdade objetiva? Onde, a não ser no consultório de psicoterapia, estamos menos presos ao fato objetivo?".

Quatro mecanismos de memória que se manifestam na transferência e na resistência

Um século de pesquisa psicanalítica trouxe o entendimento de quatro mecanismos básicos de memória. A teoria psicanalítica liga inextrincavelmente a memória com os relacionamentos significativos. Por meio da *repressão secundária*, a criança de cinco anos decide voluntariamente não experimentar ou afastar da consciência seus desejos incestuosos e parricidas, que se mostraram indesejáveis dentro da estrutura da família. Por meio da *dissociação*, toda uma linha de desenvolvimento da personalidade, ou todo um setor da personalidade como o narcisismo, é negado ou dissociado — separado e não percebido como uma parte ativa da personalidade central de uma criança de três anos enquanto ela se relaciona com os outros. Por meio da *cisão*, diversas seqüências de interação emocional, cenários de caráter simbiótico dos quatro aos 24 meses, são consideradas boas e procuradas, ou desvalorizadas como ruins e evitadas, com base na experiência original da pessoa com a mãe ou a figura maternal. A possibilidade de contato com os outros, os traumas precoces (pré e pós-natais) relativos aos modos de nutrição e outros contatos rompidos são lembrados nos diversos modos como a pessoa rompe o contato nas tentativas subseqüentes de estabelecer conexões que possam levar à formação de vínculos, nas expressões de procura ou de afastamento por meio da *repressão primária* da dor antecipada.

Esses mecanismos de memória são responsáveis, respectivamente, por quatro categorias principais de memórias de transferência e de resistência consideradas características das quatro variedades de organização da personalidade que emergiram num século de estudo dos tipos de memória que aparecem com regularidade na situação psicanalítica e psicoterapêutica. Na *organização neurótica da personalidade*, o senso subjetivo dos impulsos instintivos de uma criança de cinco anos é lembrado na transferência junto com medos intensos (resistência) de sentir os impulsos sexuais e agressivos em relação a alguém tão íntimo quanto o analista, pois essa intensidade foi proibida na estrutura triangular familiar. Na *organização narcisística da personalidade*, as necessidades intensas de uma criança de três anos por admiração, confirmação e inspiração na relação com os outros são fundamentais para as memórias de transferência. As necessidades narcisísticas naturais estão envoltas em vergonha (resistência) com relação ao desejo de estar no centro do universo. Na *organização borderline de personalidade*, as memórias de transferência (do bebê de um a dois anos) estão enraizadas na recriação de um conjunto de cenários emocionais interpessoais. As memórias de resistência vão contra o reviver das interações (cenários) emocionais positiva e negativamente carregadas (cisão) no relacionamento analítico, de modo que elas não podem alcançar a representação e, portanto, não podem ser abandonadas. Nas *personalidades que atuam os processos orga-*

nizacionais mais precoces, o que é estruturado na memória de transferência é a contínua ruptura ou rompimento de cada tentativa de formar canais organizadores para o outro. A resistência assume a forma do terror e da dor física sempre que o contato sustentado com outro significativo se torna ameaçador.

A partir de um século de exploração psicanalítica da memória da primeira infância não se conhece nenhum mecanismo de memória ou forma de memória associativa que apóie a crença amplamente difundida de que as experiências traumáticas que ocorrem antes dos quatro ou cinco anos de idade podem estar sujeitas a uma repressão massiva, que depois pode ser suspensa de forma tal que permita uma reconstituição perfeita dos acontecimentos, como se estivessem gravados em vídeo. A visão que prendeu a imaginação popular pode ter um apelo dramático imperioso, mas é contrária a todo conhecimento disponível. As memórias que acontecem como parte de um processo terapêutico e têm sido amplamente estudadas são as que ligam as experiências emocionais passadas com a realidade atual de relacionamento do contexto psicanalítico. De acordo com os modos como a personalidade pode organizar-se, simplesmente não há lugar em que possa acontecer um trauma interpessoal massivo que resulte em amnésia total que mais tarde possa desaparecer.

As únicas explicações possíveis para os relatos existentes de memórias recuperadas, considerando-se tudo o que foi dito até aqui, são as seguintes:

1. As memórias estão baseadas em histórias ouvidas mais tarde, que produziram imagens tidas como "memórias", mas que não o são.

2. As memórias de acontecimentos traumaticamente intensos permanecem pela pura força de seu impacto emocional. Mas tais memórias, como as da morte de um dos pais ou de abuso físico ou sexual conhecido e confirmado na época em que aconteceu, não são "esquecidas", mas estão sempre acessíveis à memória — embora talvez não se tenha pensado nelas por muito tempo. Isto é, as memórias de trauma real e conhecido podem ser postas de lado e não ser lembradas por longos períodos, mas não estão totalmente perdidas e são depois

precisamente recuperadas mediante hipnose, "soro da verdade" ou de associação livre na psicoterapia.

3. As memórias projetadas em tela ou vistas como se através de telescópio são, como os sonhos, produtos de condensação, simbolização, deslocamento e representação visual do processo primário. Como tais, essas memórias nunca podem ser consideradas "plena e objetivamente reais", independentemente de quanto possam ser vivas ou corroboradas por evidências externas.

4. As memórias de fracasso ambiental foram "congeladas" (Winnicott, 1954) até que se apresente uma situação de relacionamento na qual o fracasso possa ser emocionalmente revivido no presente num estado relacional regredido, de modo que os fracassos empáticos possam ser transformados. Esta última perspectiva pode ser a mais promissora para a teoria da memória como uma câmera de vídeo. Mas o aparecimento desse tipo de memória depende da situação e do relacionamento e, portanto, é um amálgama criativo de alguns elementos do fracasso passado com as perspectivas que existam no presente para um resultado mais satisfatório, de tal maneira que essas memórias não possam ser consideradas objetivamente precisas.

O fenômeno da amnésia para os acontecimentos antes dos três anos de idade é atribuído à observação de que nesse período de desenvolvimento não existe a capacidade de lembrança verbal, simbólica ou pictórica *per se* que possa operar independentemente das conexões interativas, afetivas e somáticas. Portanto, as memórias recuperadas dos primeiros meses e anos de vida só podem ser construções, narrações ou imagens de sonho em *flashback* criadas artisticamente para se encaixar na situação de relacionamento atual, de modo que o senso emocional de fracasso ambiental do passado possa ser revivido.

Concluindo, não existe modo concebível em que as memórias recuperadas, da forma como estão sendo hoje expressas na mídia e nos tribunais, possam constituir a lembrança de algo que seja objetiva e totalmente verdadeiro, da maneira que se afirma que sejam.

O problema da "recuperação" ao ser acreditado

A insistência (1) em ser acreditado, (2) em ter as próprias experiências validadas e (3) em só conseguir alcançar a "recuperação" ao ser apoiado na busca de compensação realista começa a se parecer com um sintoma de alguma outra coisa, quando fazemos o esforço para compreender o quebra-cabeças central das memórias recuperadas. Fiquei pensando: e se for assim, qual é a raiz comum a esse pedido sintomático?

Quase por intervenção divina, uma terapeuta profundamente perturbada e horrorizada apareceu em meu próximo grupo de consulta. Qual era a fonte de seu horror? "Uma cliente com quem tenho trabalhado por dois anos e meio combinou para amanhã, com a ajuda de seu grupo de apoio de 'sobreviventes', uma confrontação com toda sua família sobre os abusos sofridos na infância."

Respondi: "Grupos de 'sobreviventes' incentivam esse tipo de coisa o tempo todo. Qual é o problema — certamente você não está envolvida nisso tudo?". "Não, é claro que não. Mas após seis meses de terapia, quando todas essas memórias de abuso começaram a aparecer nas sessões, ela ficou bastante fragmentada e teve dificuldade para continuar vivendo normalmente. Mandei-a para um psiquiatra que lhe receitou Prozac, o que ajudou. Ela tem um plano de saúde *managed care*, e seus reembolsos para psicoterapia logo se esgotaram. Continuei a vê-la uma vez por semana, cobrando um preço menor, mas ela com certeza precisava de mais. Sugeri que procurasse o Centro Comunitário para Mulheres, para ter um grupo de apoio. O centro lhe indicou um grupo de sobreviventes de incesto. Pensei: 'Bem, ela está trabalhando essas questões e talvez eles possam ajudá-la'. Nos últimos dois anos surgiram muitas memórias de coisas absolutamente terríveis que aconteceram com seu pai e irmão. Ela insiste em que eu acredite em todas as memórias que surgem no grupo e na sessão."

"E são coisas em que dá para acreditar?"

"Bem, é difícil dizer. Ela está claramente muito perturbada, é *borderline* na melhor das hipóteses, com bolsões de organização em torno de todo esse abuso. Não questiono o fato de ela ter sido muito abusada de algum modo. Mas não tenho idéia a respeito das memórias reais — existem muitas, e elas são bem grotescas."

"Mas ela insistia em que você acreditasse em todas?"

"Sim."

"E como você lidou com isso?"

"Bem, fiz o melhor que pude para sair disso. Você sabe, dizer-lhe que sei que algumas coisas horríveis devem ter acontecido com ela, que faríamos o possível para entender os fatos e descobrir meios de ela poder encarar qualquer coisa que tenha ocorrido e encontrar novas maneiras de viver — eu disse tudo isso. Mas ela precisava *saber* que eu acreditava nela. E então as memórias começaram a ser mais explícitas, coisas que um bebê não conseguiria imaginar, a menos que realmente tenham acontecido."

"Então você acreditou nela?" "Bem, de certo modo sim. Quero dizer, não sei sobre todas as memórias, mas algo horrível claramente lhe aconteceu. Deixei que ela soubesse que acreditava nisso. Mas estou certa de que ela pensa que eu acredito em tudo, como o seu grupo de sobreviventes faz. Mas agora estou preocupada porque ela tem toda essa energia e apoio reunidos para a grande confrontação de amanhã. Quer que todos confessem, que digam que fizeram aquelas coisas horríveis com ela, que digam que sentem muito, que são pessoas horríveis por ter feito tais coisas, que nunca poderão perdoar-se, que não há como eles possam compensá-la."

"É isso que ela quer, alguma forma de recompensa?"

"Não sei de fato o que ela quer. Seu pai e seus irmãos têm dinheiro, talvez ela deseje algum tipo de pagamento. E há muito dinheiro de seguro. Seu grupo de sobreviventes a instruiu a esse respeito. Mas isso não é o principal. Ou, pelo menos, não acho. É como se, de alguma forma, a sanidade dela estivesse em jogo. Ela agora reuniu todas as pessoas que acreditam nela e de quem precisa para validar suas experiências e memórias. Agora se sente absolutamente certa de que essas coisas aconteceram. Se eles não confessarem, não se rebaixarem e *não concordarem em que ela está certa e eles errados, temo que ela tenha um colapso psicótico!* Mas o que me apavora é que de algum modo cooperei com isso, sem realmente desejar fazê-lo. Ela vai confrontar a família sobre todas essas coisas, coisas que não tenho como saber se de fato aconteceram. E ela vai dizer que se lembrou de tudo isso em terapia, que seu grupo a ajudou a ter coragem para finalmente falar a verdade. Você vê, é medonho. Não sei como entrei nessa confusão. E ontem li a respeito de um grupo que está ajudando as famílias a lutar. Eles estão incentivando as famílias a processarem o terapeuta por incentivar as pessoas a acreditar nas falsas memórias. E, é claro, os terapeutas têm muito dinheiro para processos. Tenho três milhões de dólares em seguros, que essa família pode ambicionar. E você sabe o que é mais assustador? Tenho todas essas memórias escritas em minhas anotações. Certamente, com seus tremores, soluços, contorções, à medida que ela lembrava tudo — fato por fato. A família dela, pelo menos superficialmente, parece comum e normal. Não creio que eles aceitarão bem o fato de ouvir que são criminosos e ser ameaçados com processos relativos a crimes que supostamente cometeram há 25 anos. Tudo é uma terrível confusão, e não tenho proteção em tudo isso. Estou presa ao sigilo, se a família me contatar procurando informações. Não posso dizer-lhes nada, nem ajudar como intermediária. A linha de base é: eu estou...!"

Respondi: "Siga-me por um minuto enquanto exploro algumas possibilidades. Quando ouvi o seu dilema a partir da perspectiva da organização de personalidade simbiótica ou *borderline*, ouvi a linha de base de que a sua cliente conseguiu molestar você, violando seus limites pessoais e profissionais de modo bastante semelhante à forma invasiva ou violenta que ela pode ter experimentado quando era muito pequena. De acordo com esse modo de considerar o seu dilema, você está me contando que sua vida está agora vulnerável a um perigo comparável ao que ela pode ter sentido como um bebê quando seja lá o for aconteceu. As memórias de sonho em *flashback* são vivas e intensamente sexuais. Pode ser que o que ela vivenciou parecesse muito diferente se fosse olhado de forma objetiva. Mas as memórias grotescas sexualizadas expressam por metáforas certo senso verdadeiro de como se sentiu, ou pelo menos de como ela se sente agora quando tenta expressar as intensas sensações corporais que certamente contêm uma memória. Segundo esse ponto de vista, você está dizendo que todo esse tempo você foi mantida como refém emocional numa posição impotente e vulnerável similar à que ela sentiu quando criança — sem ter a menor idéia de como se proteger dessa violência".

A terapeuta disse: "Oh, meu Deus, fico com o estômago embrulhado só de perceber como o que você está dizendo é verdade. Estou sentindo todo o abuso na reversão do papel simbiótico da contratransferência".

Versões semelhantes dessa conversa estão sendo vividas nos consultórios de terapeutas onde quer que a psicoterapia seja praticada. Os programas de entrevistas estão cheios da mesma tragédia humana. As platéias de televisão estão sendo forçadas a assumir a mesma posição que a da terapeuta, e de algum modo devem julgar o destino dos que estão tendo memórias recuperadas. Os juízes e júris estão tendo de decidir o destino dos familiares acusados pela emergência de memórias recuperadas depois de décadas. A terapeuta com quem falei é brilhante, bem treinada, sincera e bem-intencionada. Seu curso de ação foi cuidadosamente considerado e bem administrado, mas mesmo assim se mostrou perigoso. Seu treinamento, como o da maioria dos analistas que trabalham atualmente, não incluiu como trabalhar com os estados primitivos de transferência e de resistência de modo a evitar antecipadamente a atuação massiva. Segundo o relato da própria terapeuta, sua cliente corria o risco de um colapso mental.

A fonte da poderosa energia que impulsiona o movimento de recuperação é o medo primordial, que leva os terapeutas a buscar memórias que dirijam a impotência e a fúria para uma fonte externa do passado e, assim, tirem o foco dessa energia aterrorizante da atual situação de transferência. Se for permitido que a cliente tenha seu colapso, estados corporais primitivos e aterrorizantes emergirão no consultório e envolverão o terapeuta. Nesse período de tempo, ela perderia completamente sua habilidade de observar a própria experiência, de testar a realidade, e vivenciaria o terapeuta como o abusador, o molestador. A acusação e o pedido de confissão e de compreensão empática seriam idealmente dirigidos ao terapeuta de tal modo que as memórias primitivas de transferência e de resistência pudessem afinal ser elaboradas, em vez de externalizadas e atuadas. Freud (1895b) descobriu que a "lembrança" hipnótica e a abre-ação catártica podem sem dúvida ser experiências emocionais intensas que momentaneamente são convincentes e aliviam a tensão. Se, porém, não houver a ativação das memórias do ego e do ego corporal na transferência e resistência e nem um trabalho intenso e extensivo ao longo do processo de elaboração, não haverá cura transformativa. Será que estamos perpetuando uma fraude quando acreditamos nas pessoas? Quando não conseguimos acreditar nelas, estamo nos recusando a ajudá-las em sua recuperação? O que os comitês éticos, conselhos de exercício profissional, juízes e júris de erros médicos dirão, daqui há dez anos, a respeito de como estamos nos conduzindo quando a transferência psicótica afinal escorregar para seu lugar e por fim, e agora publicamente, fiquemos impotentes diante da acusação de estar de algum modo abusando de alguém — por acreditar, por não acreditar, por molestar, por seduzir? A resposta de um grupo de consultoria que ouviu a história dessa terapeuta foi: "Parece que nós todos estamos...!".

O medo do colapso

A situação aterrorizante dessa terapeuta chamou minha atenção para um segundo aspecto (além do pedido para ser acreditado) da controvérsia das memórias recuperadas. Ela temia que, se as coisas não saíssem como sua cliente esperava na confrontação com sua família, ela poderia ter um colapso psicótico. A própria terapeuta tinha medo de um processo por erro médico ou de uma queixa ética comprometedora. Então percebi que as pessoas tocadas em algum modo pelo fenômeno das memórias recuperadas têm receio de que algo incerto, mas catastrófico, aconteça a elas num vago futuro que de alguma forma está relacionado com o passado distante, desconhecido e esquecido.

A solução para levar a sério as memórias recuperadas veio numa conversa que tive com Bob e Virginia Hilton[1]. Virgínia estava preparando um ensaio sobre o tema, que seria divulgado numa conferência bioenergética na semana seguinte, e estávamos juntando idéias, tentando chegar ao fundo do mistério das memórias recuperadas (V. Hilton, 1993). Bob tinha acabado de escrever um ensaio que seria

---

1. O dr. Robert Hilton é professor sênior no Instituto de Análise Bioenergética da Califórnia do Sul, onde a dra. Virginia Wink Hilton é diretora de treinamento.

divulgado na mesma conferência a respeito de um assunto relacionado (R. Hilton, 1993), e o ensaio de Winnicott, publicado postumamente, *"Fear of breakdown"* (1974), estava fresco em sua mente. Winnicott foi o primeiro pediatra a se transformar em psicanalista. Sua compreensão da interação inicial mãe-filho foi uma contribuição importante à psicanálise inglesa, e sua poderosa influência está se expandindo rapidamente por todo o mundo. Como resultado da publicação da análise da dra. Margaret Little com Winnicott (1990), *Psychotic anxieties and containment*, agora percebemos que Winnicott foi o primeiro psicanalista que aprendeu a promover "uma regressão à dependência" na qual as ansiedades psicóticas humanas mais primitivas pudessem ser analisadas — mesmo em pessoas que são bem desenvolvidas nos outros aspectos[2].

Em *"Fear of breakdown"* Winnicott mostra que quando as pessoas em análise falam de um medo de colapso psicótico, um medo de morrer ou de vazio, estão projetando no futuro o que já aconteceu na infância. Só se pode temer a experiência já vivenciada. Os medos aterrorizantes e, com freqüência, incapacitantes de colapso, morte e vazio são meios diferentes de lembrar os processos aterrorizantes que realmente aconteceram na primeira infância de uma pessoa. Esse núcleo de uma idéia, e tudo o que se seguiu em sua esteira, mudou a face do pensamento psicanalítico. O que é temido e visto como um acontecimento futuro potencialmente catastrófico é a necessidade de experimentar, na memória da transferência psicanalítica, o colapso de funcionamento horrendo, regressivo, dependente, que já foi ameaçador à vida, e de fato foi vivenciado, de alguma forma, na primeira infância.

O medo do colapso se manifesta de muitas formas, como resistência a reexperimentar, na transferência e na resistência (memórias), o terror, a impotência, a fúria e a perda de controle vivenciadas na primeira infância. Os terapeutas e os clientes temem igualmente os colapsos desorganizadores, e existem muitos modos na resistência e na contratransferência de os dois poderem cooperar para impedir a

---

2. Uma ampla revisão do diálogo psicanalítico nos últimos cem anos sobre a natureza da "regressão à dependência" terapêutica foi recentemente realizada por Robert Van Sweden (1993).

experiência curativa da lembrança quando o cliente revive a experiência de colapso com o terapeuta. *Um dos modos de cooperar com a resistência ao progresso terapêutico é focar-se nos perpetradores externos ou em traumas muito antigos para evitar ter de passar juntos pela recriação do colapso profundamente perturbador e assustador.*

Bob encontrou uma passagem no trabalho de Winnicott que relaciona o colapso original com a perda repentina do senso de onipotência do bebê, quando quer que essa tenha ocorrido — antes ou depois do parto. Acontece um colapso maciço do funcionamento somato psíquico quando o ambiente não sustenta a necessidade que o bebê tem de controlar a satisfação de necessidades vitais de seu mundo. O colapso constitui uma perda de quaisquer funções ego-corporais que o bebê possa ter alcançado no momento. As funções rudimentares ou em desenvolvimento do ego não são totalmente independentes da situação interpessoal em que estão sendo aprendidas. Assim, quando o ambiente falha em momentos cruciais, o bebê experimenta uma perda de sua mente, uma perda de qualquer senso de controle que tenha sido alcançado e uma perda de qualquer senso rudimentar do eu como agente que possa estar operando. Do ponto de vista do bebê, a perda do controle psíquico sobre seu ambiente equivale à perda dos sistemas de suporte necessários à vida, de modo que o medo da morte (como um dado instintivo) é vivenciado como aterrorizadoramente iminente, junto com a agitação frenética dos membros superiores que vemos em qualquer mamífero cujo contato com o corpo materno quente e nutridor seja interrompido. O ambiente é vazio, não é experimentado como separado da consciência rudimentar do bebê. A psique do bebê colapsa quando falta o suporte ambiental necessário para as capacidades do ego e a consciência. Nos termos de Green (1986), morre a mãe do desejo primário e do prazer.

No nível das tentativas de organização primárias do bebê existe uma equivalência funcional entre a perturbação ou a falha da provisão ambiental e um senso de vazio, perda de controle, perda da onipotência, um colapso psíquico doloroso que provoca pânico e a aterrorizante perspectiva da morte. As memórias dos primeiros colapsos estão enraizadas nos sintomas somáticos e no terror. Algumas delas parecem ser universais porque, independentemente de quanto os processos parentais sejam bons, há momentos inevitáveis de colapso que acontecem na primeira infância de todas as pessoas.

Contudo, a experiência subjetiva de intensidade, duração e freqüência dos colapsos é bastante traumática em algumas pessoas, que não puderam recuperar-se ou ser adequadamente aliviadas dessa experiência. Esse nível de memória é guardado com intensa dor física, atribuível ao processo (quase neurológico) da repressão primária. Ninguém deseja passar por dor corporal excruciante e pelo terror necessariamente envolvido na lembrança física do processo do colapso psíquico inicial. Uma abordagem simplificada de "recuperação" pode alimentar abre-ações intensas repetidas que trazem o corpo ao limiar de dor, numa atuação que é então repetida infinitamente em nome da "recuperação". Mas um século de pesquisa psicanalítica tem demonstrado repetida e inequivocamente a futilidade dessa abordagem de abre-ação, quer ela seja atuada sob a forma de gritos, chutes, acusação, confrontação, troca de personalidades, evocação de *flashbacks* sucessivos etc.

A atuação, na situação terapêutica ou fora dela, *nunca* é vista pelos psicanalistas como terapêutica, embora algumas vezes possa ser inevitável ou incontrolável. Os analistas e todos os terapeutas responsáveis — quer trabalhem com conceitos psicanalíticos transferenciais ou com conceitos de transferência como "fitas pais-filhos", "memórias do nascimento" ou "criança interior ferida" — *buscam contextualizar no relacionamento terapêutico as memórias relacionadas do passado que permanecem ativas na personalidade.* As memórias de transferência e de resistência podem ser utilizadas para análise e descobertas como ilusórias e enganosas em contraste com as possibilidades realísticas oferecidas no presente pelos relacionamentos reais de que a pessoa pode desfrutar.

Winnicott (1974) afirma que no desenvolvimento mais normal o ambiente consegue lidar com a frustração infantil e a decepção por meio de pequenas e toleráveis doses, de modo que o medo aterrorizante da morte e de um mundo vazio (e, portanto, de um eu vazio) possa ser evitado, e o colapso da onipotência seja conduzido com suavidade em vez de forçar traumaticamente e invadir de forma abusiva o corpo e a mente da criança. Agora é possível achar sentido na natureza estranha e impositiva das memórias recuperadas. O fracasso ambiental na primeira infância levou a um colapso dos processos psíquicos iniciais, acompanhado pelo terror e pela ameaça ativa da morte (conforme vivenciada pelo bebê). A experiência do colapso é bloqueada pela repressão primária que diz "nunca mais volte lá". O medo do colapso sobrevive como um alicerce somático de todo o contato emocional subseqüente, mas não pode ser relembrado porque (1) nenhuma memória da experiência *per se* é recordada, apenas um terror inominável da dependência; (2) a memória da própria experiência do colapso é guardada com dor intensa, terror somático e todos os sintomas físicos; e (3) o trauma aconteceu antes de ser possível registrar imagens, palavras ou histórias, de modo que ele não possa ser lembrado de modo comum, mas apenas como terrores corporais de morte iminente.

Os temas míticos das memórias recuperadas

Os temas míticos das memórias recuperadas (incesto, violência, personalidades múltiplas, abuso em cultos, trauma do nascimento, rapto e abdução alienígena) têm estado presentes em todas as culturas desde o início dos registros históricos e podem ser evocados pelo inconsciente humano criativo para permitir que seja construída na psicoterapia uma narração criativa que transmita a essência emocional da experiência traumática do bebê. O pedido para ser acreditado representa de alguma forma o senso de urgência da violação dos limites infantis. A primordial violação de limites está registrada e pode ser interpretada na contratransferência, à medida que o terapeuta se sente violado pelo pedido de "acredite em mim". O trabalho com repetidas rupturas do contato interpessoal por *flashbacks*, sintomas físicos repentinos, pensamentos bizarros, ataques de pânico, mudanças de personalidades e violação de limites pode ser realizado com a análise da transferência e resistência organizadoras[3].

---

3. Dois livros que detalham os problemas com esses tipos de memória de transferência e resistência, e como tratar as questões de organização, quer permeiem toda a personalidade quer formem apenas bolsões na personalidade (como na maioria das pessoas) são *Working the organizing experience* (Hedges, 1994c), e *In search of the lost mother of infancy* (Hedges, 1994a). Uma apresentação feita por Hulgus e por mim, gravada em vídeo com duração de quatro horas, também intitulada "Working the organizing experience", está disponível em meu escritório.

53

O conceito de "trauma acumulativo"

Outra questão no problema das memórias recuperadas é a afirmação, várias vezes feita por pais, familiares e terapeutas acusados, de que o adulto que faz as acusações baseadas em "falsas memórias" sempre foi normal e bem ajustado até que acontecessem problemas estressantes em sua vida. Que a convivência familiar sempre foi caracterizada por ser uma vida num grupo basicamente unido. O conceito de Msaud Khan (1963) de "trauma acumulativo" acrescenta um novo conjunto de possibilidades àquelas já discutidas.

Desde os primeiros estudos do trauma infantil realizados por Freud (1895a, b), a psicanálise tem estudado uma série de possibilidades com relação ao modo como o organismo humano lida com a superestimulação externa e interna. Já em 1920, Freud visualizava o organismo voltando seus receptores para o ambiente e gradualmente desenvolvendo um "escudo protetor":

> A *proteção contra* os estímulos é uma função quase mais importante para o organismo vivo do que a *recepção* dos estímulos. O escudo protetor tem seu próprio suprimento de energia e deve acima de tudo buscar preservar os modos especiais de transformação de energia que operam nele contra os efeitos ameaçadores das enormes energias em funcionamento no mundo externo. [p. 17]

Esse escudo protetor mais tarde se desenvolve na consciência, mas mesmo então permanece de algum modo ineficiente na proteção contra os estímulos do corpo. Uma forma de o organismo poder tentar proteger-se dos estímulos internos avassaladores é projetá-los no ambiente exterior e tratá-los como "se estivessem agindo a partir não do interior, mas do exterior, de modo a ser possível usar o escudo contra os estímulos atuantes como um meio de defesa contra estes" (p. 17). A síndrome da falsa memória parece originar-se na primeira infância (pré ou pós-natal) quando os estímulos ambientais não podem ser precisamente identificados de modo eficaz, ou quando fortes estímulos internos são projetados no exterior, num esforço para identificá-los. *Em qualquer um dos casos, por causa da operação dos processos mentais primitivos, o ambiente pode ser "culpado" pelo bebê por causar uma estimulação que não pode ser processada confortavelmente — embora culpar possa ser objetivamente inadequado às circunstân-cias.* Os problemas iniciais de um acusador, por exemplo, foram traçados até um descolamento da placenta, um desligamento da placenta da parede uterina que provoca pelo menos vários dias pré-natais sem nutrição. Com freqüência as acusações podem ser traçadas até falta de oxigênio no útero, a problemas iniciais de alimentação, a alergias infantis, a procedimentos médicos e cirúrgicos no início da vida, a incubadoras, a mães gravemente deprimidas, a problemas conjugais dos pais, ou a infinitos acontecimentos estressantes e incomuns no início da vida e que não foram deliberadamente cruéis ou abusivos.

Anna Freud (1951, 1952, 1958) e Winnicott (1952) enfatizam o papel do cuidado materno no aumento do escudo protetor durante a dependência infantil inicial. Khan (1963) introduziu o conceito de *trauma acumulativo* para considerar os acontecimentos psicofísicos iniciais que ocorreram entre o bebê e a figura maternal. O trauma acumulativo correlaciona os efeitos dos cuidados iniciais com o bebê e os aspectos perturbados da personalidade que só aparecem muito depois na vida. O trauma acumulativo é o resultado dos efeitos de inúmeros tipos de pequenas falhas na barreira inicial contra os estímulos ou escudo protetor que não são experimentadas como traumáticas no momento, mas criam certa pressão que, com o tempo, produz um efeito na personalidade que só pode ser apreciado retrospectivamente quando é sentido como traumático.

A pesquisa sobre o trauma infantil e a memória (Greenacre, 1958, 1960; Kris, 1951, 1956a, b; Milner, 1952) demonstra os efeitos específicos da pressão do trauma acumulativo sobre a estrutura somática e psíquica. Khan (1974) afirma que "*'o trauma opressor' e as memórias projetadas ou memórias iniciais precoces que os pacientes recontam derivam do colapso parcial da função protetora do escudo da mãe e uma tentativa de simbolizar seus efeitos*" (ver Anna Freud, 1958, p. 52). Khan comenta:

O trauma acumulativo tem seu início no período de desenvolvimento em que o bebê precisa da mãe e a usa como seu escudo protetor. As falhas temporárias inevitáveis da mãe como escudo protetor são corrigidas e recuperadas pela complexidade em desenvolvimento e pelo ritmo dos processos de amadurecimento. Quando essas falhas da mãe em seu papel de escudo protetor são significativamente freqüentes e influenciam o somapsique do bebê, ele não tem como eliminar essas influências e elas determinam um núcleo de reação patogênica. *Essas influências, por sua vez, iniciam um processo de interação com a mãe distinto de sua adaptação às necessidades do bebê.* [p. 53, itálicos meus]

Segundo Khan, a interação defeituosa entre o bebê e as pessoas que cuidam dele, resultante das reações sobrecarregadas, pode provocar (1) distorção precoce e seletiva do ego e do desenvolvimento; (2) receptividade especial a alguns aspectos da personalidade da mãe; por exemplo, os seus estados de espírito; (3) dissociação da dependência arcaica e da independência precoce e atuada ferozmente; (4) atitude de preocupação excessiva com a mãe e de anseio excessivo pela preocupação da mãe (co-dependência); (5) adaptação precoce às realidades internas e externas; e (6) organizações ego-corporais específicas que influenciam preponderantemente na organização posterior da personalidade.

Khan aponta que a criança em desenvolvimento pode e deve recuperar-se das brechas no escudo protetor e pode fazer uso criativo delas de modo a chegar a uma personalidade funcionalmente normal, efetiva e bastante saudável. Mas a pessoa com vulnerabilidades provenientes do trauma de tensão acumulativo infantil *"pode entretanto ter um colapso em sua vida posterior como resultado de crise e estresse agudos"* (p. 56). Khan considera que os distúrbios iniciais do cuidado maternal não são nem agudos nem graves quando existe um colapso posterior e, assim, pode-se inferir o trauma de tensão acumulativo inicial. Ele cita a pesquisa com bebês, na qual as anotações cuidadosas e detalhadas realizadas por pesquisadores bem treinados não conseguiram observar traumas que só retrospectivamente podiam ser vistos como produtores desse tipo de trauma de tensão acumulativo. Anna Freud (1958) descreveu de modo similar exemplos em que *"um dano sutil está sendo infligido sobre esta criança, e... as conseqüências disto irão manifestar-se em algum momento futuro"* (p. 57).

Essa pesquisa tem diversas implicações para o problema da memória recuperada. Existem muitos tipos de trauma aos quais um bebê pode estar reagindo de modo silencioso e invisível, que não são resultado de negligência grave nem de maus-tratos paternais. Nesses casos, só *retrospectivamente*, à luz dos distúrbios posteriores ou do colapso do funcionamento da personalidade, é que se pode inferir o trauma de tensão acumulativo. A origem da dificuldade pode ser rastreada até a função ambiental do escudo protetor, ao papel da mãe e do outro em proporcionar uma barreira efetiva que proteja a criança dos estímulos intensos, freqüentes e/ou prolongados que produzem tensão, embora possa não haver sinais visíveis de trauma no momento.

As memórias precoces ou "recuperadas" da infância que representam o trauma acumulativo são vistas pelos psicanalistas como memórias projetadas que abstraem, condensam, deslocam, simbolizam e representam visualmente o efeito da tensão. O inconsciente do cliente cria uma imagem ou narrativa convincente que descreve de forma metafórica com o que se parecia o trauma de tensão na mente e no corpo do bebê.

Muitos sintomas e/ou colapsos na vida posterior, ocasionados por condições de vida com estresse agudo, têm suas origens na primeira infância. A experiência adulta do trauma inicial vago e indefinível é atribuída aos efeitos acumulados da tensão na primeira infância provocada pelo fracasso ambiental em proporcionar uma barreira eficaz contra os estímulos no período de dependência infantil. Na época, pode não ter havido um modo de descobrir quais tipos de estímulo estavam causando uma tensão indevida sobre o bebê porque eles não eram aparentes, agindo de modo silencioso e invisível. Ou a circunstância pode ter estado além da capacidade protetora dos pais, como no caso de problemas médicos, constitucionais ou ambientais incontroláveis, como guerra, racionamento de comida, campos de concentração, discórdia familiar e assim por diante. Mas a consideração-chave para nosso assunto atual é que quando uma pessoa mais tarde, ao viver sob condições estressantes, produz memórias dos efeitos do trauma de tensão acumulativo, o que está sendo lembrado é abstraído, condensado, deslocado, simbolizado e representado visualmente nas memórias projetadas que funcionam como sonhos, de modo que, a princípio, é para sempre impossível obter uma imagem precisa dos fatos objetivos a partir das memórias recuperadas.

Algumas conclusões a respeito das memórias recuperadas

As memórias recuperadas durante a psicoterapia podem ser levadas a sério apenas se soubermos que tipos de acontecimento da vida inicial estão sujeitos à recordação posterior e como a recordação pode ser percebida por meio da análise da transferência e da resistência. Uma revisão de um século de observação psicanalítica demonstrou que os tipos de memória recuperada que estão agora atraindo a atenção pública não têm a possibilidade de ser memórias verídicas da forma pela qual estão sendo expressas. Já há bastante tempo compreendemos o efeito construído das memórias projetadas ou vistas como que através de telescópio e que operam como sonhos, como processos abstratos que interligam acontecimentos psíquicos, que de outra forma não se corresponderiam, formando imagens e seqüências plausíveis, de modo que esses eventos pareçam sãos e sensatos.

Estudamos a maneira como a verdade humana é projetada em narrações criativas e expressivas, e em interações narrativas que capturam a essência da experiência psíquica. Sabemos que a narração plausível requer características como início, meio e fim. As personagens precisam ter motivos e agir de forma crível, com propósitos e efeitos. Numa narrativa plausível, os diversos furos e inconsistências da história, a estrutura das personagens, a causa e o efeito do propósito são ignorados, preenchidos, ou interligados sem emendas, de modos que sejam vívidos, fluam naturalmente e sejam emocionalmente convincentes e logicamente críveis.

Somos envolvidos pela personagem do dr. Jekyll e sr. Hyde porque sabemos o que significa experimentar diversas partes convincentes e contraditórias dentro de nós. Todas as vezes em que *Sybil* é transmitido pela televisão ou em que um *talk show* apresenta um abuso ritual satânico, nossas clínicas são inundadas com indicações. Depois da bomba atômica, olhávamos para os céus atentos ao perigo, certos de que nossos esforços traziam os discos voadores rapidamente até nós. Começamos a afirmar mais direitos para as mulheres e crianças, e nossa cultura começou a notar os incidentes abusivos reais bem como muitas outras histórias de violência e de abuso que parecem ter outras fontes. Quando nossa cultura não conseguiu mais acreditar na histeria de conversão, vimos as úlceras gástricas, depois o *estresse*, e agora o contágio por vírus. Quando não conseguimos mais acreditar nas vidas passadas de Bridie Murphy, voltamo-nos para personalidades múltiplas, abduções alienígenas e abuso ritual satânico. Nossa imaginação coletiva continua a gerar imagens críveis que podem ser usadas em nossas construções projetadas, telescópicas e narrativas para esclarecer como foram nossas primeiras infâncias e com que se parece a estrutura de nossa vida emocional mais profunda. Aqui estão alguns exemplos:

Enquanto meus pais me criavam, eles estavam mais preocupados com credos e rituais do que com minhas necessidades de amá-los e de ser amada por eles. A reverência que mantinham era como um culto. Meu pai era o sumo sacerdote, minha mãe era uma sacerdotisa que parecia não sentir nada enquanto eu era levada ao altar e forçada a matar um bebê (eu?) e a beber o seu sangue. Então eu era colocada no altar como um sacrifício aos desejos carnais de todos os amigos deles, os outros participantes que apoiavam seu sistema de crenças. A parte mais intolerável disso tudo é que eu era forçada a fazer as mesmas coisas que eles, a me tornar parecida com eles, a sacrificar a vida humana como eles faziam, no mesmo culto, no mesmo altar. Em resultado disso, sou uma pessoa em ruínas.

Há uma inteligência superior que entra em minha esfera, que me levanta, me abaixa e troca fluidos comigo pelo meu umbigo. Eles querem minha alma, minha fertilidade, e querem engravidar-me com sua estrutura mental superior. Não tenho controle sobre as idas e vindas da inteligência superior que governa minha vida, mas tenho medo dela e sou levada repentinamente. É como estar perdida num pesadelo infindável que não posso afastar. É como se perder num horrível filme de ficção científica do qual você não pode fugir. Não tenho controle sobre essas inteligências superiores que me observam.

Meu pai me amava demais. Lembro quando ele costumava entrar no meu quarto. Lembro que minha mãe estava por lá em segundo plano. Meus anseios infantis foram mal interpretados por ele, e ele se aproveitou de mim. Se ela tivesse cumprido sua tarefa de fazê-lo feliz como uma esposa devia fazer, eu não teria sido dada a ele.

Minha mãe governava todos os meus pensamentos. Sempre fomos próximas; compartilhávamos tudo. Meu pai era um alcoolista bruto e irracional, com quem eu não podia aprender sobre masculinidade. Ele me deu a ela porque não queria lidar com a dependência dela, e assim eu tive de ser pai e marido para ela — não é de admirar que eu seja o que sou.

Em todas essas histórias familiares, podemos supor que o que deve finalmente ser expresso ou representado na interação da transferência ou da resistência psicanalítica é a perda do poder, a perda do controle sobre si mesmo e um destino pessoal de continuar experimentando o vazio, o colapso e a morte como resultado dos fracassos ambientais internalizados. Os tipos de histórias que precisam ser contadas e os tipos de memórias somáticas dolorosas que têm de ser revividas irão variar conforme a natureza da experiência do colapso infantil.

Os leitores podem perguntar: "Mas tudo isso não é especulação? Como sabemos que todas essas coisas realmente não aconteceram do exato modo como são lembradas?". A resposta se encontra em nossa compreensão da esperança que a situação psicoterapêutica traz de que as pessoas sejam ajudadas ao reviver um estado de dependência de um trauma passado. E, então, de serem transformadas ao se relacionar melhor com o presente. Os efeitos do colapso infantil resultante de infortúnio, mal-entendido, negligência ou abuso só podem ser transformados em nossa vida cotidiana ao reviver os traumas infantis na transferência presente. Atuar ou deslocar a acusação para o passado nunca nos ajuda a transformar nossas vidas interiores.

Um bem-intencionado pai acusado que ficou buscando em sua memória alguma evidência de que de fato tenha ultrapassado o limite, do modo como sua filha adulta alega, pode perguntar: "Mas, doutor, não é possível que eu tenha ficado tão horrorizado com o meu ato que o tenha reprimido totalmente?". A resposta é, sem dúvida, não. A repressão não é tão simples assim. O problema é que quando somos traumatizados, apenas não conseguimos esquecer. Colocamos de lado,

60

damos um jeito de não pensar sobre isso por longos períodos, mas um barulho súbito leva-nos de volta ao campo de concentração, à trincheira onde nosso amigo está se esvaindo em sangue e morrendo, ao quarto com o papel de parede de flores amarelas e com cheiro de mofo onde, empoleirados no teto, observamos papai chegar ao prazer com nossos corpos insensíveis.

A repressão psicológica acontece a uma criança de cinco anos cujos impulsos sexuais e agressivos pressionam por uma expressão proibida. A repressão, conforme a temos estudado por um século, só funciona contra a estimulação que emerge de *dentro* do sistema neuropsíquico, não apenas em harmonia com convicções morais abstratas. Essa idéia de repressão pertence a Hollywood. "Mas, doutor, não é possível que eu comece a ter *flashbacks* de ter realmente cometido os atos que minha filha diz que cometi?" É claro que todo mundo pode ter *flashbacks* de qualquer coisa. Mas eles operam como sonhos, não como memórias. Os *flashbacks* são construções inconscientes e, como tais, têm muitos determinantes. Se você estivesse trabalhando em meu divã e começasse a ter *flashbacks*, eu o incentivaria a dar atenção cuidadosa e sistemática a eles. Suporia que eles continham a história de *seu* passado infantil que estaria sendo recriado no presente, como um sonho, para que pudéssemos estudar como a sua relação comigo estava apontando em direção ao que aconteceu em sua primeira infância, que de outro modo não poderia ser lembrada. Se os *flashbacks* parecessem estar ligados também a sua filha e a outros familiares, eu estaria atento à maneira como o passado infantil também teria sido ativado em diversos momentos em experiências de transferência com eles, além de estar sendo revivido em nosso relacionamento para que estudássemos. Eu nunca suporia que estivéssemos tratando de fatos ou de memórias.

Os terapeutas, que perderam momentaneamente seus limites profissionais ao trabalhar com as transferências primitivas, relatam memórias vivas de experiências de dissociação. Nunca é uma questão do que eles fizeram ou deixaram de fazer — não importa quanto tenha sido horrendo ou perturbador do ego. Em certo momento sentiram o apelo de uma mulher desesperada (assexual, infantil) que precisava de seu toque para não cair na escuridão e na morte. Ao buscar alcançá-la, escorregavam para o lugar em si mesmos no qual há muito tempo tinham mobilizado a busca total, o anseio total, e se dirigido para o seio (assexual) tão desejado e tão fascinante. Retrospectivamente, sabem, sem sombra de dúvida, que experimentaram um momento psicótico em si mesmos ao tentar resgatar essa mulher. E enquanto eles estão corretamente horrorizados pelo que fizeram, não há possibilidade de que isso seja de fato esquecido. Os perpetradores sabem exatamente o que fizeram ou não, mesmo que tentem distorcê-lo para negar, defender-se e culpar o outro. As únicas exceções são as pessoas que vivem há muito tempo na experiência psicótica e nunca conseguiram um contato muito bom com a realidade. As pessoas comuns simplesmente não são capazes de realizar tais "repressões", independentemente de quanto desejem fazê-lo.

Um século de conhecimento psicanalítico diz que a associação de memórias simplesmente não funciona do modo como tantas pessoas afirmam, mas que as memórias associadas se manifestam no dia-a-dia das pessoas e nas memórias de transferência e de resistência na psicoterapia. Pessoas que experimentaram colapsos infantis tentam transformar o trauma passivo em domínio ativo molestando-nos com suas memórias, com a exigência de que acreditemos nelas e com sua insistência em que as apoiemos em sua reparação. *Como seres humanos que estiveram sujeitos ao trauma infantil, eles merecem muito mais do que apenas acreditarmos neles!*

Ao acreditar nos traumas e incentivar as pessoas a fazer coisas no mundo real com relação às terríveis memórias que elas recuperaram na psicoterapia, os psicoterapeutas só podem cooperar com as forças de resistência que, conforme sabemos, surgem para impedir a dolorosa experiência da transferência. O que está sendo evitado é claramente o colapso das funções mentais primitivas que só pode ser realizado na segurança e na intimidade de um relacionamento de transferência particular. Os clientes, assim como os analistas, temem a intensidade e a intimidade do reviver de uma transferência tão primitiva. Pessoas que sofreram humilhação e traumatização na infância anseiam por experiências psicoterapêuticas regressivas nas quais as experiências desorientadoras possam ser objeto de análise da transferência, resistência e contratransferência.

Poucos terapeutas foram preparados em seu treinamento profissional para mergulhar fundo no significado das memórias recuperadas no contexto do relacionamento terapêutico. E existe um grande risco para o profissional que trabalha com o trauma profundo de personalidade. Não há apenas o risco de litígio proveniente da atuação selvagem do dano que os clientes estão infligindo em suas famílias como resultado das memórias recuperadas. Existe o risco ainda maior de que o terapeuta seja bem-sucedido ao mobilizar a transferência organizadora precoce ou psicótica e obtenha sucesso com a interpretação ao fazer com que isso não seja refletido em vingança diante da família, mas seja apanhado com acusações diretas contra ele, enquanto o cliente está num contexto mental com pouco teste de realidade. Por isso muitos terapeutas estão ansiosos por refletir essas ansiedades para personagens do passado, em vez de tentar contê-las!

Como profissionais, ainda não começamos a avaliar o grande perigo que corremos em resultado da emergência das memórias recuperadas no relacionamento de transferência terapêutica. O aumento dos processos legais, o número cada vez maior das ações disciplinares realizadas pelos comitês éticos e conselhos de exercício profissional e os custos exorbitantes dos seguros de erro médico deixam claro que o problema é real e sério. Por essas e outras razões, sugiro a inclusão de uma terceira pessoa, um "monitor de caso", sempre que se esteja trabalhando com transferências organizadoras ou psicóticas, de modo que todas as pessoas tenham consciência do trabalho e estejam protegidas de um descarrilhamento acidental do processo psicótico (Hedges, 1994c). Sabemos que existem abusos e que eles precisam ser limitados. Mas a atmosfera selvagem de acusação que rodeia as memórias recuperadas é apenas a ponta do *iceberg* dos sentimentos universais de transferência psicótica.

Pais e famílias abusivos ou negligentes não são os alvos terapêuticos adequados dos sentimentos de transferência abusivos primitivos. Somos nós e o trabalho que realizamos. Como vamos proteger-nos individual e coletivamente desse monstro psicótico abusivo que uma sociedade preocupada com o bem-estar de todos soltou contra nós?

Implicações para questões sociais e legais

1. *A pesquisa clínica, teórica e experimental não confirma a teoria popularizada da memória como uma "câmera de vídeo".*

A idéia bastante comum, de que um trauma gerado externamente pode produzir a amnésia total por muitos anos e depois estar sujeito a uma lembrança total perfeita dos fatos é uma invenção completamente falsa de Hollywood. Como um instrumento dramático para gerar o horror e o suspense, o espectro da perda caprichosa de memória em resposta a experiências indesejadas sem dúvida convenceu milhões de pessoas de que essas coisas podem acontecer — como é comprovado por uma população totalmente enfeitiçada no momento.

2. *As memórias recuperadas não podem ser consideradas um fato.* O ponto de vista psicanalítico mostra que existem numerosas fontes de variação nas memórias recuperadas para que estas possam ser consideradas fontes confiáveis de verdade factual. As memórias produzidas em hipnose, em entrevistas quimicamente induzidas ou em psicoterapia dependem do contexto, da técnica e do relacionamento. As memórias recuperadas mais importantes que atestam uma história de trauma se originam nos primeiros meses ou anos de vida. Nosso conhecimento do modo como a mente humana registra a experiência nesse período impossibilita que imagens verbais, pictóricas, narrativas ou mesmo projetadas sejam confiáveis com relação aos fatos.

3. *Mas as memórias recuperadas em psicoterapia também não podem ser consideradas meras fantasias falsas.* Temos diversos meios viáveis para considerar o valor verdadeiro potencial das memórias recuperadas no contexto da psicoterapia. Muita coisa foi dita com relação às memórias projetadas, memórias vistas como se através de um telescópio, e verdade narrativa. Na literatura sobre as memórias recuperadas tem sido dada pouca atenção aos tipos de memória de transferência e de resistência que podem caracterizar cada época de desenvolvimento da primeira infância. O terror que muitas pessoas experimentaram nos primeiros meses de vida devido a infortúnio, equívocos, negligência e/ou abuso está registrado em dolorosas aversões a estados dependentes que poderiam levá-las a correr o risco de colapso psíquico. Os efeitos do trauma acumulativo na primeira infância podem

ser devastadores para a vida adulta de uma pessoa, embora nenhum trauma seja visível e nenhum abuso esteja acontecendo no presente. As pessoas resistem quase a qualquer preço a ter de reexperimentar na transferência (isto é, lembrar) as memórias terríveis e fisicamente dolorosas da falha ambiental na primeira infância. Mas responsabilizar as pessoas e os acontecimentos da infância pela própria infelicidade vai fundamentalmente contra a natureza da psicoterapia responsável.

4. *Uma atitude simplificada de "recuperação" tende a cooperar com a resistência ao estabelecimento da lembrança da transferência e, em algum grau, é antipsicoterapêutica.* Ao concordar com a exigência dos clientes de que se acredite neles, de que suas experiências sejam validadas e de receber apoio para confrontar os erros, os terapeutas que trabalham com a "recuperação" estão fechando a possibilidade de conter para análise de transferência e de resistência as memórias mobilizadas pelo relacionamento psicoterapêutico. Incentivar a atuação de memórias recuperadas multideterminadas em nome da psicoterapia está claramente criando vulnerabilidades referentes a erro médico para esses profissionais.

5. *Os estudos das memórias recuperadas não podem chegar a conclusões responsáveis quando envolvem diversas categorias de memórias, distintos níveis de desenvolvimento e vários modos de organização da personalidade. E as conclusões também não podem generalizar sem crítica as descobertas feitas no contexto psicoterapêutico, que é uma situação e um relacionamento dependente, para outros contextos sociais e legais.* Como a memória humana é complexa, enganosa e multidimensional, todas as tentativas de chegar a conclusões simplificadas ou dogmáticas estão fadadas ao fracasso. Isso inclui as tentativas de considerar também os aspectos fisiológicos da memória.

6. *Para levar a sério as memórias recuperadas é necessário estabelecer um relacionamento particular e confidencial no qual todas as possibilidades de memória projetada, narrativa, de transferência e de resistência possam ser cuidadosamente consideradas no decorrer do tempo e no contexto contínuo do*

relacionamento psicoterapêutico. A transformação terapêutica das estruturas internas deixadas pela omissão, pela negligência e pelo abuso ocorridos na infância envolve necessariamente a mobilização no relacionamento terapêutico de uma dualidade na qual o relacionamento real com o terapeuta pode ser conhecido em contraste com os relacionamentos lembrados da infância, que estão sendo projetados de dentro do cliente sobre a pessoa do analista e no processo da análise.

Os riscos da mobilização das transferências profundas

Manutenção da Separação e da Segurança no Encontro Analítico

A proteção contra o envolvimento incestuoso e parricida é proporcionada pelo olhar de uma terceira pessoa — tradicionalmente simbolizada pelo pai, agora codificado na psicoterapia como a ética e a lei. Uma mãe deve estar total e instintivamente envolvida para dar a máxima recepção às necessidades pré-edipianas de seu filho. O que ela pode oferecer como uma parceira simbiótica é restrito e depende do grau em que seu envolvimento com seu bebê está limitado por preocupações pessoais, por noções restritivas sobre práticas de criação infantil, ou por defesas internas rígidas. Por outro lado, os tabus ancestrais referentes à sedução e à violência para com os bebês ensinam que um envolvimento sub ou superestimulador das pessoas que cuidam do bebê cria o trauma e danifica as mentes em formação.

É o olhar do Outro, conforme internalizado na estrutura psíquica dos pais e dos profissionais de ajuda, que protege contra a superestimulação destrutiva e invasora dos que buscam expandir seu desenvolvimento psíquico. Sem esse olhar do Outro para monitorar e estruturar os relacionamentos intensos, de um modo que seu estímulo não seja traumatizador, a pessoa não iniciada nas complexidades do relacionamento emocional humano (1) colapsa por falta de resposta estimuladora; (2) realiza atividades com o objetivo de evitar a estimulação intensa; ou (3) recebe a estimulação como se fosse uma intrusão traumática (que pode mais tarde precisar ser vingada). Essas três escolhas (congelar, fugir e lutar) estão abertas a todas as pessoas durante a infância, e a forma pela qual a pessoa resolve o problema da estimulação intrusiva será também revivida na análise como uma memória de transferência e de resistência.

Por causa dos papéis característicos ou ritualísticos de "falar" e de "ouvir", assumidos dia após dia na situação psicanalítica, a seqüência de intensas iluminações de transferência irá emergir como mais óbvia, mais explícita e freqüentemente dita com relação às estruturas emocionais transferidas inconscientemente da pessoa que fala e não da que ouve. A psicanálise tradicional é formulada para implicar que não haja envolvimento emocional por parte do analista. E, se houver, ele é prejudicial e tem de ser eliminado; não deve ser explicitado nem comunicado ao paciente. No trabalho mais contemporâneo com as transferências pré-edipianas espera-se alguma troca recíproca com relação a diversas questões emocionais. E todo analista conhece as transformações internas que ocorrem em sua personalidade como resultado do envolvimento com cada relacionamento analítico profundo.

Sublimação de Impulsos Analiticamente Estimulados

A questão da propriedade na psicanálise e na psicoterapia depende de o relacionamento intenso e mutuamente estimulante ser capaz de evoluir para o momento profundamente íntimo da interpretação transformadora da transferência, em que as duas partes — ou pelo menos o analista ou terapeuta — conseguem sublimar a experiência da mobilização dos impulsos de tal modo que o resultado desse envolvimento amoroso seja o *insight* e o desenvolvimento, em vez de penetração emocional impensada e destruição. Nossa cultura entende vaga e intuitivamente o poder dos relacionamentos de ajuda para produzir crescimento e ainda causar dano. A existência universal de regras com relação ao incesto (sexualidade) e assassinato (violência) comprova a presença universal das tentações. Certamente não temos leis sobre coisas que não sejam tentadoras. O esclarecimento recente dos códigos de ética e das leis quanto à posição essencialmente paternal designada pela sociedade a todos os profissionais de ajuda comprova ainda mais um compromisso cultural em impedir os encontros não sublimados entre os indivíduos que buscam orientação e crescimento e aquelas pessoas mais iniciadas nos diversos aspectos da vida humana.

Se apenas considerássemos o encontro psicoterapêutico desse modo, poderíamos perceber rapidamente que o parceiro que ajuda está sempre correndo o risco de que seus próprios impulsos sejam mobilizados no processo de uma conexão significativa de ajuda, e portanto corre o risco de ficar de alguma forma perdido no processo. "Ficar perdido" poderia fazer com que uma pessoa se sentisse consciente ou inconscientemente estimulada pela atração emocional da intensa experiência de relacionamento, e assim mobilizasse defesas rígidas ou limites contra o envolvimento pessoal. Mas defesa e limites não são sublimação. A defesa representa o estabelecimento de uma barreira interna ao se relacionar espontânea e instintivamente com a outra pessoa — um fechamento dos canais potenciais de conexão pessoal afetiva e de comunicação. Do mesmo modo, o estabelecimento de um contexto ritualizado ou de limites rotineiros representa um esforço cognitivo de estabelecer limites, que protegem a pessoa de maneira indiscriminada, com uma recusa *a priori* de receber e de ser afetada pela estimulação intensa que é trazida necessariamente por um relacionamento íntimo. Por outro lado, a sublimação leva a um processo (normalmente mais ou menos consciente) de reexperimentar a ativação natural que surge em conseqüência da conexão. Então, esse entusiasmo e empolgação espontâneos são usados para atingir os objetivos criativos e produtivos no contexto do relacionamento. A história de nosso campo demonstra quão freqüentemente os analistas se perderam em atividades defensivas quando a sublimação teria sido mais útil. Na verdade, podemos até dizer que grande parte dos usos e dogmas da psicanálise tem como objetivo apoiar a defensividade do analista e definir limites ritualizados para garantir o não-relacionamento, em vez de incentivar o analista a sustentar uma postura repleta de desejo e de apreensão.

A moralidade atual, cega e ingênua, que rodeia os chamados relacionamentos duais, incentiva ainda mais os terapeutas a voltar as costas à tarefa terapêutica essencial — a de mobilizar as constelações emocionais (formadas no passado distante) no relacionamento real do aqui-e-agora com o analista ou terapeuta, de modo que possam ser vivenciadas como padrões ilusórios poderosos que governam a vida emocional da pessoa.

Atuação das Memórias de Transferência e de Resistência

Muitas coisas podem interferir no desdobrar das camadas sucessivas de transferência. A resistência a reviver as memórias de transferência foi inicialmente vista por Freud como o desejo do paciente de continuar doente. Quando as reações terapêuticas negativas ameaçam emergir, o dedo acusador é sempre apontado para o analista em alguma arena extra-analítica ou deslocado para alguma pessoa externa do presente ou do passado. Idealmente esse dedo acusador é levantado contra o analista como parte da análise, de modo que os afetos perturbadores possam ser contidos como transferência ou resistência a reviver os profundos sentimentos de transferência.

Mas quando, por alguma razão, a resistência diante da experiência profunda é muito grande e as experiências de transferência não podem ser estabelecidas com o analista, a pessoa que está em análise pode atuar a transferência negativa em suas acusações contra o terapeuta. Isto não quer dizer que não tenhamos entre nós terapeutas incompetentes, antiéticos e mal informados, que não desejam ou não sabem como lidar com a estimulação intensa da transferência e da contratransferência. Mas, tendo sido consultado em vários processos terapêuticos abortados, descobri que o mais comum é que o terapeuta tenha tido sucesso em mobilizar os padrões profundos de transferência no relacionamento terapêutico. Mas como nunca podemos saber antecipadamente como são os padrões mais profundos de trauma emocional de determinada pessoa — negligência, sedução, violência — até que eles tenham sido realmente mobilizados na transferência analítica, não podemos saber qual o trauma inicial (e portanto *borderline* ou psicótico) que se pode voltar de repente contra nós, sem aviso. E como todas as pessoas experimentaram diversas formas de trauma aberto ou acumulativo na primeira infância, um terapeuta sempre corre o risco de que aquele trabalho que está sendo desenvolvido evoque alguma parte inesperada do abuso psicótico que repentina e abortivamente pode ser dirigido contra ele.

Acusar o terapeuta (ou outra pessoa) em vez de analisar a resistência e a transferência implícitas na posição traumatizada do paciente só serve para causar mais danos à pessoa que agora se define e identifica como vítima. Depois do fato, e sem o benefício de muitas memórias já elaboradas, o olhar da terceira parte, do Outro (o sistema social de justiça) está agora envolvido com o objetivo de vingar os abusos vivenciados. Mas não pode acontecer nenhuma elaboração, nenhuma cura ou contato profundo com as estruturas invisíveis da própria personalidade para a pessoa que está em pé diante de um juiz, um júri, um conselho de exercício profissional ou um comitê de ética. Embora em muitas ocasiões na vida uma situação de oposição seja necessária ou mesmo desejável, este certamente não é o caso no que se refere à busca da própria alma. Nas situações em que uma pessoa sob análise questiona a propriedade da situação analítica, aconselho a consulta extensa a uma terceira parte e, em casos extremos, uma troca de profissional. Apresentar uma queixa serve para polarizar as posições e cristalizar a sensação de ser uma vítima na mente de uma pessoa — antes que possa haver uma elaboração adequada. Os riscos da elaboração em geral são muito mais elevados. Considerando-se o objetivo da psicoterapia — isto é, reviver os padrões emocionais do passado no relacionamento direto com a pessoa do terapeuta de modo que eles possam ser expressos, experimentados e examinados por este e pelo cliente, e assim a transferência emocional e a resistência possam ser estabelecidas e elaboradas —, não é de surpreender que um impulso primitivo desencaminhe o processo, fazendo com que uma acusação deslocada seja dirigida inadequada e realisticamente demais ao terapeuta[4].

Enquanto considero essas questões, lembro-me dos absurdos recentes que surgiram com o advento do Prozac, um medicamento prescrito para a depressão profunda. Temos toda uma população de pessoas gravemente deprimidas cuja vida e energias agressivas estão tão reprimidas que elas parecem viver em constante perigo de suicídio ou homicídio. A experiência clínica nos diz que essas pessoas em

---

4. Outros modos de garantir o processo terapêutico durante a elaboração da transferência psicótica, como a utilização de um monitor de caso, são discutidos em Hedges (1994 a, c).

geral não têm energia suficiente para dirigir sua agressão a si mesmas ou aos outros, mas alerta-nos para o perigo potencial quando a depressão começa a ser aliviada. Essas pessoas então recebem o novo medicamento que milagrosamente melhora seu estado de espírito. O suicídio ou homicídio subseqüente ocasional é então atribuído a algum efeito colateral químico desconhecido do medicamento! Os psicanalistas e psicoterapeutas deliberadamente criam um contexto em que os padrões primordiais de abuso podem ser lembrados pelo cliente ao repeti-los nas vicissitudes do relacionamento presente de transferência. A regressão terapêutica é iniciada e alimentada pelo terapeuta. Quando o padrão abusivo é recriado na relação com o analista, e a esperada resistência à transferência por alguma razão não é submetida à análise, o processo terapêutico é abortado e o dedo acusador é apontado para o terapeuta. Aqueles cães de guarda ingênuos, que funcionam como o olhar do Outro, concluem que o Prozac causou o suicídio, esquecendo inteiramente que o tratamento foi bem-sucedido ao evocar as questões, mas nem todos os aspectos do inconsciente oculto podem ser plenamente antecipados e controlados.

Um psicanalista ou psicoterapeuta não tem o poder de transformar ninguém. Ele só pode proporcionar um contexto no qual as dimensões invisíveis do caráter da pessoa venham à tona. O analista não pode antecipar plenamente nem controlar o modo como a pessoa sob análise opta por vivenciar a transferência ou o que ela pode fazer com as memórias de transferência revividas na experiência presente. A tarefa do analista é estimular a transferência e torná-la ativa e presente. O analista não pode, porém, impedir a atuação dos impulsos mobilizados pela transferência. Ele não pode impedir a atuação da resistência à mudança — especialmente quando o conteúdo primitivo e intrusivo da estimulação traumática da infância se vincula à pessoa do analista, ou quando a resistência à análise da transferência é atuada sob a forma de acusações contra o profissional ou outras pessoas. O processo do tratamento conseguiu desmascarar o abuso oculto e a identificação com a defesa do agressor. Mas a pessoa em análise não consegue ou não quer permitir que a fúria defensiva primordial se funda com o medo, a fragilidade e a impotência humanas comuns. O analista não pode ser responsabilizado por isso, pois essa profunda fusão transformadora não está sob seu controle. A transformação só pode ser alcançada com a coragem e a persistência da pessoa sob análise. Sem dúvida, o maior risco que um psicanalista ou psicoterapeuta pode correr é permitir-se estar plenamente presente emocionalmente e arriscar-se a viver num relacionamento analítico sempre avivado pelo desejo e pelo medo.

Consultas de casos que envolvem relacionamentos de risco

Os exemplos seguintes foram retirados de apresentações de caso e ilustram a impotência do analista para efetuar a mudança e como ele sofreu em resultado de um processo terapêutico negativo que se transformou num processo de acusação.

Consulta Um: Marge

(Este caso é apresentado por um terapeuta com 14 anos de experiência.)

Atendi Marge por dois anos e meio. Ela veio até mim depois que seus filhos cresceram e saíram de casa. Era uma dona-de-casa cronicamente deprimida, a um passo do alcoolismo. Um psiquiatra tinha prescrito medicação, mas ela continuava piorando. Nada que eu fizesse ou dissesse parecia ajudar. Ela não queria trabalhar, nem voltar à escola para ampliar suas habilidades. Freqüentava uma igreja, e isto representava vida social suficiente para ela. Preocupava-se se seu marido estava tendo casos nas viagens a negócios que fazia e às vezes duravam uma semana. Ficava a maior parte do tempo em casa, vendo televisão, comendo e dormindo.

No dia que depois veio à baila, Marge estava mais deprimida e desesperada do que em qualquer outro dia que eu tivesse visto. Muitas vezes ela tinha falado a respeito de não ter razão para viver e de estar desesperançada porque ninguém se importava com ela, e a vida não tinha sentido. Ela não podia falar com os poucos amigos que tinha. Marge disse que estava pronta para acabar com tudo. Durante toda a sessão, tive de ficar questionando internamente a seriedade da ameaça de suicídio. Parecia séria. Eu podia ver que precisaria conseguir um contrato de que me ligaria antes de fazer qualquer coisa que a ferisse. Mas será que eu podia confiar nela a esse ponto? Será que teria de chamar os paramédicos ou a polícia antes que ela saísse? Experimentei tudo o que pude pensar, mas não consegui estabelecer nenhuma conexão.

Marge tinha sentado na ponta do divã, mais distante de mim do que costumava ficar. Quando faltavam dez minutos para o fim da sessão, perguntei-lhe se podia sentar-me no divã com ela por alguns minutos, pensando que isso talvez pudesse ajudar. Ela consentiu com alguns frágeis sinais de vida. Minutos depois, desesperado, perguntei se ajudaria se eu pusesse minha mão sobre seu ombro (de modo reconfortante). Ela pensou que poderia gostar disso e logo se reavivou o suficiente para que eu a deixasse ir em segurança. Tenho quatro filhos. Sei o que pode significar o braço confortador de um pai e como é isso — e juro por Deus que foi desse jeito. Também acredito que foi esse o modo como ela o entendeu no momento, porque nos parecemos conectar e ela se reanimou. Continuamos a terapia por alguns meses, e Marge começou a melhorar, a se relacionar mais com as pessoas e a estudar à noite.

Para encurtar a história, o marido dela perdeu o emprego, ela ficou sem seguro médico, e eu diminuí drasticamente o meu preço para que pudéssemos continuar nos encontrando. Após alguns meses, a situação financeira piorava ainda mais e decidiu parar de me ver, mas ficou aberta a porta para que ela retomasse a terapia no futuro. Vários anos depois, parei completamente de atender e deixei a clínica onde havia atendido Marge, para assumir um emprego de tempo integral numa empresa administradora de planos de saúde. Ela queria voltar à terapia e me contatou. Expliquei a Marge, por telefone, as razões pelas quais eu não podia continuar trabalhando com ela — naquele ponto, eu não tinha consultório, nem seguro de erro médico, nenhum contexto no qual pudesse vê-la. Ela ficou enfurecida. Afirmava que eu sempre tinha prometido amá-la e atendê-la, independentemente do que acontecesse. Escreveu uma carta ameaçadora ao diretor da clínica onde eu tinha trabalhado, perguntando se nós três poderíamos nos encontrar. Ela estava insinuando que eu tinha me comportado de modo inadequado com ela, que a tinha abraçado e beijado, e feito todo tipo de promessas a ela — e não tinha cumprido nenhuma. Tudo isso parecia ter sido fabricado a partir daquele incidente e de meu compromisso enquanto trabalhava com ela. O encontro com o diretor da clínica a acalmou um pouco e ela voltou atrás nas coisas ditas na carta. Ele tentou tomar as providências para que ela visse outro terapeuta, o que ela recusou. Logo depois, ela descobriu que o marido a traía com uma mulher com quem estava envolvido no trabalho. Novamente pediu para me ver. Falei com ela por telefone e tentei acalmar sua fúria por eu não atendê-la. Ela fez um longo discurso sobre como eu estava abusando dela. Nessa época, ela freqüentava um grupo de sobreviventes de incesto e tinha recebido muita validação pela raiva que sentia de seus pais, e assim estava muito mais livre para sentir raiva de mim. Dei as indicações apropriadas.

A seguir, um investigador do conselho de exercício profissional apareceu em meu trabalho, carregando uma pasta e fazendo perguntas e mais perguntas. Marge tinha escrito uma carta alegando comportamento sexual inapropriado. Não permitiram que eu lesse a carta. Você sabe, não temos direitos civis quando se trata de procedimentos administrativos. Somos culpados até provarmos nossa inocência. Mas descobri que ela me acusava de ter feito amor com ela, em meu divã, por uma hora inteira, prometendo-lhe amor e devoção eternos, e depois obrigá-la a prometer que não contaria nada. A parte relativa à promessa de "não contar" ligava claramente sua acusação atual, ou ilusão, ao abuso sofrido na infância.

Meu advogado me disse que eu estava com um grande problema, pois nunca conseguiria provar que o que ela tinha dito ao conselho de exercício profissional não tinha acontecido. Tenho algumas anotações, mas há dez anos não fazíamos muitas anotações, e assim não sei como isso irá ajudar-me. E, de qualquer modo, não anoto coisas que não acontecem. Disseram-me que posso perder minha licença para praticar psicoterapia. E se ela vencer, existe um milhão de dólares referentes a erro médico que ela pode pleitear por meio de um acordo. Estou realmente preocupado. Tenho um bom emprego e uma família para sustentar.

Se forem feitas acusações de comportamento sexual inadequado, posso perder o meu emprego e tudo o que tenho enquanto tento defender-me. Estávamos fazendo um bom trabalho e nós dois sabíamos disso. Chegamos a muitas das coisas realmente terríveis que aconteceram durante a infância dela. Ajudei a ficar em pé de novo e a se mover no mundo, e penso que poderia tê-la tirado de sua profunda e duradoura depressão e aumentado sua auto-estima, se o dinheiro do seguro não tivesse acabado. Mas agora acontece isto.

Vim vê-lo, dr. Hedges, porque quando li o seu ensaio, "O elogio do relacionamento dual", e cheguei à parte sobre a transferência psicótica, de repente percebi o que tinha acontecido. Você disse algo sobre o fato de que a tragédia é que a terapia foi bem-sucedida na mobilização das profundas ansiedades psicóticas na transferência. Mas então o teste da realidade se perde, e o terapeuta é confundido na transferência com o perpetrador do passado. Isso realmente aconteceu. Não aprendemos sobre essas coisas na escola. Você tem alguma idéia de como posso sair dessa confusão?

Comentário

A coisa mais perigosa que um terapeuta pode fazer ao trabalhar com uma transferência organizadora é estabelecer um contato com a pessoa sem trabalhar adequadamente com a resistência diante da conexão emocional. Sim, esse homem salvou o dia e não precisou hospitalizar sua paciente. Ele conseguiu puxá-la "da beira do precipício". Mas ele está enganado ao pensar que a conexão é experimentada como boa pelas pessoas que vivem nos estados primitivos. Penso que ela nunca o perdoou por ter se aproximado e feito contato quando ela desejava a distância. E que então ele foi visto, nas fantasias psicóticas dela, como outro perpetrador. A perturbação dela por não poder tê-lo uniu-o ainda mais com a imagem do perpetrador. Além disso, nunca é uma boa prática tocar fisicamente com o objetivo de dar conforto ou segurança, porque o toque será entendido erroneamente como um convite sedutor ou como uma repetição de invasão abusiva. Sem dúvida, vejo um uso potencial cuidadosamente definido para o toque interpretativo no trabalho com transferências psicóticas ou organizadoras. Mas o toque interpretativo é uma comunicação concreta bem calculada, dada num ponto crítico e antecipada no tempo, quando a pessoa está tendo dificuldade de sustentar uma conexão e entende claramente a comunicação (Hedges, 1994c). O erro que o conselho de exercício profissional não terá como entender é que a terapia estava indo bem até ser interrompida por forças exteriores, lançando Marge no desespero com que o terapeuta tinha conseguido estabelecer uma conexão. A transferência psicótica operou então para fundir esse contato com o abuso da infância.

Consulta Dois: Louanne

(Este caso é apresentado por um terapeuta com 20 anos de experiência.)

Esta profissional de meia-idade, sem filhos, foi atendida por mim duas vezes por semana por seis meses. Ela tinha tido dúzias de terapeutas e tomara diversas medicações psicotrópicas por vários anos. Na época, tinha um psiquiatra que lhe estava receitando antidepressivos. Louanne tinha um eu imitador bem desenvolvido, de modo que podia falar bem sobre todos os tipos de coisas do trabalho e de casa. Comecei a sentir que ela tinha me procurado porque seu marido estava afastando-se emocionalmente do relacionamento, depois de estarem dez anos casados. Ele não tinha dito nada diretamente a esse respeito, nem ela. As brigas eram constantes, mas sempre tinha sido assim. E todos os relacionamentos dela tinham sido assim. Comecei a perguntar vivamente, de diversos modos, se ele não estaria distanciando-se dela, mas ela não conseguia tolerar nenhuma sugestão nesse sentido. Estava ficando mais agitada no trabalho. Estava tendo problemas com seu supervisor por causa de ineficiência e de atrasos constantes. Não conseguia sair da cama de manhã. Passava horas masturbando-se e ficava horrorizada porque a fantasia que a satisfazia sexualmente era ser acalentada e amamentada num seio feminino. Ela estava aterrorizada achando que isso podia significar que era lésbica, outra idéia totalmente intolerável. Ela pedia que eu a assegurasse que não era. Falei sobre como ela estava desesperada com a falta de sensibilidade de seu marido, com a crescente fragmentação que estava experimentando em casa e no trabalho.

Ela indicava com freqüência que só havia uma saída, mas não tinha plano, nem fantasia, só um desejo de fugir da dor ou de magoar o marido. A idéia de um tempo num hospital tinha a atração de um lugar em que ela seria cuidada, mas ela se recusava a isso terminantemente, porque essa seria a última cartada e seu marido poderia divorciar-se dela.

Na maioria das vezes, Louanne gostava de me ver, e experimentei alguma interpretação das fantasias de amamentação como imagens do tipo de cuidado e de nutrição que ela desejava receber de seu marido e de mim. Sua medicação precisou ser aumentada. Mas começou a passar dias inteiros na cama depois que o marido começou a falar em mudar-se para um apartamento. Ela contratou um detetive para se assegurar de que ele não estava namorando ninguém. Ele estava perdendo a paciência — dez anos, cheios de raiva e depressão, sem relacionamento e sem sexo. Embora afirmasse amá-la, estava cheio de suas manipulações. Estava farto dela.

Ela começou a falar a respeito de como sua mãe abusara dela durante a infância. E, numa ocasião fragmentada, lembrou com horror como seu pai e seus dois irmãos a molestaram várias vezes enquanto ela crescia. Disse que nunca tinha contado nada disso a ninguém. Louanne estava tão perturbada que eu não tinha nenhuma razão em especial para não aceitar a aparência de suas lembranças, a não ser que as memórias surgissem num período de grave fragmentação e num momento em que ela estava sendo duramente rejeitada pelo marido. Ela implorou para que ele não a deixasse, mas ele encontrou um apartamento e ia mudar-se em seis semanas.

Na noite que mais tarde passou a ser questionada, ela teve uma sessão comigo e não estava mais deprimida nem mais obcecada que usualmente. Na verdade, parecia um pouco mais intacta e orientada do que havia estado por algumas semanas. Ela saiu do meu consultório, engoliu um vidro de pílulas para dormir no caminho para casa e desabou nos braços do marido, que era o dono do medicamento. O gesto era claramente uma última manipulação para fazê-lo dizer que a amava (o que ele fez) e nunca a deixaria. Ele sabia que era uma manipulação e estava com tanta raiva que mais tarde me confessou que havia pensado seriamente em deixa-lá morrer. Na semana seguinte, ela veio para uma última sessão. Disse que agora que estava divorciando-se não poderia mais pagar-me (o que não era verdade — eles eram bastante ricos).

Todos os esforços feitos, por meio de telefonemas e de cartas, para persuadi-la a retomar a terapia foram inúteis. Parecia claro que eu tinha fracassado em ajudá-la a salvar a única relação em sua vida que havia sido nutridora — e havia sido. Ele era um bom homem e importava-se com ela, apesar da doença e das manipulações. Ele tinha ficado ao lado dela durante inúmeras crises.

Um ano mais tarde, eu e o psiquiatra dela fomos processados por não tê-la hospitalizado. Ela tinha uma longa lista de danos que tinha sofrido porque não lhe tínhamos prestado cuidados adequados, nem lhe oferecido apoio enquanto o mundo a espancava no trabalho e em casa. Nós tínhamos registros adequados. Testemunhas especializadas reviram o caso, e seus depoimentos validaram que havíamos mantido um padrão correto de cuidados, e não existiram indicações imediatas de hospitalização. Até o marido dela testemunhou que havíamos respondido bem, mas tínhamos estado "no lugar errado, no momento errado".

Agora o advogado da companhia de seguro propôs um acordo pesado. Os depoimentos levaram dois anos, e tenho dispendido uma soma considerável consultando especialistas e meu próprio advogado. Ele diz que eu poderia recusar o acordo para não ficar com um registro de acordo em meu histórico, mas a estimativa de custo em termos de tempo e de dinheiro envolvidos é enorme e crescente. A mesma empresa de seguros cancelou a cobertura de um amigo logo depois de um acordo com um valor muito menor do que estão oferecendo a ela. Eu lhe digo que tudo isso é insano. Se as companhias de seguro continuarem a fazer acordos, com valores altos, cada vez que uma pessoa com uma transferência psicótica abrir um processo, logo não poderemos pagar os prêmios do seguro. Além disso, todos os envolvidos neste caso sabem que ele está errado. Estou convencido de que até ela sabe que ele está errado. Mas ela sabe que pode conseguir, e precisa do dinheiro agora, pois foi demitida. Sinto-me moralmente obrigado a ficar firme e lutar. Mas também tenho uma vida em suspenso e uma família para cuidar. Para evitar que essa coisa errada aconteça, eu e minha esposa iremos gastar cada centavo que economizamos em nossas vidas. E a companhia de seguros não se importa. Eles querem evitar os altos custos dos depoimentos das dúzias de terapeutas que ela procurou este ano, pois precisariam voar de Miami para cá.

Talvez você não possa me ajudar muito neste ponto, exceto a não me sentir culpado por jogar a toalha. Mas como tais circunstâncias podem ser evitadas no futuro? Devemos parar completamente de atender psicóticos *borderline*, de modo a ficarmos seguros?

Comentário

Quando dúzias de outros fracassaram antes de você, não assuma que é porque eram incompetentes e você será o primeiro terapeuta a realmente ajudá-la. As pessoas com transferências psicóticas ou organizadoras, em algum ponto de sua infância, tiveram a experiência de ter de lutar para sobreviver. Apesar de suas freqüentes ameaças de suicídio, na verdade são sobreviventes que precisaram trabalhar mais duro do que nós apenas para "passar" por normais num mundo social cheio de complexidades de relacionamento que não têm como entender. Elas entendem de sobrevivência e de desespero, e a consideração pelos outros não importa quando existe uma ameaça de morte psíquica. Sim, existem muitas pessoas com ansiedades primitivas que não deveríamos atender em consultórios particulares — ou, pelo menos, não sem ter um supervisor envolvido no caso (Hedges, 1994c). Tais pessoas podem ser encaminhadas para clínicas públicas sem fins lucrativos em que a vulnerabilidade do terapeuta não é tão grande.

Consulta Três: Edward

(Este caso é apresentado por uma terapeuta com 15 anos de experiência.)

Meu cliente ou, melhor dizendo, ex-cliente, cresceu na pobreza, sem receber cuidados e sem ter nada. Suas primeiras memórias são de estar faminto num berço, sem ninguém para alimentá-lo ou trocá-lo. Ele se lembra de ter procurado comida nas latas de lixo e de ter mendigado numa favela de uma grande cidade na costa leste. Aos seis anos, vendia jornal nas ruas. Logo se transformou num distribuidor de jornais. Depois, conseguiu seu próprio jornal e foi subindo, desafiando todos os obstáculos até chegar ao topo de uma grande empresa internacional e tornar-se finalmente um homem rico. Mas, é claro, que por dentro tinha apenas quatro meses de idade. Podia imitar, mas não tinha idéia de como se relacionar emocionalmente consigo mesmo ou com outra pessoa. Ele podia assumir uma aparência elegante e havia conseguido passar pela faculdade, e assim parecia bastante bom. Mas foi o bebê quem apareceu no meu consultório.

Não vou entrar em detalhes do tratamento. É suficiente dizer que eu o via tão freqüentemente quanto possível, às vezes várias horas por dia, tentando contê-lo antes de alguma reunião importante ou de uma confrontação nos negócios. Ele me pediu em diversas ocasiões que fosse encontrá-lo em cidades distantes, para termos sessões antes de negociações importantes. A terapia estava indo bem. Tudo girava em torno de suprimentos, de nunca ter o suficiente, de ter medo de morrer de fome e de um verdadeiro frenesi de preocupação e de agarrar tudo o que estivesse à vista — tudo isto claramente feridas de uma primeira infância de abusos e negligência.

As preocupações dele cedo ou tarde surgiram em termos de preocupações com partes do corpo. Ele tinha dúzias de médicos e literalmente centenas de medicamentos de todo tipo. Depois de eu estar mais segura em minha posição, encaminhei-o a um bom médico que começou a acompanhá-lo regularmente e consegui que ele deixasse todas as pílulas, exceto as receitadas por esse médico. Ele fez uma consulta profissional com um psiquiatra famoso, que pensei que lhe fosse ministrar um antipsicótico ou lítio. Em vez disso, porém, o médico receitou Xanax, e com o tempo meu cliente ficou dependente desse remédio. Havia, é claro, suas muitas mulheres belas e ambiciosas, colegas de trabalho decepcionantes e familiares ambiciosos, todos querendo explorá-lo um pouco. Mas ele lentamente aprendeu a limitar os pedidos e em alguns momentos até a dizer não aos pedidos exagerados. Transformei-me em seu conselho de base, sua fonte de teste de realidade e praticamente uma consultora de negócios e de relacionamentos.

Era difícil tentar dar-lhe tanto tempo e apoio quanto ele desejava. E era difícil permanecer no papel de terapeuta, pois ele era muito carente emocionalmente. Era claro que ele nunca tinha tido um único ser humano em sua vida que se importasse com ele e não desejasse explorá-lo. Mas, no fim das contas, houve um desastre financeiro na empresa, com todo mundo culpando todo mundo. Houve processos legais, escândalos, e ele ficou realmente sem nenhum dinheiro. Eu não podia sustentá-lo. Pedi outra avaliação psiquiátrica, mas ele se recusou. Falei da possibilidade de uma hospitalização para conseguir um pouco de descanso, mas ele não aceitou. Estava gravemente fragmentado por causa do estresse, no pior estado em que eu o havia visto.

E aí desapareceu completamente. Trancou-se num quarto de hotel, sem sair até ser encontrado uma semana mais tarde. Ele tinha passado fome. Era um hotel luxuoso com todos os tipos de serviço, mas ele tinha se metido num buraco, uma confusão fragmentada totalmente isolada da humanidade, engolindo pílulas e bebendo. Por fim foi localizado quando uma governanta preocupada alertou seu supervisor que consultou o gerente. Ele foi encontrado numa condição terrível. Tinha se afastado de tudo e de todos — até de mim. Ele não respondia nem quando eu o bipava com nosso código secreto. Deixei recados por toda parte. Procurei em todos os lugares, alertei a polícia e tudo o mais. Ele tinha se transformado num caso grave — paranóico e suicida.

Quando as autoridades o encontraram e o hospitalizaram, outro psiquiatra começou a cuidar dele. Foi diagnosticado como bipolar e tratado com lítio. Ele tinha um gerente leal que havia salvo tudo o que tinha sido possível — o suficiente para que ainda ficasse bem de vida. Mas agora ele havia experimentado a fome e eu era sua mãe negligente. Não havia nada que eu pudesse fazer. Por meses, deixei recados, enviei cartões, cartas e até flores para animá-lo.

Algum tempo depois, tive notícias por intermédio do advogado dele. Desde que o caso tomou forma com seus advogados desonestos e psiquiatras, ele deseja uma indenização de milhões porque o diagnostiquei como *borderline* e hipomaníaco e indiquei psicoterapia, colocando-o sob um tratamento excessivo e caro, quando deveria ter visto que ele tinha um distúrbio biológico bipolar e deveria ter-lhe ministrado lítio desde o início. É claro que seu médico e seu psiquiatra anteriores também foram processados. Mas além do escândalo envolvido quando um homem financeiramente desesperado busca reconstruir um império, ele me disse algumas coisas realmente horríveis em nosso último telefonema. Estava entorpecido e confuso, e sua mensagem básica era que eu não tinha estado disponível no momento em que mais precisara de mim. Que eu nunca o tinha ajudado, nunca lhe tinha dado nada. Que eu o obriguei a assumir uma posição fraudulenta por não lhe dar o suficiente, por não conseguir acolhê-lo.

Dei a esse homem tudo o que tinha para dar — e você sabe que sou uma nutridora bastante boa. Mas um desastre externo interveio antes de superarmos o ponto em que ele poderia confiar. Talvez ele seja incapaz de confiar. Certamente, nunca foi digno de confiança em seus acordos de negócios. Eu costumava ficar revoltada com as crueldades que ele fazia com as pessoas. Mas entendia que ele não tinha capacidade de sentir empatia. Todos os meus custos, que foram muitos, estão sendo investigados. Como ele exigia muito, é claro que pagava por uma parcela bastante considerável de meu tempo. Continuo tendo esperança, realmente, de que ele algum dia seja capaz de se conectar emocionalmente. Chegamos perto, mas isso nunca aconteceu. Assim, o seu novo império terá um às na manga com um acordo considerável — seus advogados não vão parar. Ele tem reputação de ter ligações com a máfia, e isso intimida a companhia de seguros.

Este homem precisava muito ser visto como uma pessoa, sentir-se como um ser humano. Ele era um tipo como Howard Hughes, patético e explorado feito ele. Fiz o melhor que pude, mas agora sou vista como um de seus inúmeros exploradores. Estão até mesmo afirmando que minhas notas por serviços são fraudulentas, que cobrei serviços nunca prestados — é tudo bastante bizarro e falso. Como vou recuperar-me de ter ido tão longe por esse patético ser humano e terminar com uma víbora faminta e louca me ameaçando? Sei que você fala sobre a transferência psicótica e eu a entendo racionalmente. Eu podia até mesmo entender como ela operava, quando me atrasava cinco minutos por causa de um telefonema e ele perdia o controle. Mas sempre pude acalmá-lo de alguma forma. Podíamos falar sobre o que aquilo significava, sobre como o bebê dentro dele simplesmente não podia tolerar nenhum atraso e como eu estava triste por lhe causar tanta dor. Tudo isso estava bem, dava para lidar com isso. Mas quando a fragmentação leva à fúria e a uma destruição realística de tais proporções... Como vou-me sentir segura de novo com um paciente fragmentado? Fui além de minhas obrigações repetidamente e fiz todo o possível para acomodar esse homem. Ele me prejudicou muito, deixou-me desiludida com a raça humana, sem esperança quanto ao tratamento, e me faz questionar se ele pode de fato funcionar. Quando me sinto desanimada, questiono até mesmo minha competência como terapeuta.

Comentário

Dar mais não cura a psicose. Quando você começa a pensar que é o único ser humano que essa pessoa conseguiu tocar profundamente e é a única pessoa de quem este cliente precisa para superar uma horrível privação e/ou o abuso na infância, então talvez precise recuar e examinar a base psicodinâmica de seu altruísmo. Este não é o único caso em que um choque na realidade tornou amarga uma psicoterapia que estava indo bem. Esse cliente é um especialista em agarrar e manter-se quando as chances estão contra ele. A maioria dos terapeutas é um amador ingênuo em habilidades de sobrevivência e não tem como antecipar a forma que esse desespero assumirá.

Consulta Quatro: Horace

(Este caso é apresentado por um terapeuta com 12 anos de experiência.)

Finalmente alcançamos a transferência psicótica. Havia meses eu tentava focalizar algum abuso profundo, sem sucesso. Mas ele tinha uma apresentação de negócios para fazer no dia seguinte e estava aterrorizado com o desafio. Poderia ser atingido e questionado com relação a alguns assuntos difíceis. Não sabia se poderia agüentar. Estava com medo. Ele ficou entorpecido no divã — teve uma paralisia corporal por 15 ou 20 minutos. Se essa não tivesse sido uma descida gradual ao bolsão psicótico que eu tinha esperança de explorar, eu poderia ter ficado alarmado por razões médicas. Na verdade, confirmei com ele para me assegurar de que tudo estava bem. Enquanto estava em transe, ele experimentou golpes severos em seu rosto e cabeça, acompanhados de súbitos gritos altos e assustadores, vindos do nada. Ele nunca tinha conseguido chorar, nunca conseguira elevar sua voz por causa da dor. Agora sabia o porquê. Ele tinha certeza de que seu pai tinha abusado dele quando era bebê, por ser tão carente, por choramingar e chorar. Estava sentindo-se choroso e carente naquela noite comigo, pela apresentação do dia seguinte e porque eu o incentivava a fazê-la. Na transferência, sentiu como se eu estivesse abusando dele por ser carente.

Ele agora soube de repente de onde vinha seu próprio senso de violência. Sempre soubera que seu pai era taciturno e duro, mas quando ele teve idade suficiente para se lembrar de imagens, seu pai tinha se afastado dos relacionamentos emocionais com a família para poder conter sua fúria. Este *insight* paralisante sobre si mesmo, sobre sua fúria infantil, e a humilhação abusiva que tinha sofrido como bebê por sentir-se carente explicaram como ele tinha passado a acreditar que era fracassado e incapaz, e o forçaram a "fingir" na maior parte de sua vida. Ele estava aterrorizado por ter de sentir o pleno impacto desse núcleo psicótico em sua dramática paralisia corporal total. Estava profundamente abalado e traumatizado por ter tocado nessa transferência primitiva.

Naquela noite sua terapia terminou. Ele fugiu depressa daquele lugar assustador onde nunca mais queria voltar. Estava fugindo dessa aterrorizadora memória corporal e da agonia total que ela representava. Retrospectivamente, vejo que sua manipulação teve início nesse momento. Ele começou a precisar de muitas concessões e arranjos incomuns em nosso trabalho, e fiz o que pude para acomodar a situação. Isso parece explicável de diversas formas no contexto de sua história de vida. Mas, no fim das contas, ele estava trabalhando por trás da cena, juntando uma lista de variações em seu relacionamento profissional comigo, que mais tarde poderiam ser distorcidas no tribunal de modo a parecer inadequadas.

Ele terminou seu trabalho comigo sem nunca ter trazido a transferência primitiva para a análise. Fiquei completamente chocado quando recebi uma intimação sobre meus registros. Seu modo de voltar-se contra mim quando eu menos esperava — golpes rudes vindos do nada — repete o que o vi sofrer no divã. Ele nunca quis voltar lá e deu um jeito de virar a mesa de modo que me sentisse um tolo por ter confiado.

Comentário

Nunca acredite que alguém em terapia profunda não irá atacá-lo furiosa e impiedosamente quando a transferência psicótica foi mobilizada. As transferências primitivas não conhecem limites. Se você confiar que essa pessoa nunca o processará, será um tolo a respeito do que sua terapia busca evocar — loucura, desespero e manipulações sociopáticas.

Consulta Cinco: Jeffrey

(Este caso é apresentado por uma terapeuta com 12 anos de experiência.)

Vejo esse rapaz quatro horas por semana e estamos em nosso quinto ano. Ele tem um distúrbio leve de aprendizagem e muito cedo começou a andar com más companhias. Passou a maior parte de sua juventude como um garoto durão. Sua mãe é sedutora e invasiva, e lentamente consegui afastá-lo do relacionamento superprotetor que ele mantinha com ela. Seu pai continua a tirá-lo de todos os tipos de problema e sustenta-o financeiramente. Desse modo, nunca foi incentivado a conseguir as coisas por si mesmo. Com o passar do tempo, consegui que ele deixasse de aceitar tanto do pai e começasse a realizar alguma coisa por sua própria conta. Nos entendemos muito bem.

Quero falar com você a respeito de Jeffrey porque li seu trabalho sobre contratransferência e recentemente tive uma forte reação erótica contratransferencial por ele. Sou uma mulher feliz no casamento e tenho bons limites, assim não estou preocupada que algo possa acontecer entre nós. Depois que eu o ajudei a ver como sua última namorada era psicótica, ele acabou livrando-se dela e ficou sozinho, saindo ocasionalmente com outras mulheres. Ele estava planejando passar algum tempo no fim de semana com uma mulher mais velha. Nesse fim de semana, tive pensamentos sexuais a respeito dele — não sei exatamente o que estava pensando nem me lembro de minhas fantasias, mas sei que meu marido gostou de eu estar mais sexualmente receptiva. Na semana seguinte ele só mencionou o encontro na terceira sessão. Disse que não queria perturbar-me falando sobre sexo. Entretanto, tinha uma história selvagemente erótica e não esqueceu nenhum detalhe. Eu não estava certa se ele estava tentando excitar-me ou fazer com que eu sentisse ciúmes. Mas sua ênfase consciente estava em me deixar orgulhosa dele por dessa vez ter passado algum tempo com uma pessoa que tinha algum conteúdo e sanidade. Não sei aonde tudo isto está levando, mas temos um bom relacionamento, de modo que poderemos falar sobre qualquer coisa que venha a acontecer.

Mas outra coisa começou a ocorrer. Ele passou a adormecer nas sessões. Falei com diversos consultores que interpretaram esse comportamento como um indício de que se sente suficientemente seguro para confiar a mim. Ou de que está sentindo que os estímulos interpessoais estão tão fortes que precisava afastar-se por alguns momentos. Mas Jeffrey acorda desses cochilos com sonhos que poderíamos usar para nos ajudar a entender onde ele estava comigo e em nosso trabalho juntos. Na verdade, alguns dos melhores materiais que já tivemos para trabalhar vieram desses sonhos.

Tanto assim que há cerca de seis meses ele me perguntou a respeito de hipnose. O que era hipnose e se eu o hipnotizaria para que pudéssemos descobrir o que está realmente acontecendo e o que ele evita ao adormecer, mas depois é acessado por meio dos sonhos. Nunca fui treinada em hipnose mas disse que o faria por ele. Venho assistindo a diversos *workshops* sobre hipnose e tenho um consultor especialista para quando finalmente a experimentarmos. Foi mais ou menos no período em que comecei a pensar sobre o uso de hipnose com ele que senti a contratransferência erótica. Mas tentar lidar com o elemento erótico diminuiu o meu ritmo.

Comentário

Suspeite da existência de algumas dimensões invisíveis em ação, quando você se perceber querendo fazer coisas especiais para acomodar o seu paciente. Aqui, a excitação sexual mútua atinge o auge num fim de semana quando você está considerando o que significaria penetrar a consciência dele com a hipnose. Lembre-se de que esse homem tem uma mãe e um pai que invadem com coisas boas, de modo tão extenso que ele não conseguiu ter sucesso próprio na vida escolar e social. É claro que ele anseia pelo apoio e pela ajuda de sua terapeuta; mas a direção em que você está indo corre o risco de reproduzir a invasão destrutiva dos pais bem-intencionados. Isso também sugere que a invasão bem-intencionada, porém destrutiva, seja um cenário erótico, que combina com a história dele de relacionamentos amorosos sadomasoquistas.

Uma bandeira vermelha deveria aparecer sempre que nos orgulhamos de ser pessoas especiais para nossos clientes. Que tipos de representação psíquica podem aparecer para assinalar um abuso infantil que está sendo psicoticamente fundido com a invasão benevolente do terapeuta? É certo que a transferência e a contratransferência erótica ocorrem e podem trazer informações úteis sobre o processo terapêutico. Mas quando são simplesmente superadas, sobretudo após livrar-se de uma namorada psicótica e quando a hipnose está para começar, elas parecem ser sinais de alerta que devem ser considerados.

Consulta Seis: Matthew

(Este caso é apresentado por uma terapeuta com 20 anos de experiência.)

Sei que você já sabe basicamente de tudo, ouviu do meu paciente quando ele veio consultar-se com você. Eu o encaminhei porque estava certa de que você poderia ajudá-lo a atravessar isso sem incentivar nada destrutivo. Eu deveria tê-lo procurado meses atrás, e fui idiota ao não fazê-lo. De certo modo vi o que ia acontecer e não percebi. Mas muito sofrimento teria sido evitado se eu tivesse falado sobre isso. Foi idiotice eu não ter me aberto com algumas pessoas do consultório. Elas me conhecem há anos, gostam de mim, teriam entendido. Eu sabia que você não ia julgar-me. Sabia que elas não iam julgar-me. Mas foi um erro tolo, e escapei por pouco — pelo menos, espero ter escapado. A terapia estava indo bem. Matthew era muito intenso desde o início e começou a sentir emoções pela primeira vez em sua vida. Ele nunca havia se conectado emocionalmente com ninguém antes. Era muito inteligente, esperto, e sempre se mostrava preocupado sobre como eu lidava com as coisas que ele tinha de contar.

Enquanto isso, eu estava nesse ponto horroroso com meu marido, mas não vou falar disso agora. Foi um rompimento realmente horrível. Estava fragmentada e solitária. Impulsivamente, liguei para meu cliente e convidei-o para um drinque. E realmente foi só isso o que aconteceu. Mas você sabe, às vezes um drinque não é só isso. Posso imaginar situações em que um encontro casual com um cliente ou ex-cliente pudesse levar espontaneamente a um curto encontro amigável e a um drinque juntos. Não que eu recomende isso. Mas posso imaginar circunstâncias em que isso estaria correto. Bem, não estava, e eu sabia disso. Eu estava claramente carente e voltei-me para ele em busca de consolo. Mesmo perturbada como estava, sabia que era errado. Se ao menos eu tivesse dito algo para Becky ou Bob, meus colegas de consultório. Eles teriam entendido. Teriam conversado comigo e me fariam retomar o bom senso. Teriam me afastado do precipício. Mas foi uma atração fatal. E este é um homem muito sedutor, como você sabe. Eu realmente queria falar com você sobre tudo isso. Sabe qual é a pior parte? É a maldita vergonha. Vergonha por ter me sentido atraída por um cliente. Vergonha por ter desejado que ele me visse e gostasse de mim. Vergonha por não ter confiado em meus amigos quando senti que isso estava acontecendo comigo. Vergonha por não ter ligado para você e pedido ajuda. É verdade que ele gostava de meu envolvimento pessoal e não podia entender por que eu sentia que tinha violado sua confiança e não podia continuar a vê-lo profissionalmente. Para ele, fui a primeira pessoa na vida que o tinha visto, que via como ele era maravilhoso, que sabia como se sentia. Nossas sessões eram mágicas — estou certa de que lhe contou. Parecia que estávamos juntos todo o tempo. Ele gostava disso e de saber que eu me importava realmente com ele. E eu me importava. Essa parte não pode estar errada. Não é errado se importar com um cliente, nem mesmo amar um cliente. Isso aconteceu muitas vezes em meus vinte anos de consultório; tem sido belo e ajudado o trabalho.

Mas não sei o que aconteceu neste caso. A não ser que eu realmente gostasse dele e estava de fato me sentindo carente e vulnerável. Você sabe, esse não é o tipo de situação que se imagina que acontecerá com você. E, na verdade, nada aconteceu. Apenas duas pessoas se encontraram para um drinque, mas a terapia de um homem foi arruinada.

Por favor, fale sobre isso para seus alunos. Por favor, escreva sobre isso em seus livros. Ninguém deveria dizer: "Não pode acontecer comigo". Você agora me diz que quando o viu reconheceu um núcleo psicótico, uma agitação maníaca para seduzir a mãe nutridora de modo que ele não morresse. E eu caí exatamente nisso! Se eu não estivesse tão confusa naquele momento, teria ficado tão encantada com ele, tão atraída? Honestamente, não sei. Mas é uma lição de humildade. E uma lição sobre o falso orgulho — como se eu fosse competente demais para cometer um erro, boa demais para ser tentada, sadia demais para ser levada por meus pensamentos. Não posso acreditar que estou dizendo tudo isso. Espero que outros possam aprender com o meu erro. Perdi um bom cliente. E agora você até me sugere que

89

sou uma tola por pensar que estou a salvo de processos legais porque ele não é "briguento". E por ele sentir carinho por mim. Acho que não sei o suficiente sobre o poder ou a imprevisibilidade da transferência psicótica. Mesmo tendo visto coisas bem horríveis em outras situações, acreditei que sabia o que estava fazendo e que tudo estaria bem. A mania é contagiosa?!

Comentário

Não são os comportamentos isolados, o que fazemos ou deixamos de fazer, que importam para proteger a situação terapêutica da superestimulação. Mas é o espírito do relacionamento envolvido que define os limites pessoais. Além disso, sempre estamos com problemas quando pensamos que sabemos ao certo o que estamos fazendo. Especialmente se acreditarmos que estamos a salvo da imprevisibilidade da transferência psicótica ou de nossas próprias ansiedades psicóticas. Temos de ter liberdade de procurar colegas quando nos sentimos abalados. Se não buscarmos ajuda a tempo, o poder da psicose oculta pode carregar-nos. Ela está certa — é o falso orgulho que faz com que todos sejamos tolos.

Consulta Sete: Trula

(Este caso é apresentado por um terapeuta com 22 anos de experiência.)

Sei que agi errado, e a pior parte é que eu sabia disso o tempo todo. Foi sinistro, como se uma parte de mim estivesse no teto olhando para baixo, observando e sabendo que o que estava fazendo era errado.

Tínhamos trabalhado bem durante três anos, mas o desafio de uma promoção importante no trabalho, que estava por pouco fora de alcance, desencadeou uma regressão severa com fragmentação e depressão. Ela ficava cada vez mais desesperada e queria parar de me ver. Os custos eram um problema. Insisti em que não podíamos parar desse jeito. Abaixei meu preço e depois de vê-la desesperadamente flutuando para além de meu alcance durante algumas semanas, não pude agüentar mais. Fui na direção dela e a abracei, visando protegê-la e confortá-la. Por muito tempo, uma parte de mim esperava que ela me processasse. A punição teria representado um alívio suave. Em vez disso, tive de experimentar a mais agonizante das regressões em minha própria terapia. Minha mãe era severamente incapaz e não podia cuidar de mim quando nasci. Cresci em orfanatos, e lembro-me de sábados dolorosos e intermináveis em que eu ficava nos degraus da entrada esperando por ela. Algumas vezes ela vinha, outras não, mas eu esperava o dia inteiro, sem perder a esperança. Mesmo quando bebê eu devia saber que ela estava fragmentada, ferida, e precisava desesperadamente de conforto e de ajuda. Não consegui suportar quando minha cliente entrou nesse mesmo lugar desesperado e inatingível. Eu me movi para resgatá-la, para tentar dar-lhe amor, acolhimento, o toque de que ela tanto precisava. E minha cliente respondeu favoravelmente na época. Ela se reorganizou e foi bem-sucedida em sua promoção. Mas quando uma tragédia pessoal devastadora a atingiu tempos depois, sucumbi à chantagem para evitar a vergonha pública.

Comentário

A transferência psicótica sempre nos prende profundamente. Conforme o discurso analítico continua a se afastar, corremos o risco de reviver nosso próprio período infantil de organização e sentimos a angústia por podermos morrer se não pudermos encontrar a mãe, e sempre estamos inclinados a procurar pelo seio. É a conexão bem-sucedida com a transferência organizadora que produz o terror — reproduzindo o terror original que o bebê vivenciou de algum modo, que fecha a possibilidade de uma experiência de vínculo emocional.

Gostaria ainda de ilustrar um último aspecto desse problema das pessoas que buscam encontrar o outro. Uma característica surpreendente da busca feita pelo analista com freqüência faz com que a transferência psicótica seja difícil de detectar, e mais ainda de responder a ela de modo criativo e seguro, como demonstra o encontro a seguir.

Luar no *Sushi Bar:* Morgan

Não faz muito tempo, eu tinha trabalhado até tarde numa noite chuvosa e parei num *sushi bar* a caminho de casa. Por acaso, sentei-me perto de um jovem de aparência agradável, com cabelos escuros, olhos brilhantes, um bigode bem aparado, usando *jeans* justo e botas. Enquanto eu examinava o menu, os *tuna rolls* dele chegaram e ele me ofereceu um enquanto pedia um segundo copo de saquê para mim. Caímos rapidamente numa conversa fascinante que continuou até o bar fechar.

Morgan era simpático e de boa natureza. Mas assim que começou a falar pude ver que ele era uma pessoa bem estranha, de quem a maioria das pessoas teria se afastado de forma educada, porém rápida. Talvez por eu estar cansado e precisando relaxar, ou porque ele era bastante convidativo, ou porque o saquê fez efeito rapidamente, me envolvi e me interessei. Conversamos sobre o tempo, os recentes incêndios desastrosos, as pessoas infelizes que estavam passando essa noite chuvosa em tendas depois do terremoto devastador, e as inúmeras pessoas que tinham morrido ou sofriam com Aids. Os olhos de Morgan se encheram de lágrimas quando ele me contou sobre seu parceiro que tinha morrido há quase um ano — um homem amoroso que o tinha protegido e cuidado dele por muitos anos. Nos demos os braços do modo tradicional japonês e levantamos nossos copos de saquê em memória de Peter.

E então vieram caranguejos, peixe-espada, tubarão, *California rolls* e mais saquê. Conversamos sobre as faculdades que tínhamos freqüentado, as fraternidades a que tínhamos pertencido e nossas atuais atividades. Quando Morgan descobriu que eu era terapeuta, explicou que tinha visto muitos terapeutas desde os 12 anos. Ele gostava desses profissionais e imaginou se eu conheceria um ou outro. E então começou uma seqüência que me manteve enfeitiçado por mais de uma hora, em parte porque Morgan era bastante sincero, inocente e intenso, em parte porque de fato eu estava gostando de estar com ele e ainda porque estava vendo em estado puro uma versão espontânea e não adulterada de uma transferência organizadora ou psicótica, formada instantaneamente e operando livremente bem em frente de meus olhos. Eu não podia evitar entrar no jogo.

Morgan se inclinou em minha direção de modo íntimo. Embora bastante masculino, ele se parecia com um ursinho de pelúcia macio e terno que poderia facilmente derreter-se num abraço suave. Em contraste com seu anseio corporal e sua busca de contato, de calor humano e de afeição, os olhos de Morgan se arregalaram conforme ele falava comigo, como se estivesse assustado ou aterrorizado. Ele me desafiou: "Eu podia realmente lhe contar algumas coisas nas quais você não acreditaria". Aceitei o desafio. A seqüência começou com acontecimentos quase místicos um pouco difíceis de acreditar, num estilo *new age*. Sem piscar, acenei com a cabeça para suas experiências "surpreendentes e inacreditáveis", exprimindo surpresa por ele não achar que eu acreditaria nele. Falei sobre acreditar nas nossas próprias experiências, mesmo quando os outros não conseguem. Certamente existem acontecimentos estranhos no universo, nos quais muitas pessoas acham difícil acreditar. As ilusões e as histórias alucinatórias começaram então a aumentar, enquanto Morgan se inclinava afetivamente para mim, com aqueles mesmos olhos arregalados e assustados — uma postura que ao mesmo tempo pedia a conexão e me desafiava a rejeitá-lo com a descrença. Para não ser abalado facilmente, mantive firme a posição de que, embora muitos duvidassem do que ele tinha visto ou ouvido, eu não via motivo para que ele duvidasse de suas próprias experiências.

O *sushi*, o saquê, o recontar os acontecimentos místicos e o envolvimento desafiador levaram a banqueta de Morgan para mais perto de mim. Eu podia ver claramente algo através de Morgan que tinha intuído nas minhas experiências no consultório. Mas era bem mais claro, vívido e real neste ambiente. Eu estava testemunhando um investimento de toda a vida em ver que nenhuma conexão pessoal seria possível. Isto é, ele estava certo de que seria apenas uma questão de tempo antes que eu começasse a questionar, a duvidar, a me afastar, a vê-lo como louco e a me retrair para longe dele com medo ou desprezo. Mas Morgan encontrou um parceiro em mim! Não havia nada que ele pudesse dizer que me afastasse de seu olhar aterrorizado e penetrante, de sua atitude suave e afetiva, das histórias que contava com clareza alucinatória.

O clímax veio finalmente — é claro, numa história sobre sua mãe, Laverne. Uma noite há alguns anos, pouco depois da morte de seu pai, ele estava na casa de Laverne fumando no quintal. Na época ela morava na periferia de uma pequena cidade no Arizona. O deserto atrás da casa se estendia por quilômetros na noite até as altas montanhas mal iluminadas pelo céu de verão. De repente, o céu começou a se encher com uma luz azul intensa e iridescente. Fascinado, Morgan observou uma grande nave descer suave e silenciosamente no deserto e pequenos alienígenas aparecerem, desbravando o território ao redor. Morgan ficou imaginando quem seriam eles, de onde vinham e por que estavam ali. Sentiu medo. Talvez eles o quisessem. Correu para chamar a mãe. Queria mostrar-lhe a grande luz azul e os estranhos visitantes noturnos. Laverne ficou irritada por ser interrompida enquanto via seu programa de televisão, mas seguiu-o relutante até o quintal. Você acreditaria que ela não viu nada? Nenhuma luz azul, nenhum alienígena? Ela disse que ele estava louco, que estava vendo coisas. Mas eles estavam lá. Ele estava certo disso. Ele não sabia por que Laverne não conseguia vê-los. Morgan estava inclinando-se para a frente, em sua banqueta, segurando meu braço, com os olhos aterrorizados fixos em meu rosto. Com certeza eu ia duvidar, questionar, pensar em explicações alternativas — certamente ia desafiar seu senso sobre o que era real, concordar com a afirmação de Laverne de que ele era louco. Certamente eu não poderia acreditar no que ele tinha visto quando nem mesmo sua própria mãe acreditava nele quando a evidência estava bem ali, em frente aos olhos dela!

Para não fraquejar num momento tão crítico, perguntei a Morgan por que ele se importava com o que a mãe pensava. Eu disse que era tolice preocupar-se com o que as outras pessoas acreditavam. Ele viu o que viu, experimentou o que experimentou — e, se ela não conseguia lidar com isso, o problema era dela, não dele. Morgan se transformou numa estátua na minha frente, congelado pelo medo, pois eu o tinha ouvido, tinha feito contato com ele. Ele parecia estar antecipando um ataque meu.

Acredite, meu bom leitor, foi o saquê que me fez agir assim! Morgan foi lançado num estado de total terror e confusão por causa de nossa conexão. Ele tinha passado a vida inteira desenvolvendo uma técnica para se assegurar de que sua necessidade desesperada de calor, de receptividade amorosa, fosse impedida quando o outro se afastasse com medo, horror ou desprezo. *A ruptura internalizada do contato com o outro estava habilmente incorporada no modo com que Morgan se aproximava de mim, em seu próprio modo de ser no mundo. A ruptura internalizada da conexão com o outro já estava entremeada, implícita, já era assegurada pelo próprio modo como ele se aproximava de mim.* De repente percebi como muitas pessoas vivem desse jeito. O trauma infantil que elas sofreram, e seu modo primordial de limitar a superestimulação, se tornou internalizado de tal modo que a própria maneira de aproximar-se buscando o contato forma uma exigência social que assegura que o outro irá rejeitar a conexão, afastando-se cheio de horror, impaciência, raiva, medo ou descrença.

Também entendi, num *flash*, que se eu simplesmente tivesse "validado" ingenuamente a verdade da experiência dele, Morgan saberia que tinha encontrado uma alma gêma — alguém que também ficava aterrorizado com conexões e lidava com o mundo fazendo convites interpessoais que correspondessem aos meus anseios profundos.

Mas Morgan foi frustrado em seu encontro comigo. Por alguma razão, gostei muito dele. Apreciei sua suavidade masculina e sua busca desesperada por um toque nutridor. Senti compaixão por seu terror e conectei-me profundamente com seu *pathos*. Em mim, ele tocou momentaneamente a mãe pela qual ansiava; e ela o tocou com ternura — lançando-o num estado de terrível confusão e num medo repentino que acontecesse algum tipo de abuso. Por um terrível momento, a realidade externa não combinava com a interna, e isso deve ter durado uma eternidade para Morgan. Sentamo-nos juntos em silêncio por algum tempo.

O *sushi bar* estava fechando. Morgan e eu passamos pelo saguão, por cerejeiras floridas e por um grande dragão que respirava fogo, pelas portas vermelhas laqueadas, e saímos para o ar

95

revigorante dessa estranha noite na Califórnia. A chuva tinha parado e o céu estava claro. Morgan e eu apertamos as mãos antes de seguir cada um para seu lado. Depois nos abraçamos — dois estranhos que tinham alcançado um raro momento de intimidade selado com medo. A lua cheia surgiu sobre o portal do templo de The Mikado.

O perigo da transferência organizadora ou psicótica

A emergência da transferência organizadora ou psicótica coloca o cerne da vida de uma pessoa por um momento num equilíbrio delicado. A realidade traumática do passado primordial é confrontada emocional e poderosamente contra a realidade da intimidade do relacionamento presente. Dez mil anos de experiência humana dizem que as cartas estão contra nós — que a loucura é intratável e não pode ser tratada, que com o tempo podemos esperar que o poder do passado infantil se reafirme inevitavelmente de modo ilusório, que podemos esperar que o potencial curativo do momento presente de conexão seja esquecido ou abandonado de tal forma que o terapeuta seja responsabilizado por uma sensação profunda de trauma. Neste momento crítico de transferência, a experiência do passado afetivo é fundida com o presente, e o poder do trauma infantil oculta totalmente as possibilidades transformadoras inerentes ao relacionamento íntimo presente. O perigo inerente ao relacionamento psicoterapêutico não é causado pela recente e pública controvérsia das memórias recuperadas. O problema da psicose de transferência sempre esteve conosco. Ele é real. É perigoso, é universal. E não irá embora. Nossa tarefa é encontrar modos criativos de contatar, administrar e trabalhar por meio da experiência organizadora. No Capítulo 6, apresentarei um estudo de caso detalhado que ilustra o desenvolvimento de uma psicose de transferência, os dilemas de contratransferência correspondentes e o trabalho ao longo do processo.

3

Os Perigos da Intimidade do Relacionamento Terapêutico

Robert Hilton

Os terapeutas têm consciência dos riscos que os clientes assumem ao se mostrar vulneráveis e ao acreditar em nós na intimidade do relacionamento terapêutico. A última vez que eles confiaram a alguém seus pensamentos e sentimentos mais profundos, foram traídos, ignorados, envergonhados ou abusados, e temem que isso volte a acontecer. Temem ser retraumatizados por nós.

Os perigos da intimidade criados para o cliente no relacionamento terapêutico são óbvios, e trabalhar com eles é uma parte essencial do relacionamento e do processo terapêutico. Mas o que dizer do perigo que está presente para o terapêuta ao tomar parte desse relacionamento íntimo? Uma de minhas clientes é mãe de um bebê. Ela começou a me ver quando seu filho tinha dois meses. Ela traz o bebê consigo para as sessões em que passamos boa parte do tempo falando sobre as necessidades de seu filho e como ela responde a elas. É fácil ver e empatizar com a vulnerabilidade do bebê e com o perigo real que ele encara diante da possibilidade de perdê-la ou de ser traumatizado por negligência dela. Mas a mãe também confronta um perigo. Ao abrir seu coração para as necessidades de seu filho, ela igualmente está abrindo suas próprias defesas contra a dor da intimidade. Ela também foi ferida ou negligenciada. Ela tampouco confia que o ambiente irá sustentá-la em suas necessidades, e ainda assim precisa arriscar-se a reabrir sua própria ferida para poder satisfazer as necessidades de seu filho. Ela faz isto ciente de que ele não está lá para satisfazer as necessidades dela, mas na verdade precisará finalmente rejeitá-la para atingir sua própria auto-realização e independência. Enquanto ela está se abrindo para seu filho e reconhecendo suas próprias necessidades, preciso ajudá-la a aceitar a dor e a tristeza por suas próprias necessidades infantis não satisfeitas, que deveriam ter sido preenchidas pela mãe dela. Se ela inconscientemente esperar que o bebê satisfaça essas necessidades e ele a desapontar, o que será inevitável se o bebê tiver liberdade para auto-expressão, ela então estará na posição de atuar sobre o bebê a raiva e a mágoa que sentiu nas mãos de sua própria mãe. Tanto o bebê quanto a mãe estão em perigo.

O mesmo fenômeno acontece entre terapeuta e cliente. Enquanto o terapeuta está ajudando o cliente a lidar com seus medos de intimidade, ele também precisa lidar com seus próprios medos. Entretanto, há um perigo adicional para o terapeuta. Quando ele não é um bom profissional, o que é necessário para que o cliente adquira sua própria auto-expressão e identidade, além de encarar sua dor infantil, ele encara as conseqüências da perda de seu papel como "terapeuta" que se tornou parte de sua organização do eu. A motivação inconsciente para que o terapeuta faça esse tipo de trabalho foi superada por seus profundos sentimentos de inadequação e dor, causados pela inadequação dos cuidados paternos que recebeu. Assim, quando o paciente não responde aos esforços do terapeuta em ajudá-lo, está na verdade negando ao terapeuta uma parte importante da autonutrição que seu papel como terapeuta tem o objetivo de proporcionar e da qual o terapeuta inconscientemente aprendeu a depender.

Bacal e Thompson (1993), dois psicólogos do *self*, afirmam:

> Quando o analista tem o que chamamos de uma reação de contratransferência, as necessidades eu-objeto do analista, que normalmente são supridas pelo paciente durante a interação deles, estão agora sendo frustradas e seu senso de eu está concomitantemente sendo ameaçado, abalado ou pior. Esta perturbação eu-objeto no analista irá afetar a capacidade de o analista sintonizar-se e responder de modo ideal ao paciente...

Também afirmam que a consciência ampliada que os terapeutas têm sobre como suas necessidades psicológicas e suas vulnerabilidades se tornaram organizadas em sua *persona* profissional os capacitará a se tornar mais conscientes sobre os limites de sua capacidade de resposta ideal a qualquer paciente específico [pp. 7-8].

Há 30 anos, quando eu era um jovem terapeuta, não tinha idéia de que minhas necessidades e vulnerabilidades psicológicas tinham se organizado numa *persona* profissional. Não tinha nenhuma consciência de que meu papel como psicoterapeuta funcionava como uma forma de auto-organização e que por meio dele eu estava inconscientemente tentando superar a impotência, que sentira quando criança, para organizar o caos a meu redor e conseguir que minhas necessidades fossem satisfeitas. Mas logo aprendi esta lição, de modo muito dramático.

No início dos anos 1960, fui para o Instituto Esalen, em Big Sur, Califórnia. Esalen representava a vanguarda da psicologia humanística e da exploração de estilos de vida e de métodos de cura alternativos. Eu estava então a caminho de Oakland para ser o principal palestrante numa conferência religiosa. Acabara de obter meu Ph. D. e ensinava aconselhamento num seminário teológico. Encontrei uma jovem em Esalen e comecei a impressioná-la com meu novo *status*. Quando ela me perguntou se eu conhecia bastante sobre o LSD, percebi que não queria parecer ingênuo e ignorante, e assim disse-lhe que havia ouvido palestras de Timothy Leary e Richard Alpert. Mas não lhe disse que na verdade não conhecia nada sobre as drogas, pessoal ou teoricamente. Então me perguntou se eu lhe faria companhia enquanto ela "tomava algum ácido". Preso entre minha ingenuidade e a necessidade de parecer uma pessoa legal e bem informada, eu não podia perguntar-lhe o que isso realmente significava. Assim, concordei. Minha fantasia era de que eu me sentaria e leria um livro enquanto ela tomava essa droga e de que em algumas horas tudo teria acabado e conversaríamos sobre isso.

Mais ou menos uma hora depois de ter tomado o LSD, ela saiu do que me parecia um estado de sono profundo e experimentava um ataque psicótico completo. Ela se virou para mim e gritou: "Estou enlouquecendo! Isto é real! Isto é real! Está acontecendo agora e você tem de me ajudar! Você disse que iria me ajudar! Você tem de me dizer o que fazer! Estou realmente enlouquecendo! Estou indo embora e nunca vou voltar!". Entrei em pânico. Eu não tinha idéia do que fazer. Pensei: "Meu Deus, por causa de minha ingenuidade e ilusão de onipotência dei a esta mulher a falsa crença de que estaria a seu lado e agora que ela precisa de mim estou aterrorizado e impotente". Corri para a sala de jantar e reconheci um psiquiatra que vira antes e lhe contei a situação terrível em que me encontrava. Implorei-lhe para ir vê-la comigo. Ele não se interessou. Disse-me que tinha de lidar com situações como esta o tempo todo e viera a Esalen no fim de semana para descansar. Contudo, consegui convencê-lo a vir comigo. Ele entrou na sala, olhou para ela e disse: "Por que você está fazendo isto?". A resposta foi um resmungo incoerente. Então ele se voltou para mim e disse de modo racional e objetivo: "Ela estará bem em mais ou menos dez ou 12 horas. O que você precisa fazer é ficar com ela". Disse-lhe que isto era impossível, e fui ao banheiro vomitar. Ele saiu, e em meu estado desesperado por fim encontrei um velho *hippie* que vivia nas florestas próximas e estivera em centenas dessas viagens. Eu o persuadi a ir vê-la. Ele deu uma olhada e disse: "Hei, o que está acontecendo aqui? Bem! Você está tendo uma *bad trip*, hein? Como é isso?". Assim que vi que ele estava lá com ela, corri para meu quarto. Eu estava num estado desesperado de ansiedade. Não conseguia comer nem dormir. Finalmente, na manhã seguinte, sem ter dormido nada à noite, voltei à cabana dela e olhei pela janela para ver se estava tudo bem. Ela dormia profundamente. Fui embora o mais rápido que pude. Quando cheguei à cidade de Oakland, tive outro ataque de pânico e precisei parar o carro, sair e deitar na grama de um parque. Tentei agarrar o chão, numa tentativa consciente de me aterrar para não me desintegrar. Sentia-me como se estivesse tendo um colapso psicótico, como se estivesse me perdendo de mim mesmo, como se estivesse tornando-me desorganizado.

Percebi muito depois que meu papel de psicoterapeuta era parte de minha auto-organização. Ele funcionava inconscientemente como um modo de conter minha ansiedade primitiva e ajudava a me organizar de modo a evitar o pânico deste estado indiferenciado e não-integrado. Nesse papel, eu tinha permanecido ingênuo ante a profundidade dos estados primitivos, meus e das outras pessoas. Além disso, tinha me apegado à ilusão infantil de que poderia ajudar qualquer pessoa sem reconhecer os sérios limites de minha capacidade. O que na verdade tinha acontecido era que meu papel, baseado nessas falsas suposições, tinha sido exposto pelo que realmente era, e eu tinha entrado em pânico.

Mencionei que este papel de psicoterapeuta estava baseado na *ingenuidade*. Uso esta palavra em vez de *inocência*. A ingenuidade provém de uma inocência abalada. Uma criança não pode compreender quando sua inocência é abalada por abuso físico ou por sedução sexual praticada por um dos pais. Ela não pode processar a profundidade desse tipo de dor. Portanto, é incapaz de permitir que isto penetre em sua consciência. Se ela o fizesse, seria completamente devastada ou enlouqueceria. Assim, ela nega que isto esteja mesmo acontecendo ou seja tão ruim, e assume que, de algum modo, é responsável. Ela se arma psíquica e fisicamente contra a consciência de uma tragédia que iria destruir qualquer esperança de sobrevivência psicológica. As pessoas e as nações agiram de modo ingênuo durante a Segunda Guerra Mundial com relação à perseguição nazista aos judeus. Essas atrocidades não são possíveis para a mente racional. A criança abusada cresce para escolher um parceiro abusador porque ela não pode permitir que a dor original seja processada. Do mesmo modo, minha ingenuidade como terapeuta vinha da negação de meu próprio abuso. Descobri que isto vale para todos os terapeutas com quem tenho trabalhado. Também percebi que meu papel de psicoterapeuta baseava-se numa crença inconsciente de onipotência infantil. Precisava sentir-me como se pudesse ajudar qualquer pessoa. Não podia reconhecer para mim mesmo, ou para os outros, os limites verdadeiros de meu conhecimento e capacidade. Não percebi que estava preso à crença irracional de que se não pudesse ajudar alguém não poderia ajudar a mim mesmo, e se não pudesse ajudar a mim mesmo, estaria perdido. É claro que tal crença vinha de minha infância, onde me sentia totalmente impotente e aterrorizado.

Minha defesa contra este estado de impotência e de terror, no qual era impossível viver, foi desenvolver a ilusão de que eu poderia ajudar alguém exterior, ou seja, minha mãe. Desse modo, eu tinha uma tarefa que me salvava de meus sentimentos de impotência. Quando minha mãe e eu concordamos em que eu deveria salvá-la de sua dor, eu tinha estabelecido o alicerce para meu papel como psicoterapeuta. Acredito, como Alice Miller, que todos os que escolhem esta forma de trabalho o fazem por causa de uma necessidade inconsciente de proteger-se de seu próprio estado de pânico e desorganização, e portanto estão em constante risco de retornar a este estado de ser. O cliente e o terapeuta são ambos forçados a encarar esses perigos na intimidade do relacionamento terapêutico. A cura acontece quando esse esforço conjunto é bem-sucedido; a retraumatização de ambos pode acontecer, à medida que o esforço fracassa.

O que nós, psicoterapeutas, precisamos entender e vivenciar para fazer com que a intimidade do relacionamento terapêutico seja menos perigosa para nós e para nossos clientes? A primeira coisa é entender a função de nosso papel como terapeutas. A maioria dos terapeutas com quem trabalhei nos últimos 30 anos veio de um ambiente que não difere muito do encontrado por uma criança numa família alcoolista. A criança confronta o caos de seu ambiente — a inconsistência, a embriaguez, a falta de contato pessoal — e experimenta um terror básico de estar sozinha sem ninguém que cuide dela. Ela logo desenvolve uma forma de sobrevivência psíquica e de auto-afirmação, prestando atenção a seus pais. Ainda é uma criança, mas transforma-se num pequeno adulto quando eles estão bebendo. Este é o modo como ela lida com seu terror primal de isolamento. Encontra uma forma de se conectar com o estado desorganizado de seus pais de modo a não experimentar o insuportável estado de sua própria desorganização. Esta foi minha história com minha mãe.

Desse modo a criança permanece ingênua, que é uma negação do medo, e mantém a ilusão de onipotência, que é a negação da falta de poder. Os sentimentos de vergonha e de desamparo autopunitivo estão subjacentes a essas ilusões. Até mesmo esses sentimentos são melhores do que a alternativa que Winnicott chamou de "estados em que não se pode viver", nos quais a pessoa vivencia a desintegração do eu. Esses estados são constituídos por um pânico extremo tão grave que até mesmo a psicose é um meio de viver com "o que não se pode viver". Como terapeutas, entramos junto com os clientes no caldeirão de intimidade do qual tínhamos conseguimos escapar anteriormente com o compromisso inconsciente de nunca mais voltar ali, e com a convicção que se caíssemos de novo no caldeirão não sobreviveríamos. Entretanto, por causa da ingenuidade de nossas defesas, estamos sempre nos expondo a esta forma potencial de retraumatização, com a ilusão de que podemos manejá-la. Sem perceber, abrimos nossas vidas a um relacionamento potencialmente danoso. Isso tem uma função dupla: (1) provar que podemos agüentar isto sem quebrar ou, em outras palavras, que nossas defesas funcionam; e (2) esperar que desta vez nos quebremos de novo, só para encontrar outro modo de sobreviver diferente do que fomos forçados a encontrar quando crianças, um modo que lutamos para manter em nossa auto-expressão, mas na verdade nos limita muito. Ambos, terapeuta e cliente, vêm para a intimidade do relacionamento terapêutico com esta programação oculta. Para diminuir os riscos que os dois correm, o terapeuta tem a responsabilidade de entender a natureza de seu papel e o modo como ele funciona em seu sistema, e também é responsável por reunir recursos internos e externos para lidar com os desafios dos clientes a esse papel. Entretanto, a maioria dos terapeutas, como eu mesmo há 30 anos em Esalen, não entendeu a natureza do papel que desempenha nem desenvolveu esses recursos. Assim, quando esse papel é desafiado pelo cliente — e precisa ser desafiado — o terapeuta responde defensivamente e ambos, terapeuta e cliente, experimentam a retraumatização.

Cinco anos depois de minha experiência em Esalen, experimentei uma retraumatização pessoal com um cliente.

Um casal foi encaminhado a mim para terapia de casal. O psicólogo que fez a indicação disse que o marido tinha tendência a ser violento. E, na verdade, enquanto eu estava trabalhando com eles, ela teve de chamar a polícia em pelo menos uma ocasião, por causa das suas ameaças. Eu também sabia que quando este homem foi despedido de um emprego ele seguiu o chefe em seu carro e tentou jogá-lo para fora da estrada. Também sabia que sua história pessoal incluía ter sido amarrado num poste e espancado por seu pai. Nas sessões de terapia, confrontei sua raiva e medo, mas nunca me permiti sentir ou reconhecer meu próprio medo diante da agressão dele.

Quando um terapeuta aborda um cliente a partir da posição de ingenuidade e onipotência — de uma negação da falta de poder e do medo —, ele não permite que seu próprio medo penetre suas defesas. Se reconhecesse seu medo com relação ao cliente, voltaria a sentir seu próprio terror nas mãos de seus pais, e isso ameaçaria seu senso de eu. Ou o medo que ele sentia com o cliente poderia ativar uma fúria defensiva contra o medo de aniquilação e fazê-lo perder o controle em sua reação de contra-transferência. É esta negação do próprio medo com o cliente que faz com que o terapeuta se arrisque ao dano físico. O cliente

103

paranóide e impotente tem de impressionar o terapeuta com sua presença, mesmo que isto signifique violência física.

O fato de eu não conseguir reconhecer meu medo ou raiva perante esse cliente tornou nosso relacionamento irreal. Quando me sentia ameaçado por suas ações, adaptava-me a ele, em vez de confrontá-lo. Logo ele se aproveitou dessa irrealidade e começou a rolar uma conta. Quando eu o confrontava, ele sempre tinha uma desculpa para não me pagar. No fim, depois de ter saído da terapia há vários meses e ainda não ter pago o que me devia, ele decidiu que não ia pagar nada. De repente, fui invadido pelo sentimento de que ele tinha tirado algo que era meu, que me devia. Agora não era mais uma conta a ser paga, mas uma perda pessoal. Tornei-me vulnerável, e a fachada de minha negação foi abalada. Minha vergonha, raiva e medo vieram à tona. Em essência, eu estava falando com minha mãe e dizendo: "Você me deve". É claro que eu não podia ganhar dela quando fazia um pedido direto. Agora, eu estava em perigo. Tinha tentado escapar disso, mas minhas defesas me levaram de volta a meu próprio início.

Consultei um colega que inadvertidamente me aconselhou a mandar a conta para cobrança. Infelizmente, segui seu conselho. No dia em que o serviço de cobrança contatou meu cliente, ele me telefonou e disse: "É melhor você retirar essa cobrança ou vou processá-lo".

"*Você* vai *me* processar?"

"Sim."

Perguntei: "Baseado em quê?".

"Oh, vou inventar algo. Direi que você cantou minha esposa. Acredite em mim, não vai valer a pena seu tempo e esforço para cobrar esta conta."

Agora a situação virou; eu me encontrava no papel que *ele* tinha assumido quando era criança. Agora *eu* estava carente, estava impotente, estava sendo ameaçado. Mas nós estávamos fora do contexto terapêutico e dentro do sistema legal para encarar esta questão central que eu não tinha conseguido confrontar adequadamente na terapia. Eu sabia que este homem não devia ser subestimado. Felizmente, meu medo de sobrevivência emergiu e liguei para a empresa de cobrança. Disseram que retirariam a cobrança, mas eu teria de pagar uma taxa mínima pelo trabalho já feito. Então, minha fúria foi total. Eu não tinha sido apenas humilhado. Ele não tinha simplesmente vencido. Mas agora eu tinha de pagar para retirar a cobrança. Por dois ou três anos, a simples idéia de voltar a encarar esse homem provocava uma inundação de sentimentos de fúria, vergonha e humilhação.

Por não conseguir reconhecer meu medo e minha impotência, tinha me convencido de que podia lidar com questões que me lembravam de meu próprio *background* de abuso. Desse modo, armei uma cilada que com certeza me derrubaria de meu papel como terapeuta e me jogaria de volta a um estado de pânico. Na primeira vez em que isto aconteceu, em Esalen, fugi de medo. Na segunda vez, com este cliente violento, experimentei uma fúria visceral tremenda que nunca vivenciara antes e desejei atacá-lo. Agora, anos depois, sei que é muito importante que eu sinta esta fúria impotente porque isso foi o que ele sentiu como criança e estava tentando resolver de modo inconsciente. Mas, na época em que experimentei este sentimento, a terapia estava totalmente afastada e não havia como trabalhar isto com ele.

Tenho dito que o terapeuta precisa entender a função de seu papel como terapeuta e como este é parte de sua auto-organização. Tenho também ilustrado o que acontece quando este papel é desafiado e o terapeuta confronta o pânico que está encoberto pelo papel. A Figura 3-1 demonstra como esse papel é criado. A linha reta na Figura 3-1 representa a força vital de uma pessoa, no caso o terapeuta. Quando tal força, que representa as necessidades físicas e psicológicas da pessoa, encontra o ambiente, e este é suficientemente responsivo, a pessoa mantém um senso de integração e bem-estar. Um equilíbrio energético é mantido na pessoa e emerge um senso unificado de eu. Quando o ambiente é frustrante demais, de modo que a expressão natural das necessidades da pessoa é sempre negada, a pessoa começa inconscientemente a se contrair para não contatar ainda mais a dor criada pela frustração. Isto é semelhante ao que acontece aos pseudópodes de uma ameba, quando se estendem a partir do núcleo e são espetados por um alfinete. O pseudópode se contrai e estende-se de novo. Se continuar a ser espetado por um tempo suficiente, ele se contrai permanentemente e ossifica, provocando a morte da ameba. Quando o ser humano se expande e suas necessidades básicas encontram constantemente as alfinetadas do ambiente, ocorre uma contração psicológica e física, mas então começa a ser feita uma acomodação única para viver com, para absorver ou para superar a dor da rejeição. Essa acomodação única se transforma num eu adaptativo.

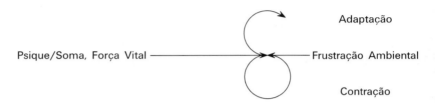

Figura 3-1. O papel do terapeuta.

O caldeirão de sentimentos associados à vergonha, à dor, à impotência e ao desespero, que acompanham o fato de não ser capaz de encontrar um modo de auto-expressão no mundo, continua a existir por trás da contração. Do mesmo modo como um filho de uma família alcoolista encontra um meio de sobreviver, suprimindo suas próprias necessidades para suprir as necessidades dos outros, o eu (*self*) adaptativo desenvolve um "papel" ao qual os outros irão responder, mas na realidade é uma defesa contra o pânico e a dor de suas próprias necessidades não satisfeitas.

O cliente nos procura porque está descobrindo que o papel adaptativo, que ele desenvolveu para sobreviver, deixou de ser gratificante. O preço da sobrevivência sobre o prazer e a auto-expressão tornou-se grande demais, mas ainda assim ele não conhece outro modo de ser. Está geralmente deprimido, mas também ansioso com relação a qualquer mudança que possa vir a acontecer. No início, o terapeuta e o cliente conseguem suprir as necessidades narcisísticas um do outro. O cliente aprende o tipo de respostas de que o terapeuta necessita e o terapeuta aprende a se sintonizar com o cliente. Os dois eus (*selves*) adaptativos lentamente desenvolvem uma aliança.

Entretanto, um bom terapeuta percebe que o papel adaptativo do cliente está limitando a auto-expressão do cliente e protegendo-o do caldeirão de emoções e de necessidades insatisfeitas que existe sob a superfície de sua adaptação. Lentamente, usando qualquer abordagem familiar ao terapeuta, ele começa a ajudar o cliente a explorar a função do papel adaptativo e a investigar o que está subjacente a ele. Ele convida os sentimentos reprimidos a emergir e a ser trazidos para o relacionamento de transferência estabelecido na terapia. Conforme esses sentimentos emergem, são dirigidos diretamente ao papel adaptativo do terapeuta, e nesse momento o terapeuta está correndo perigo. Afinal de contas, o papel do terapeuta está lá para impedir que o terapeuta seja oprimido por seus próprios sentimentos reprimidos.

A resposta do terapeuta ao desafio de seu próprio eu adaptativo parece seguir os padrões estabelecidos por Karen Horney (1950) em seu livro *Neurosis and human growth*. Ela descreveu três padrões neuróticos de relacionamento, que são: afastar-se, atacar e aproximar-se da outra pessoa. Na primeira vez em que meu papel adaptativo foi desafiado em Esalen, entrei em pânico e me afastei. Na segunda vez, fiquei furioso e quis atacar e destruir. Mas existe uma terceira resposta, aproximar-se, que parece aplicar-se a um grande número de terapeutas com quem trabalho. Gostaria de descrever este terceiro modo.

Há cerca de dez anos, um terapeuta veio ver-me porque estava deprimido e com tendências suicidas. Ele me contou a história de ter atendido uma cliente por oito sessões quando percebeu que havia se envolvido demais emocionalmente para continuar a ser terapeuta dela. Disse que durante essas poucas sessões, um pouco por causa dela e em parte por causa do lugar onde ele estava em sua vida, ele tinha tocado a profundidade do anseio e da solidão que estavam sob sua fachada de terapeuta. A cliente tinha essa mesma solidão, abandono e depressão, embora não tivesse consciência de sua profundidade. Quando ela tocou esses sentimentos em si mesma, olhou para ele com olhos de idealização, de modo muito semelhante ao que uma criança olha para seus pais. Ele sabia que esse olhar não lhe era dirigido pessoalmente, pois ela na verdade não o conhecia. Mas sabia que esse era o olhar que estava reprimido dentro dele. Os olhos dela lhe diziam: "Você é amado e desejado, e é a resposta para meu abandono". O terapeuta relatou que vivenciava os mesmos sentimentos de abandono

107

que ela, mas quando ela o olhava, era como se os ambos pudessem se fundir e nenhum dos dois teria de experimentar o terror e a dor pela perda. Ele estava ciente de que este não era um relacionamento adulto, que era transferência. Mas parte dele queria acreditar que os sentimentos dela eram dirigidos a ele e ele podia de algum modo salvar ambos.

Ele tinha controle suficiente para saber que não podia ajudá-la como terapeuta enquanto estivesse tão envolvido emocionalmente. Procurou um colega para uma supervisão. O resultado da supervisão deixou claro que ele deveria encaminhá-la a outro terapeuta. Mas isso aconteceu no início dos anos 1970, ambos eram solteiros, e então ele foi aconselhado a ir em frente e namorá-la. Atualmente os terapeutas têm uma diretriz ética geral que diz que um terapeuta não pode ver uma ex-cliente por, pelo menos, dois anos após o fim da terapia. A partir de minha experiência com esse terapeuta e com outros, minha opinião pessoal é que esta é uma regra muito sábia.

Assim, ele a encaminhou para outro terapeuta e começou a sair com ela. Relatou que durante o primeiro encontro continuou a se relacionar com ela como terapeuta. No segundo, ele deixou de lado seu papel, e o profundo anseio que havia sido estimulado durante as sessões emergiu, e ele a pediu em casamento. Era como se duas crianças abandonadas e solitárias tivessem encontrado um modo de se fundir uma com a outra. Casaram-se, tiveram dois filhos e divorciaram-se sete anos depois. Nesse tempo, ele descobriu que ela era alcoolista. Toda a fúria não resolvida que estava por trás de sua depressão e do abandono foi dirigida para ele. Ele percebeu que tinha se casado com sua mãe alcoolista e supostamente deveria cuidar dela. Ficou cada vez mais deprimido até que ela o deixou e ele confrontou seus sentimentos suicidas. Esses sentimentos vinham de suas próprias necessidades insatisfeitas e também porque ele sabia que a havia traído as necessidades dela. Sentia como se tivesse agido com ela como sua mãe agira com ele.

Ilustramos os três modos como o terapeuta pode responder quando seu papel for desafiado: afastando-se, atacando e aproximando-se do cliente. O ponto é que, subjacentes ao papel adaptativo do terapeuta, estão as suas necessidades não satisfeitas, com todas as emoções ligadas a elas. Entrar na intimidade do relacionamento terapêutico coloca-o em perigo de que essas necessidades emerjam quando seu papel for desafiado. Ele precisa entender a função de seu papel e de que forma ele funciona como um meio de auto-organização. Agora precisamos entender a função do desafio ao papel do terapeuta, tanto do ponto de vista do cliente quanto do terapeuta.

Gostaria agora de discutir por que o cliente tem de desafiar o papel do terapeuta e por que o terapeuta precisa que este seja desafiado. Por que o cliente tem de confrontar o papel do terapeuta? Por que o terapeuta e o cliente não podem apenas passar momentos agradáveis e concordar em sustentar mutuamente as necessidades narcisísticas um do outro? Acredito que a primeira necessidade que o cliente tem ao desafiar o papel do terapeuta é descobrir se é *seguro* viver e experimentar o estado de ser que o terapeuta o incentiva a arriscar. O terapeuta está pedindo ao cliente que viva num mundo em que suas necessidades narcisísticas nem sempre serão satisfeitas. E onde algumas de suas necessidades de fusão não serão nem um pouco satisfeitas. Nesse mundo, assustador e imprevisível, ele se sentirá desamparado e incapaz de controlar o ambiente. Da última vez que o cliente esteve nesse mundo, ele foi oprimido pela ansiedade. Este é o mundo real, e o cliente, ao confrontar o "papel" protetor do terapeuta, precisa saber se o terapeuta pode sobreviver nele. Em essência, o cliente está dizendo ao terapeuta: "Você primeiro. Deixe-me ver como você existe nesta sala comigo sem ter o controle do relacionamento, quando não o gratifico em seu papel da maneira a que você se acostumou. Como você vive com sua vulnerabilidade comigo? Como você vive com seu vazio narcisístico e com a raiva de mim quando eu retraio e não sigo mais suas regras? Você consegue existir e funcionar no lugar em que está me pedindo para ir? Você pode continuar a fazer contato comigo quando não tem mais o 'papel' em que se apoiar, quando está tão desmascarado como eu?".

Para testar essa pergunta, o cliente precisa fazer conosco o que lhe foi feito quando criança. Precisa atuar sobre nós o julgamento de seus próprios pais e ver se podemos sobreviver e como sobrevivemos, a fim de sentir-se seguro para se arriscar a estar de volta ao mundo real. Se fracassamos e nos afastamos dele, o atacamos ou nos aproximamos, então sente que não existe esperança para ele, e a terapia termina atolada, ou num comportamento de atuação, em depressão suicida, ou em recriminações que levam a processos legais.

Entretanto, se o terapeuta consegue chegar até o lugar onde está ajudando o cliente a ir, e convida-o a se juntar a ele, o cliente então deve encarar o terror de se arriscar a ter um relacionamento real num mundo real. Freqüentemente o cliente não sabe o que é pior: o fracasso do terapeuta, de modo que seja desapontado, mas ao mesmo tempo aliviado e tenha agora uma desculpa para não se arriscar. Ou o sucesso do terapeuta neste teste, e sua presença para o cliente de modo que este não tem desculpas para não se arriscar e chegar aonde lhe foi pedido. O papel do terapeuta precisa ser desafiado de modo que o cliente se sinta seguro para arriscar-se a reexperimentar seu terror e desamparo, e desta vez, com a ajuda do terapeuta, recuperar uma parte do eu que estava perdida.

A segunda razão pela qual os clientes devem desafiar o papel do terapeuta é descobrir se eles realmente são escolhidos. Uma coisa é se relacionar com os clientes quando estão sendo receptivos à nossa escuta empática. Mas eles querem saber o que acontece quando são difíceis e não mais nos gratificam como fizeram com seus pais para que estes os amassem. Estão perguntando consciente ou inconscientemente: "Você ainda vai querer estar comigo quando eu for difícil?". E todas as pessoas com quem eu trabalhei temiam que a resposta fosse não. Temem ainda que o terapeuta fique desagradado com elas, mas nunca lhes diga isto. Temem que ambos vivam uma mentira, como viveram em suas famílias de origem. Receiam que de alguma forma a negatividade e os ressentimentos verdadeiros criados no relacionamento não sejam explorados de modo que o cliente não se sinta escolhido por ser quem é. Temem que o terapeuta se esconda atrás de sua máscara terapêutica de profissionalismo e o cliente nunca venha a vivenciar a verdadeira aceitação, apenas a reflexão empática.

Lembro-me de um palestrante sobre psicologia do *self* que disse que o terapeuta deveria idealizar levemente o paciente, isto é, transmitir ao paciente seu direito de ter o terapeuta disponível para si da maneira como fosse preciso. Quando ouvi isso, comecei a rir, pois pensei em um de meus antigos terapeutas me idealizando levemente desse modo e não consegui imaginá-lo. Ele estava tão preso em idealizar a si mesmo que não havia espaço para mim. Então comecei

110

a me sentir triste. Imaginei o que teria acontecido se ele tivesse me dito: "Sabe, Bob, você está tentando me comunicar algo, e eu simplesmente não estou entendendo. De fato, quero que você tenha a experiência de ser compreendido e estou falhando. Preciso de sua ajuda. Você não é ruim por precisar do que não posso dar, eu é que preciso olhar para mim mesmo e descobrir o que tenho de encarar para poder ouvi-lo". E, embora eu não consiga imaginar esse tipo de resposta, sei que se isso tivesse acontecido, mesmo hoje, anos depois, eu começaria a chorar e a sentir que na verdade estava sendo visto e escolhido por mim, não pelo bom cliente que era. Felizmente, afinal tive uma terapeuta que foi capaz de me transmitir esse tipo de aceitação. Eu precisava saber que fazia uma diferença para ela; que ela sentiria minha falta se eu ficasse deprimido e me retraísse. O cliente precisa desafiar o papel do terapeuta para se sentir escolhido por si mesmo, com todos os seus defeitos.

A terceira razão pela qual o cliente precisa desafiar o papel do terapeuta é recuperar o sentimento de onipotência. Isso não se refere à ilusão de onipotência da qual falei no início deste capítulo. Esta ilusão é na verdade uma defesa contra o sentimento da perda de poder num relacionamento eu-objeto. Quando o terapeuta escolhe o cliente por si mesmo e reconhece que a dificuldade da aliança terapêutica se deve à sua própria inabilidade em se sintonizar adequadamente com as necessidades do cliente, então o cliente recupera o que Winnicott considera o ingrediente essencial no desenvolvimento e na recuperação do eu, ou seja, a onipotência no relacionamento terapêutico. Winnicott diz que o cliente precisa da experiência de ser capaz de tolerar as falhas de empatias no relacionamento terapêutico, ao vê-las como falhas por parte do terapeuta. Isso o deixa com o ingrediente essencial do autodesenvolvimento que faltou quando ele era criança. Quando o cliente era criança, fizeram-no sentir-se inadequado por precisar do que não podia ser proporcionado. Agora, em vez de culpar a si mesmo, ele pode reconhecer os limites à satisfação de suas necessidades, na contratransferência do terapeuta.

Esse tipo de relacionamento, que reforça os sentimentos de onipotência, serve para ajudar o cliente a aceitar a realidade e os limites do ambiente para satisfazer suas necessidades, sem sentir vergonha nem culpa. Quando isso não acontece no desenvolvimento, a criança mantém a ilusão de onipotência em sua vida adulta. Quando uma criança sente que seu pai realmente *tem* de amá-la, que na verdade não tem escolha, ela experimenta o "poder" da experiência de vínculo e pode abandonar a ilusão de poder e de controle porque se sente segura. O compromisso do pai dá à criança a liberdade para sentir-se onipotente num momento crucial de seu autodesenvolvimento. Esse poder pode mais tarde sucumbir à realidade. Se a criança nunca vivenciou o poder de se sentir segura *com* o objeto de amor, ela mantém a ilusão de poder *sobre* o objeto para se proteger dos medos de abandono e de aniquilação. Tal experiência de onipotência precisa ser retomada e entregue no relacionamento terapêutico. Isto só pode ser feito ao se desafiar o papel adaptativo do terapeuta e descobrir por meio disso a verdadeira natureza do relacionamento e do compromisso do terapeuta com o cliente e com o relacionamento.

Tenho considerado as razões do cliente para desafiar o papel do terapeuta. Qual é a função desse desafio para o terapeuta? Isto é, por que o terapeuta precisa que seu papel seja desafiado? A primeira razão é que o terapeuta precisa que seu papel seja desafiado para recuperar seu eu verdadeiro. Sua auto-expressão autêntica e sua auto-realização foram sacrificadas como uma criança para o papel de terapeuta. Esse papel traz alguma satisfação nascisística que já discutimos, mas também se transforma numa prisão da qual o terapeuta, ao menos inconscientemente, deseja ser libertado. Não podemos nos libertar, mas talvez um cliente veja a falsidade desse papel, a inautenticidade. Ou talvez o cliente nos leve suficientemente a sério para pedir mais do que podemos dar. Nesse momento, nossas necessidades subjacentes emergem e temos uma chance de recuperar verdadeiro eu nesse relacionamento. Assim, como a canção *country* que diz: "Se você não me deixar, encontrarei outra pessoa que o faça", nós, terapeutas, dizemos inconscientemente, se você não confrontar a mim e a esse papel adaptativo que assumi, encontrarei outra pessoa que o faça. Preciso recuperar minha autenticidade.

Segundo, assim como o cliente desafia o papel do terapeuta para descobrir se de fato ele é escolhido, o terapeuta também precisa vivenciar o sentimento de que seu eu autêntico é escolhido pelo cliente. Em outras palavras, o terapeuta precisa ter uma validação de sua pessoa que afirme sua auto-estima. A verdadeira auto-estima do terapeuta foi diminuída em sua infância e substituída por seu papel. Ele agora precisa de que seu senso de valor pessoal seja reafirmado.

Do mesmo modo como o cliente sente que não será escolhido se não der ao terapeuta as respostas de que este precisa e deseja, o terapeuta também sente que sem seu papel ele não tem nada a oferecer, e ninguém irá querer vê-lo nem achará sentido em se relacionar com ele, muito menos pagar por isso. Um cliente me disse certa vez: "Você me ajudou muito no decorrer dos anos. E a terapia funcionou, apesar das coisas que você disse". Em qualquer terapia, a cura só acontece depois que o cliente for desapontado e o terapeuta sentir que não tem nada a oferecer. No final, eles se reúnem para descobrir um ao outro sem que os eus adaptativos interfiram. Os terapeutas acham muito difícil acreditar que apenas sua presença aceitadora com o cliente seja uma força de cura. Eles precisam que seu papel seja desafiado para recuperar sua auto-estima perdida e se sentir valorizados por sua presença como pessoa. Esta é uma lição que precisa ser aprendida várias vezes.

A terceira razão importante por que o terapeuta precisa que seu papel seja desafiado é ter a experiência de ser o mau pai e ser perdoado. Como terapeutas, começamos nossa jornada pensando que seremos para os outros o bom pai que nunca tiveram. O que acontece finalmente é que respondemos a uma cliente do mesmo modo como nossos pais responderam a nós. Quando isso acontece, nossas ilusões a nosso respeito são desafiadas e nos sentimos expostos.

Tive uma cliente que trabalhou comigo por vários anos. Chegamos a um ponto em nossa terapia em que ela sentiu que desejava parar. Parecíamos estar num impasse. Ela precisava de algo que eu não lhe poderia dar, e ambos nos sentíamos frustrados. Eu sabia que a terapia estava inacabada, mas sentia algum alívio com a decisão dela. Ela voltou cerca de três anos depois e recomeçamos nossas sessões. Em certo ponto, logo depois de termos começado pela segunda vez, ela me disse dolorosamente: "Você me deixou ir". Ela queria dizer que eu não tentara pará-la quando ela tinha desejado deixar a terapia. Que de algum modo ela tinha sido demais para mim e eu não tinha lutado por nosso relacionamento. Eu apenas a deixei ir. Eu sabia exatamente o que ela queria dizer. Felizmente, consegui ficar comigo mesmo e disse-lhe: "Você tem razão. Eu fiz isso". Ela então caiu num choro irresistível de abandono. Naquele momento em que disse: "Você me deixou ir", e respondi: "Sim, eu fiz isso", eu estava proporcionando à minha cliente o que minha mãe nunca me poderia dar. Eu queria dizer para minha mãe: "Você não me queria mesmo. Eu era um estorvo para você e você me deixou ir. Você não estava ligada a mim. Você não fez nenhum esforço para ficar comigo". Agora eu era a mãe ruim. A que a deixou ir, que não fez o esforço de permanecer conectada a ela, e enquanto eu a ouvia chorar, sabia que esse choro também era meu. Tive de sentar-me ali, sem dar desculpas, e esperar para ver se ela podia perdoar-me e se poderíamos nos conectar novamente.

Essa experiência foi particularmente poderosa para mim. Uma vez alguém tinha me perguntado o que minha mãe poderia fazer para consertar seu abandono. Respondi sem hesitação que a única coisa que ela poderia fazer era cometer suicídio e deixar um bilhete reconhecendo a coisa terrível que havia feito ao me ter e não conseguir ligar-se a mim. Agora eu era confrontado com a trágica consciência de ter feito à criança em minha cliente o que havia sido feito a mim. Mas também me importava com ela e queria reconectar-me com ela, se possível, e continuar com a terapia. Também sabia que essa decisão era dela. Ela derramou seu choro e o meu, e nossa reconexão foi uma força curativa para ambos. Não tive de me matar e ela não precisou ficar trancada em sua raiva e pesar. Ao aceitar o perdão da cliente, e o fato de ser um pai imperfeito, dei outro passo gigantesco em direção de minha própria cura. O papel de terapeuta precisa ser desafiado para que ele possa aceitar suas limitações humanas e encontrar o perdão.

Em resumo, a psicoterapia efetiva envolve um relacionamento íntimo no qual ambos, terapeuta e cliente, estão em perigo. O perigo está em se abrir autenticamente para o outro num grau que leva cada um a encarar a retraumatização potencial nas mãos do outro. O cliente precisa desafiar o "papel" do terapeuta para se sentir seguro, escolhido e retomar o controle de sua vida. O terapeuta precisa que seu papel seja desafiado para recuperar seu verdadeiro eu, afirmar sua auto-estima como uma pessoa e aceitar seus limites como um bom pai. Esta não é uma tarefa fácil, e muitas vezes o terapeuta, embora inconscientemente deseje a confrontação e precise dela, responde defensivamente se afastando, atacando ou se aproximando do cliente. O "papel" do terapeuta funciona como uma forma de auto-organização, e sob esse papel estão todas as necessidades não satisfeitas e as emoções de uma criança assustada e desorganizada. Ainda assim, o terapeuta é responsável por ter elaborado o bastante essas necessidades insatisfeitas para conseguir convidar o cliente a chegar aonde ele precisa. Porém, que tipos de experiência um terapeuta precisa ter para se recuperar o suficiente de suas próprias feridas e estar disponível para a dor do cliente? Qual é o processo de cura para o terapeuta? Este é o assunto do Capítulo 7.

4

A Sedução do Terapeuta Inocente

O. Brandt Caudill, Jr.

Tendências recentes no litígio sobre a responsabilidade dos terapeutas

As memórias reprimidas são um foco surpreendentemente recente de litígio contra os terapeutas. Tenho defendido terapeutas por 14 anos, mas o primeiro caso de memória reprimida aconteceu há dois anos e meio. Virtualmente não havia processos contra terapeutas até depois da decisão Tarasoff em 1976. Esse foi o caso que despertou os advogados dos queixosos para o potencial de processar os terapeutas. Enquanto eu estava estudando Direito, em 1976, escrevi um ensaio sobre sexo com pacientes. Naquela época havia apenas seis casos registrados em todo o país. Desde então, lidei pessoalmente com mais de setenta casos de comportamento sexual inadequado na última década. Isso dá cerca de sete por ano, só para mim. Os anos 1980 foram o período de processos com acusações de comportamento sexual inadequado em todos os níveis — comitês de ética, processos civis e investigações administrativas. Advogados especializados em erros médicos previam que nos anos 1990 os processos iriam referir-se primordialmente a relacionamentos duais. Ninguém previu os processos baseados em memórias reprimidas, mas até o momento eles têm superado os processos legais sobre relacionamentos duais. As estatísticas divulgadas pela American Professional Agency (o ramo da American Home Assurance Company, uma das principais seguradoras de terapeutas) mostram que 19% dos processos legais recebidos em 1994 se referiam a comportamentos sexuais inadequados, o que foi responsável por 48,8% dos custos de acordos. No ano de 1993-94, 16% dos novos processos recebidos pela American Professional Agency eram queixas baseadas em memórias reprimidas. Agora esperamos que nos anos 1990 as memórias reprimidas representem cerca de 15% dos casos e 40% dos custos de acordos. O total de dinheiro envolvido provavelmente irá superar 250 milhões de dólares na próxima década. Esta área irá claramente dominar a prática profissional nos anos 1990, e o ritmo está aumentando. Recentemente, falei com o advogado de um queixoso que afirmou ter quarenta processos em andamento, referentes a memórias reprimidas, contra terapeutas na Califórnia.

Tive a sorte de estar presente nos dois dias de depoimento do julgamento Ramona. Ouvi o testemunho de Gary Ramona e de um dos peritos. Dois aspectos desse caso tiveram implicações para todo o país. O primeiro é: os réus têm alguma obrigação em relação a Gary Ramona? Segundo a teoria tradicional, os terapeutas só têm obrigações para com seus pacientes, a menos que estes realmente ameacem alguém, e então eles têm o dever de avisar essa pessoa. A exceção do dever de avisar foi anunciada no caso *Tarasoff* e codificada no Código Civil 43.92. Em *Swartz versus os Diretores da Universidade da Califórnia*, um terapeuta foi processado por um homem cuja esposa raptou seus filhos, enquanto estava em tratamento psicológico. Ele processou o psicólogo, acusando-o de conspirar com sua esposa para que esta raptasse as crianças. O Tribunal de Apelação concluiu que o pai não era o paciente, mesmo que estivesse pagando a terapia da esposa. O caso Ramona e outros de memórias reprimidas estão argumentando que *existe uma obrigação para com terceiros se for provável que sejam identificados como alvo de alegações de abuso.* Casos em outros estados que concordam com essa obrigação para com terceiros incluem *Sullivan versus Cheshier* e *Montoya versus Bebensee.*

Os terapeutas, no entanto, são incapazes de definir o alcance daqueles envolvidos no caso de cada paciente. Isto inclui todos o membros da família? E se a pessoa acusada como abusador não for um familiar, mas um vizinho? O terapeuta também tem obrigações com relação a essa pessoa? No momento não existe uma definição do alcance do dever, mas uma tentativa ativa de encontrar precedentes. Até agora houve duas decisões: *Sullivan versus Cheshier* e *Montoya versus Bebensee*. Mais ainda, algumas pessoas estão lutando por uma lei que criaria uma obrigação específica para com terceiros e permitiria especificamente que os terceiros processem os terapeutas. Além disso, o novo estatuto iria prever penas criminais se um terapeuta implantasse memórias de abuso. O novo estatuto ainda colocaria fora da lei algumas técnicas específicas de terapia e ditaria o modo como a terapia é conduzida.

O segundo ponto do caso Ramona importante para nós é a suposição de que existe um padrão nacional de tratamento quanto ao modo como a terapia é realizada. Este não é, e nunca foi, o caso na Califórnia, e creio que nem nos outros estados. Segundo as leis da Califórnia, você só precisa cumprir o padrão de atendimento de sua comunidade local — seja ele qual for. Um perito do caso Ramona testemunhou sobre um padrão nacional de tratamento. Pode não ter sido uma coincidência que o perito não fosse licenciado na Califórnia nem pudesse testemunhar sobre o padrão de tratamento local estabelecido porque nunca tinha trabalhado lá. Os queixosos desejam um padrão nacional de tratamento, de modo que qualquer pessoa no país possa testemunhar quanto a ele.

A Fundação contra a Síndrome de Falsas Memórias anunciou que existem mais de 15 mil famílias que podem abrir processos, embora não exista comprovação desse número. Um dos fatos que passam despercebidos é que diversos profissionais de saúde mental afiliados a essa fundação acabarão sendo os peritos nesses processos e terão o benefício de centenas de milhares de dólares em pagamento de perícia. Portanto, a questão do aspecto econômico por parte dos peritos precisa ser explorada.

Existe claramente uma indústria bem atuante de publicações sobre memórias reprimidas, e um circuito de *talk-show* muito ativo nesse sentido. Em 1993, o banco de dados de nosso computador tinha 99 artigos de jornais e revistas sobre a síndrome de falsas memórias publicados desde 1991. Em 21 de março de 1995, existiam 593 artigos.

Comparo isso a uma guerra civil. Esta é na verdade uma guerra bastante incivilizada. O impacto da guerra de memórias reprimidas é muito maior porque esta é uma guerra nas famílias, que está nos noticiários noturnos, travada nas mentes dos participantes. Existe um fator de sensacionalismo que não vi em nenhuma outra questão durante minha prática profissional. O sexo com pacientes nunca provocou tanto sensacionalismo quanto isto, embora os casos individuais possam ter tido subtons escandalosos ou detalhes bizarros. Contudo, nunca houve uma séria controvérsia profissional sobre se o sexo com pacientes era ou não ético. Assim, temos de perguntar: "O que está realmente acontecendo aqui?". Não existe uma resposta clara e imediata, mas transformar os terapeutas em alvo parece ser uma estratégia que se originou no caso da pré-escola McMartin. Esse foi o primeiro caso notório a se focar no ataque aos terapeutas, e especificamente no modo como fazem perguntas às clientes crianças.

Um problema com os casos de memórias reprimidas é que há uma disputa teórica em larga escala sobre a existência desse fenômeno. Uma escola de pensamento afirma que a memória reprimida é sempre válida, e a escola da síndrome das falsas memórias declara não existir algo como uma memória reprimida. A maioria dos profissionais, em minha experiência, se situa no meio dessa disputa. Acreditam que as memórias reprimidas podem acontecer em alguns casos, podendo ocorrer também a implantação. Entretanto, a maioria dos profissionais quer saber os fatos de cada caso específico, inclusive as técnicas utilizadas, antes de chegar a uma conclusão. Esta é uma batalha que está sendo travada com um fervor quase religioso. Os membros da Fundação contra a Síndrome das Falsas Memórias negam que qualquer tipo de memória reprimida seja cientificamente verificável. O dr. Richard Ofshe, por exemplo, professor de Sociologia da Universidade da Califórnia em Berkeley, assumiu a posição de que não acontece o que ele chama de "repressão robusta" (Ofshe e Watters, 1994). O outro lado do espectro é representado pelos terapeutas que rotineiramente tratam os sobreviventes de incesto. Eles acreditam que qualquer tentativa de questionar a validade de uma memória reprimida causa abuso adicional às vítimas.

Meu escritório de advocacia tem visto vários tipos de processo legal sobre memórias reprimidas. Temos visto a abordagem-padrão Ramona, que é aquela em que a pessoa acusada processa o terapeuta. Chamamos esses casos de "processos de abusador suposto". Vemos também os "processos de retração", nos quais o paciente a princípio acredita que sofreu de memórias reprimidas e depois assume a posição oposta, negando o abuso, e processa o terapeuta por ter lhe implantado as memórias nas quais acreditou em algum momento. Uma terceira categoria que está aparecendo atualmente é aquela em que o paciente é atendido por um terapeuta e, em algum ponto, deixa a terapia. Depois o paciente vai a um segundo terapeuta e durante as sessões recobra memórias de abuso ocorrido na terapia anterior. Em outras palavras, em vez de reprimir o abuso sexual na infância, o paciente afirma ter reprimido o que aconteceu na terapia anterior como um adulto. Esses casos são os mais questionáveis entre aqueles de memórias reprimidas. Nosso escritório viu até agora cinco desses casos.

Estabelecendo um padrão de tratamento

O terapeuta precisa ter consciência dos dois lados da história, precisa ler artigos profissionais sobre os dois lados da disputa, independentemente de qual seja sua visão pessoal. Como existe uma disputa entre os profissionais, o terapeuta individual não pode decidir por si mesmo qual lado está certo. Ele tem de estar informado sobre os dois lados e preparado para informar seus pacientes. Se o terapeuta optar por dar alguma literatura aos pacientes, esta deve ser uma literatura equilibrada, ou o terapeuta pode ser acusado de pressionar para um dos lados.

O artigo da dra. Elizabeth Loftus (1993), "The reality of repressed memories", foi a primeira afirmação definitiva a apoiar o ponto de vista da Fundação contra a Síndrome das Falsas Memórias. Do outro lado, há um número do *Journal of Psychology and Theology*, editado por Martha Rogers (1992), que menciona diversos pontos de vista sobre essa questão. Ele apresenta pessoas que acreditam muito enfaticamente em memórias reprimidas e em abuso satânico. Um relato psicodinâmico mais equilibrado sobre memórias reprimidas é encontrado no livro de Hedge (1994), *Remembering, repeating, and working through childhood trauma*. Outros livros sobre o assunto são: *Unchained memories*, da dra. Lenore Terr (1994); *Suggestions of abuse*, do dr. Michael Yapko (1994); *Re-*

memberingSatan, de Lawrence Wright (1994); *The myth of repressed memory*, da dra. Elizabeth Loftus e de Katherine Ketcham (1994); *Ritual abuse*, de Margaret Smith (1993); *Father-daugther incest*, da dra. Judith Herman; e *Repressed memories*, de Renee Fredrickson (1992).

Como as questões que envolvem as memórias recuperadas e o abuso ritual satânico estão muitas vezes misturadas, o terapeuta precisa também estar consciente da disputa sobre o abuso satânico. O problema não é a existência de satanistas, porque ela é facilmente verificável. Temos relatos de Richard Ramirez, "The night-stalker", e de Anton LeVey, autor de *The satanic bible* e um líder da igreja de Satã. Há alguns anos aconteceu um incidente em Matamoros, no México, no qual alguns mexicanos que estavam em um culto raptaram e mataram turistas texanos. Não existem provas substanciais, verificadas por qualquer decisão de apelação relatada, de que os cultos se envolvam em abusos sexuais de crianças ou em esquartejamento de crianças.

Um artigo-chave na área de abuso satânico é "Investigator's guide to allegations of 'ritual' child abuse", de Ken Lanning (1992), que há mais de 25 anos tem acompanhado o FBI nas investigações de denúncias de abuso por cultos. Seu trabalho é ser uma pessoa a quem os agentes da lei possam recorrer, em todo o país. Ele afirma que é possível que existam círculos de abuso satânico infantil, numa escala limitada, embora nunca tenha visto nenhum deles entre os milhares de casos denunciados. Será que isso significa que esse tipo de abuso nunca aconteceu? Não. Mas o terapeuta precisa conhecer o ponto de vista de Lanning quando estiver abordando esses casos, especialmente se o terapeuta vem de um *background* de abuso e pode ter uma tendência. Um contraponto interessante ao artigo de Lanning é uma série de artigos de psicoterapeutas, que atestam sua crença no abuso por cultos, num número especial do *The Journal of Psychohistory* (primavera de 1994) intitulado "Cult abuse of children: witch hunt or reality?".

O terapeuta que acredita que pode ter sido uma vítima de abuso ritual satânico precisa considerar seriamente se é sábio tratar de alguém que se queixe de um abuso similar, porque seu *background* e suas tendências potenciais serão questionados em qualquer litígio. Historicamente, a terapia pessoal do terapeuta não era passível de divulgação.

A decisão do caso *Cheatham versus Rogers*, no Texas, afirma que alguém que seja acusado de abuso infantil pode obter os registros da terapia pessoal do terapeuta. Essa decisão é contrária à lei na maioria das jurisdições, inclusive na Califórnia, mas faz parte de uma tendência geral de se tomar os terapeutas como alvo.

Outro conjunto de questões quanto ao padrão de tratamento é o modo como o terapeuta diagnostica os problemas psicológicos. Ao defender os terapeutas, vejo periodicamente alguns diagnósticos incomumente apressados. Um paciente, por exemplo, pode dizer: "Eu tenho uma fobia de cigarros", e o terapeuta pode avaliar: "Você deve ter sido abusado oralmente". É óbvio que esse diagnóstico seria questionável se não houvesse outras informações que indicassem o abuso sexual. Uma conclusão incorreta não é necessariamente negligente se o terapeuta usar métodos aceitáveis para chegar a ela. O padrão de tratamento foca-se sobre o processo de pensamento e sobre o método usado para chegar a conclusões, e não necessariamente nos resultados. Em outras palavras, ninguém é perfeito, e assim o padrão de tratamento não exige nem pode exigir a perfeição. Ele permite erros de julgamento, se você usar um processo aceito para reunir os dados e chegar a conclusões. O padrão de tratamento é semelhante ao de um estudante mediano, baseia-se no profissional médio e não exige brilhantismo do terapeuta. O importante é o modo *como* o terapeuta chega a suas decisões. Uma decisão tomada de forma precipitada pode ser considerada negligente, mas a mesma conclusão não será negligente se for alcançada após rever a literatura, observar os sintomas do paciente, obter a supervisão de colegas e dar os passos apropriados para chegar a um diagnóstico.

Em qualquer terapia é essencial que os terapeutas façam um esforço planejado para tomar notas. Isso se aplica ainda mais nos casos de memórias reprimidas. Há anos, esta tem sido uma área de conflito entre os terapeutas e os advogados que os defendem. Espero que ela tenha sido superada pela recente orientação dada pela Associação Psicológica Americana que pede especificamente que sejam feitas anotações. Isso estabeleceu um padrão de tratamento nacional do qual todos os terapeutas devem estar conscientes. Do ponto de vista prático, existem duas razões para fazer anotações nos casos de memórias reprimidas: primeira, para a proteção do próprio terapeuta, com que sempre me preocupo, por ser um advogado de defesa;

segunda, porque quando as alegações de memórias reprimidas se voltam contra terceiros, os registros do terapeuta serão examinados com cuidado, para se certificar especificamente (a) de que eles mostram o progresso da terapia; (b) de que eles foram feitos no momento e não depois; e (c) de que há alguma correlação entre as anotações e os registros de pagamento. Em muitos dos casos que vejo em meu escritório, existe apenas uma correlação mínima entre as datas em que os serviços são cobrados e as das anotações nos arquivos. O advogado de um queixoso pegará os registros de pagamento, irá compará-los com as anotações, encontrará as discrepâncias e perguntará ao terapeuta por que as anotações não correspondem às contas. A resposta comum, e não tenho razão para duvidar que seja verdadeira, é que o terapeuta não faz a cobrança. Anotações precisas são essenciais quando o terapeuta entra numa área de litígio como a da terapia das memórias reprimidas.

Num recente caso que defendi, a queixosa testemunhou que tinha sido vítima de abuso sexual na infância cometido por seu pai, que a tinha estuprado, enterrado viva numa caixa e feito todo tipo de atrocidades a ela. Ficamos sabendo que o pai tinha uma carta escrita anos antes pela filha, na qual dizia que quando ela era adolescente ele tinha acidentalmente esbarrado no seio dela e isso tinha desencadeado nela fantasias sexuais com ele. O fato de ter a carta foi crítico para mostrar que as acusações de abuso eram distorcidas.

Hedges (1994b) argumenta que em muitos casos, se não em todos, de memórias recuperadas na psicoterapia, as pessoas estão julgando literalmente verdadeiros conteúdos que deveriam ser considerados metáforas psicológicas para traumas que de outro modo não poderiam ser lembrados. As pessoas cujas memórias são imprecisas não estão mentindo, no sentido comum da palavra. Aquilo em que acreditam é uma construção psicológica ou metáfora para alguma outra coisa, outro trauma que realmente aconteceu, mas não pode ser lembrado de forma precisa. Entretanto, ninguém é processado com uma acusação que diz: "Oh, e metaforicamente você é acusado de...". A pessoa é acusada de negligência, ou não é acusada. É importante entender que uma metáfora pode levar as pessoas a uma conclusão falsa.

Riscos comuns que os terapeutas correm

O maior risco isolado ocorre quando se deixa de ser terapeuta para se transformar num investigador. Vejo que isso acontece em muitos casos de memórias reprimidas e de abuso satânico. Os terapeutas perdem sua objetividade e começam a ir com o paciente a cemitérios para confirmar onde os corpos foram enterrados. Vão até casas antigas para ver se é fisicamente possível que o abuso tenha ocorrido ali. Outros tipos de atividade de investigação visam determinar onde, quando e que tipo de abuso aconteceu ou não. Um caso recente na Califórnia afirmou que, embora os terapeutas possam ser protegidos pelo padrão de tratamento usado na terapia, não têm proteção para as ações como investigadores (*James W. versus Tribunal Superior*). Em todos os casos que conheço, a ocorrência da investigação trouxe sérios problemas para o terapeuta. A responsabilidade dos terapeutas aumenta quando perdem de vista seu papel profissional.

O segundo risco refere-se à hipnose. Os terapeutas precisam ser extraordinariamente cautelosos no uso da hipnose em razão de seu poder sugestivo e de seu potencial para diminuir a capacidade do paciente para ser uma testemunha. Quando existe a probabilidade de um paciente entrar em litígio, e o terapeuta usa a hipnose de modo incompetente, ela pode impedir que o paciente seja uma testemunha num processo criminal viável e legítimo. Os terapeutas que usam a hipnose precisam estar informados das decisões judiciais e do Código de Evidências vigente em sua jurisdição referente ao modo de evitar que o testemunho do paciente seja impedido no tribunal. Em geral, isso significa ter um registro gravado de sua memória anterior à hipnose, anotações escritas antes da sessão, uma fita, de preferência de vídeo, da sessão real, e anotações de acompanhamento posterior.

Outra área de risco é o uso de técnicas de tratamento experimentais ou incomuns, como o uso de cristais e de guias espirituais, e o equilíbrio de energia. É muito difícil explicar a juízes e jurados como técnicas de jornadas xamânicas, consultas astrológicas, técnicas corporais e cura espiritual se encaixam no padrão de tratamento. Uma técnica pode ser usada se for praticada por uma minoria significativa de terapeutas, mas estes precisam explicar cuidadosamente a técnica e obter um consentimento claro e informado para seu uso (ver *Mathews versus Morrissey*).

Outro sinal de envolvimento exagerado e arriscado do terapeuta é sua crença de que assim como o culto está tentando atingir o paciente, também está tentando alcançar o terapeuta. Nesse ponto, o profissional precisa de supervisão e tem de avaliar com seriedade a possibilidade de sair do caso porque é provável que esteja envolvido pessoalmente a ponto de ter de fato perdido sua objetividade.

Os pacientes podem dizer: "Não quero que você mantenha anotações porque o culto vai invadir seu consultório e roubá-las". A única resposta adequada do terapeuta é: "Não. A lei exige que eu mantenha anotações". Ele não pode prever se esse paciente irá voltar dois anos depois, fazer uma reviravolta e processá-lo por ter implantado memórias. Se houver um processo de implantação, o primeiro problema que será considerado é quem levantou primeiro a questão do abuso. Se o paciente a mencionou antes que a terapia começasse, o terapeuta terá mais probabilidades de ser considerado não-negligente. Se a questão foi mencionada pela primeira vez na terapia, então ela muda para: quem a mencionou primeiro na terapia e como? Pode ser muito difícil sair desse litígio se os terapeutas não tiverem um modo documentado de responder a essa questão.

Outra área arriscada envolve os limites profissionais. Os casos de memórias reprimidas ou cultos pedem um tempo e uma disponibilidade extraordinários. Isso pode levar ao que é percebido como violações de limite. Quase sempre isso causa o que chamo de síndrome dos "pés de barro", que acontece quando inicialmente o terapeuta toma atitudes tão heróicas e extraordinárias que o paciente o idealiza. Entretanto, o terapeuta não tem como manter o nível de envolvimento, e o paciente se sente abandonado e negligenciado. Muitas vezes esses pacientes querem que o terapeuta deixe tudo e venha à sua casa a qualquer hora do dia ou da noite porque surgiu alguma nova memória especialmente assustadora. Apesar da natureza mandatória do apelo, é importante que o terapeuta estabeleça um limite e diga algo como: "Sei que é terrível, mas você precisa encontrar um modo de trazer isso numa sessão de terapia. Podemos agendar mais horas de terapia se você precisar, mas não posso ir à sua casa". Esses limites são extremamente importantes porque muitos dos casos que vemos terminam com a violação desse tipo de limite. Quando um paciente está relatando um acontecimento horrível, a reação natural do terapeuta é resgatá-lo de alguma maneira. Ao fazer isso, o profissional pode criar problemas para ambos: existe um aumento da expectativa do paciente de que o terapeuta esteja disponível de modo extraordinário e ilimitado, a objetividade do terapeuta se perde e os limites são violados.

Outro risco é que esses casos podem tornar-se extremamente fascinantes para o terapeuta. Ele começa a ler a literatura que o paciente lhe traz. Sugiro que o terapeuta leia *tudo*, não só o que o paciente lhe dê. Os terapeutas podem ir a encontros e conferências com pacientes para aprender mais sobre abuso satânico, distúrbio de múltipla personalidade ou questões relacionadas.

Os terapeutas também precisam estar conscientes do poder de algumas pessoas para se transformar em vítimas. É um modo de elas se desculparem por qualquer coisa. A vitimização, real ou percebida, pode criar um vínculo de irmandade com outras pessoas que têm problemas similares em diversos grupos de apoio leigo. Quando uma pessoa é rotulada como determinado tipo de vítima, ela pode receber um enorme suporte emocional que não receberia se fosse um neurótico comum. Todas as vezes em que vi um caso realmente questionável de qualquer tipo, o paciente queixoso tinha estado em algum tipo de grupo de apoio leigo. Esses grupos freqüentemente incentivam o paciente a abrir um processo contra um suposto abusador. Os pacientes podem ser influenciados pelo grupo de apoio e agir sem avaliar o impacto emocional do litígio sobre si mesmos e sobre os outros. Às vezes, o paciente também vai a um grupo e absorve elementos das histórias de outros membros em sua própria história. Então se torna extremamente difícil determinar quais partes da história são do paciente. Esse tipo de contaminação exacerba o tratamento e cria dificuldades para determinar o que o paciente de fato vivenciou.

A sedução do terapeuta inocente

Sempre existe alguém perguntando sobre a "exceção do amor verdadeiro" quando se fala sobre a área do relacionamento sexual entre terapeuta e pacientes ou ex-pacientes. Um terapeuta diz: "Mas não foi realmente uma violação porque era um amor verdadeiro".

O estatuto não faz exceção para o "amor verdadeiro". Em 1991, a Associação Psiquiátrica Americana fez uma pesquisa com psiquiatras, e cerca de 30% respondeu que era aceitável terminar a terapia e iniciar um relacionamento se ele fosse um amor verdadeiro (Herman, Gartrell, Olarte, *et al.*, 1987). Existe um poder surpreendente nesse conceito de amor verdadeiro — que a metade que falta a uma pessoa é subitamente encontrada e serve para justificar que os dois amantes se juntem para desafiar o destino. Você pode me chamar de cético, mas na maioria das vezes essas atrações repentinas apaixonadas não duram mais de seis meses, e assim me parece que esse tipo de amor verdadeiro tem uma meia-vida curta. Entretanto, a carreira do terapeuta que costumava durar vinte anos ou mais agora está reduzida a dois anos e meio. É muito importante que os terapeutas entendam que, independentemente de quão forte seja o sentimento, existe uma necessidade imediata de conversar com um colega ou de obter algum tipo de supervisão. Um artigo interessante sobre os relacionamentos sexuais após o término da terapia foi escrito em 1991 por Paul Applebaum, M.D. e Linda Jorgensen. Um livro excelente para ajudar a entender esses sentimentos é *Sexual feelings in psychotherapy* (Pope *et al.*, 1993). Com base em minha experiência, posso afirmar que com freqüência estamos falando sobre a sedução de um terapeuta inocente, não de um envolvimento predador por parte de um terapeuta.

A maioria dos casos que vemos compreende uma situação em que um bom terapeuta está numa circunstância ruim: alguém que em geral é competente e ético, que pode estar passando por uma crise em sua vida, e encontra um paciente especialmente sedutor ou manipulador. Às vezes o paciente sedutor ou manipulador também é um terapeuta, que conhece todas as regras éticas e sabe como um terapeuta pode ser apanhado numa armadilha. Em minha experiência pessoal, poucos terapeutas são predadores, e a maioria deles foi afastada da profissão. A maior parte dos casos atuais de má conduta sexual envolve a sedução do terapeuta inocente.

Acusações falsas contra terapeutas

Há dois tipos de acusação falsa. Existe a acusação falsa deliberada, que é, em certo sentido, fácil de defender porque a pessoa que está mentindo sabe que está mentindo. É apenas uma questão de provar que o paciente está errado. Nós o provamos por meio dos detalhes. O paciente diz que algo aconteceu no dia 4 de julho, em determinado lugar, e nós confirmamos tudo o que aconteceu naquele dia e lugar.

A situação mais difícil refere-se ao segundo tipo de acusação falsa, no qual o paciente relata uma experiência sexual com o terapeuta, que na verdade não aconteceu, mas na qual o paciente acredita sinceramente. Vi muitos casos assim. Uma mulher disse que tinha tido sexo com meu cliente em Los Angeles, Califórnia, em determinada data. Seu relato era detalhado, apaixonado e convincente. Durante seu depoimento, perguntei-lhe se ela tinha certeza da. Ela respondeu firmemente que não poderia ter sido outra data. Meu cliente estava em Londres naquela semana, na semana anterior e na posterior. Tínhamos a esposa dele como testemunha. Tínhamos o passaporte dele e o recibo do hotel em Londres. Entretanto, se eu só tivesse dado ouvido a ela, teria acreditado, pois ela não estava mentindo, acreditava estar dizendo a verdade.

Outra mulher alegou que seu terapeuta tivera má conduta sexual com ela. Ao tomar seu depoimento, perguntei-lhe o que ele tinha feito. Ela respondeu que estava tendo dificuldade para expressar sua raiva, e assim ele fez com que ela se ajoelhasse. Perguntei o que aconteceu a seguir. Falou: "Bem, ele me disse para empurrar suas mãos com as minhas". Perguntei: "Vocês dois estavam totalmente vestidos?". Ela respondeu: "Sim, estávamos completamente vestidos". "O que aconteceu depois?" Ela disse: "Foi a experiência sexual mais intensa de minha vida". Eu pensei que podia ter perdido alguma coisa. E acrescentei: "Vocês dois estavam totalmente vestidos?". "Sim, estávamos completamente vestidos". "O único lugar em que seus corpos se tocaram foram as mãos?" "Sim." Na visão dela, aquela foi a experiência sexual mais forte de sua vida. Parece-me que essa situação coloca um grande problema. Muitas pessoas são tão sobrecarregadas pela intensidade e intimidade do relacionamento terapêutico que um gesto ou afirmação que seria inconseqüente em outra situação é vivenciado como uma romance ou uma total invasão romântica. Obviamente, seu contexto de vida atual e sua história de relacionamentos estão envolvidos no modo como elas percebem tais fatos.

Não importa o que um terapeuta pense, não há uma probabilidade razoável de que uma ligação sexual com um paciente seja legal ou se transforme num longo relacionamento. O terapeuta pode pensar que existem algumas exceções para essa regra, mas o enorme risco simplesmente não vale a pena. Ele pode levar à perda temporária da licença para exercer a profissão, a acusações criminais e a processos civis, sem mencionar a destruição da reputação, do casamento e do modo de vida do terapeuta.

5

A Resposta do Terapeuta à Acusação: Como Evitar Reclamações e Processos*

Virgínia Wink Hilton

Observo com freqüência que a intenção de um cliente de nos processar ou de fazer uma reclamação não começa com a experiência de uma violação ética, começa depois que o cliente confrontou o terapeuta sobre a violação e julgou a resposta insatisfatória. Portanto, sinto-me tentada a afirmar que os processos e as reclamações estão mais relacionados com o modo como o terapeuta responde às acusações do que com a própria violação.

Tenho notado que quando os terapeutas são confrontados por clientes magoados, suas respostas parecem encaixar-se em certo padrão quase previsível. Ele tem três partes. A primeira resposta a uma acusação em geral é uma *negação*: "Eu não fiz isso". "Não pode ter acontecido deste jeito." Ou: "Não me lembro". O acusado com freqüência parece sinceramente chocado. Por que isso acontece? Afinal de contas, a acusação é feita pela perspectiva da experiência do cliente. O modo como o terapeuta experimentou o fato pode sem dúvida ser bem diferente. O incidente pode ter uma importância muito menor ou outro significado para o terapeuta. E quando isso acontece, indica algum provável grau de falha empática.

---

* Este capítulo foi publicado com o título "When we are accused", no *Journal of Bioenergetic Analysis*, vol. 5, n° 2, 1993.

Em segundo lugar, o terapeuta se torna *defensivo*: "Isso aconteceu há vinte anos!". "Eu não sei de nada." "Todos agiam assim." "Fiz o melhor que pude de acordo com meu conhecimento." Ou: "Isso não fez parte de meu treinamento". Parece quase impossível que o terapeuta não se defenda nem explique suas ações. Terceiro, a resposta inclui a *culpa*: "Ela foi sedutora". "Ele foi muito forte." Ou: "Ela sabia o que estava fazendo".

Negação, defensividade e culpa. Tem sido surpreendente para mim observar com que freqüência essas respostas de sentimentos são evocadas quando um terapeuta é acusado de algum tipo de abuso, conduta inadequada ou incompetência. A maioria dos terapeutas dedica-se de corpo e alma à tarefa de ser profissionais ou figuras paternas bons o suficiente, e qualquer acusação de que ele tenha falhado, ou agido com abuso, é um golpe direto, pessoal e profissionalmente.

À medida que percebi a freqüência desse padrão de resposta — negação, defensividade e culpa — diante de acusações *graves*, comecei a estar atenta para seu aparecimento em confrontações menores. Observei que quando um cliente — ou esposa ou um filho — me diz: "Você fez algo errado" ou "Você não me deu aquilo de que eu precisava", são evocados esses mesmos três sentimentos: "Não aconteceu assim". "Fiz tudo o que podia." Ou: "Você não pediu o que desejava". A primeira resposta tem sempre um grau de negação, inevitavelmente seguida por uma defesa quase irreprímivel de meu comportamento, e afinal vem o impulso de culpar, mesmo que sutil ou indiretamente. Assim estou apontando um padrão de resposta que acredito ser bastante comum a todos os relacionamentos humanos quando acontece uma confrontação.

Que efeito esse padrão quase inevitável tem sobre o cliente ferido? Primeiro, e mais importante, *ele sente que não foi ouvido* quando a resposta é negação, defensividade e culpa. O cliente costuma verbalizar isso da seguinte forma: "O meu terapeuta simplesmente não entendeu". E quando a questão é uma violação ética e o cliente sente que o terapeuta não "entende", não compreende o que está sendo comunicado, então o ferimento é agravado. É freqüentemente *nesse* ponto que o que poderia ter continuado como um processo de cura perde o rumo, e a confrontação aumenta até se transformar numa reclamação ou num processo.

132

O que o cliente deseja do terapeuta? A maioria dos clientes feridos deseja duas coisas: primeiro, *querem saber que o terapeuta sabe e entende o quão profundamente estão feridos.* Em geral, o ferimento é uma repetição de um ferimento anterior, primário, e o fato de voltar a ser ferido não é apenas devastador, mas pode afetar muitos aspectos de sua vida — sua capacidade de confiar, sua autoestima, seu casamento, suas amizades, seu trabalho. Segundo, *querem ter certeza de que a mesma coisa não se repetirá com eles ou com outra pessoa.*

Ouvi clientes magoados afirmarem, após uma confrontação com o terapeuta: "Ele disse todas as palavras certas, mas ainda sinto que está se defendendo. Não estou convencida de que realmente entendeu". Claramente, não basta dizer todas as palavras certas. Por que nós, terapeutas, temos tanta dificuldade para "entender"?

Em razão do ambiente litigioso de nossos dias, estamos todos acuados perante as acusações. Mas é também muito difícil não se sentir defensivo, sobretudo quando a acusação é uma surpresa, ou é feita por um cliente com quem lutamos e trabalhamos e demos nossa energia e nosso *insight*. Não é incomum que a acusação seja feita por uma pessoa cujas questões sejam complexas, que tenha exigido bastante tempo e atenção e com quem realmente nos importamos. Podemos sentir que fizemos o melhor que sabíamos. Sob tais circunstâncias, é extremamente doloroso e difícil ouvir essa pessoa nos dizendo que fomos um pai ruim. É fácil entender como qualquer um de nós pode cair em negação, defensividade e até mesmo culpar o outro.

Há ainda uma explicação muito mais profunda. Quando encaramos uma queixa de abuso, existe uma grande probabilidade de a confrontação colocar o terapeuta em contato com o próprio núcleo de seu ferimento. Por "núcleo do ferimento" estou me referindo àqueles traumas profundos e precoces em torno dos quais tivemos de construir defesas elaboradas e efetivas para garantir a segurança emocional ou a sobrevivência psicológica. Grande parte de nosso comportamento é uma tentativa inconsciente de curar esses ferimentos. E é bem provável que o terapeuta estivesse tentando fazer exatamente isso ao se comportar do modo que foi vivenciado como abusivo pelo cliente. Peter Rutter (1989) sugere que o terapeuta que faz sexo com uma cliente está inconscientemente tentando curar sua própria ferida sexual. Outro exemplo: o terapeuta que ultrapassa os limites e toca um cliente de modo excessivo ou inadequado pode estar atuando sua própria necessidade profunda e inconsciente de aconchego e nutrição. Quando o ferimento pessoal de um terapeuta é tocado por uma acusação, a defesa pessoal característica será ativada. Por exemplo, quando o cliente diz ao terapeuta: "A forma como você me tocou não me pareceu apropriada", o terapeuta instintivamente responderá do modo como ele sempre se defendeu contra suas necessidades de nutrição: "Não preciso de você; nunca me permitirei precisar de ninguém". Então, o queixo se endurece, e a pessoa fica fria e distante.

Num contexto de grupo, uma mulher acusa um antigo professor de tê-la ferido ao convidá-la para um relacionamento íntimo. Ele responde com os "fatos": "Eu não era seu professor na época. Foi apenas um breve encontro. Você tinha plena consciência da natureza da situação". A mulher é persistente em sua acusação, o homem é frio, não responsivo, e expressa uma raiva calada. Ele se sente vitimado. Os dois continuam trancados em suas posições, sem que nenhuma resolução pareça possível. Após um longo trabalho, o homem consegue afinal reconhecer que a defesa de caráter que foi eliciada é: "Nunca a deixarei vencer". Reconhecer os sentimentos dela, e assim reconhecer um erro de sua parte, é deixar que ela "vença", o que faria com que ele se sentisse totalmente vulnerável, fraco e castrado. Isso evocou um ferimento profundo, e o único modo como ele pôde responder é defendendo-se desse ferimento. Não há como ele possa dar atenção à dor dela.

O terapeuta nessa situação tem de correr o risco de abandonar a defesa de seu núcleo mais profundo. Então, ele pode sentir sua própria vulnerabilidade e a dor por trás dela. Só então está numa posição de realmente "entender".

Sinto que essa atitude é essencial para todos nós em qualquer situação na qual sejamos confrontados ou acusados. Por mais difícil que seja, precisamos permitir que a reação defensiva nos leve de volta a nosso próprio ferimento, e então vivenciar e aceitar a dor e a vulnerabilidade causadas por ele. Não conheço nenhum outro modo em que possamos estar abertos o suficiente para ouvir verdadeiramente e entender quando uma pessoa nos diz que a ferimos. Como fazemos isso?

Sugiro que sempre que formos confrontados por uma cliente, a primeira coisa a fazer é procurar um terapeuta, supervisor ou o apoio de um colega que possa facilitar um processo curativo em nós. O passo mais crucial no processo é expressar plenamente a própria negatividade com relação ao cliente: "Como ela ousa dizer que sou insensível depois de tudo que fiz por ela?". "Atendi a inúmeros telefonemas daquele ingrato e nunca cobrei por isto, e agora ele está bravo comigo porque não lhe dou atenção suficiente!". "Eu realmente me importava com ela, fiz tudo o que sabia para ajudá-la. E agora ela está com raiva e me ameaçando. Eu poderia matá-la!" Temos de expressar plenamente a raiva, o ressentimento e o ultraje que sentimos. Não quero dizer apenas falar sobre isso de modo agradável, controlado e racional. Isso não vai ajudar. Quero dizer que — precisamos *liberar toda a força* dos sentimentos não racionais. Do contrário, nossa negatividade será atuada de algum modo indireto. Ou a suprimiremos, e isso nos deixará contraídos e impedirá de responder empaticamente.

Quando a expressão da negatividade está completa, a dor subjacente a ela pode emergir. E o próximo passo do processo é experimentar a dor. Se pudermos nos permitir reconhecer a dor, então poderemos ir direto a nosso próprio ferimento pessoal. Só então poderemos sentir nossa própria vulnerabilidade.

Vou dar um exemplo: durante uma sessão, a raiva de um cliente para com a terapeuta vem à tona. Na verdade, ele está dizendo que ela falhou. Que é uma mãe inadequada. Que não o entendeu nem respondeu às necessidades dele. Ele se lança num discurso que toca todos os pontos fracos dela, o qual ela sente como um prazer sádico. Ele cita vários exemplos em que as respostas que ela lhe deu comprovaram que ela de fato não o entende, que era óbvio que ela fora mal treinada e era uma pessoa cheia de defeitos. Ela ficou estupefata. Internamente ela passou por todos os estágios: "Não poderia nunca ter respondido do modo que ele diz que respondi. Isso não se parece nem um pouco comigo! Ele está distorcendo tudo. Tem claramente que ver com a raiva que ele sente da mãe... Meu Deus, fico imaginando se ele vai encontrar algum modo de me processar!". Externamente ela está calma e diz as coisas certas. Mas nota-se uma leve aspereza, uma dureza objetiva em sua voz. Ela pode sentir seu próprio retraimento. A defesa que foi ativada é: "Se você não me ama, quem precisa de você!".

Mais tarde, quando a poeira abaixa, a terapeuta percebe como estava com raiva. Ela procura um supervisor que a ajuda a liberar a raiva. Depois de ter expresso a raiva por ser atacada e desvalorizada, cai em prantos. Agora sente a dor. Conforme expressa a mágoa, ela reconhece a fonte: "Eu nunca conseguia agir certo segundo meu pai. Não importava quanto tentasse, o meu melhor nunca era suficiente. Eu nunca podia ter certeza da aprovação dele e de seu amor".

Tendo tocado seu próprio ferimento profundo, que era a fonte de sua reação emocional, ela agora não precisa defender-se mais. Ela pode sentir sua vulnerabilidade. E a vulnerabilidade — ou não-defensividade — permite que ela se abra. Agora a terapeuta está preparada para se relacionar com seu cliente de modo muito diferente.

Sempre que somos confrontados ou acusados por um cliente precisamos encontrar alguém que nos apóie durante o processo de: expressar toda a negatividade, sentir a dor, localizar nosso próprio ferimento, reconhecer a vulnerabilidade. Isso pode nos levar a uma abertura não só para com o cliente, mas também a um trabalho interior mais amplo e profundo conosco. Pois acredito que podemos encarar qualquer acusação ou confrontação como um chamado de despertar que nos alerta para o fato de que existe alguma questão não resolvida em nós, que está afetando nosso trabalho e que precisa ser explorada e entendida. O efeito dessa questão não resolvida sobre o cliente pode ser criar disjunções empáticas ocasionais, ou pode ser que sejamos incapazes de levar os clientes aos lugares onde eles precisam ir. E talvez um dano sério seja causado.

Então, como o terapeuta passa a lidar com a acusação do cliente, uma vez que tenhamos feito a mudança crucial da defensividade para a abertura? Eu disse que o cliente quer duas coisas, e a primeira é ser ouvido. Assim, a primeira coisa, e a mais importante, é reconhecer a *validade* dos sentimentos do cliente.

Recentemente, uma mulher chegou a meu consultório bastante perturbada com uma "explosão" que havia acontecido entre ela e seu marido no fim de semana anterior. O marido tinha ficado furioso com algo que ela fizera. Também terapeuta, ela respondeu às acusações dele dizendo: "Eu entendo por que você está tão bravo, querido, mas...", e depois continuou explicando seu comportamento muito cuidadosa e racionalmente. Era como se ela estivesse explicando-se para a parede, e as discussões aumentaram durante o fim de semana. Por fim, ela simplesmente parou antes do "mas". "Eu entendo por que você está tão bravo." Ponto. O marido então respondeu com grande alívio: "Afinal eu sinto que você me ouviu".

O que aconteceu com minha cliente aqui, e acontece com freqüência conosco nesse tipo de situação, é que ficamos presos na sensação de que temos de nos defender de imediato, sobretudo quando sentimos que fomos acusados injustamente, ou somos objeto de uma projeção ou de uma transferência negativa "maciça". Temos de provar que estamos certos, ou pelo menos que não fizemos nada de errado. É difícil sentir que primeiro não temos de estar certos para depois ouvir os sentimentos da outra pessoa. Na verdade, o importante aqui — e o mais difícil de lembrar sob esse estresse — é que basicamente isso *não tem que ver com quem está certo ou errado*. Tem a ver com sentimentos, e sentimentos não são certos ou errados. A pessoa ferida precisa ter seus sentimentos — digamos, de ter sido traída — validados e tem de saber que o terapeuta é afetado pela experiência de seus sentimentos. Faz pouca diferença se não houve intenção de trair, ou mesmo se a traição não foi um fato objetivo. Sabemos muito bem que na terapia quando um cliente fala sobre o pai sem amor, ou cheio de ódio, ou abusador, a realidade objetiva do comportamento do pai está fora de questão. O *sentimento* do cliente é real, e é essa realidade que validamos e com a qual trabalhamos.

Quando a cliente nos confronta, temos de aceitar a realidade de seus sentimentos. Ela nunca *sentirá* que seus sentimentos foram validados enquanto o terapeuta estiver explicando, justificando ou contradizendo na tentativa de provar que não é culpado.

No exemplo citado, minha cliente viu que reconhecer empaticamente e aceitar a realidade dos sentimentos de seu marido não era uma admissão de culpa. E o reconhecimento e a aceitação dos sentimentos dele puseram fim a uma espiral destrutiva e permitiram que o processo continuasse na direção da resolução do problema deles.

A segunda coisa que parece necessário fazer quando confrontado ou acusado é *permitir e incentivar a plena expressão da dor e da negatividade do cliente*. Provavelmente, não conseguiremos permitir isto se estivermos presos num modo defensivo. Nenhum de nós teria dificuldade em perceber os perigos que passar por cima, lidar com superficialidade, ou inadvertidamente suprimir a raiva e a mágoa em toda sua intensidade e energia traria para um relacionamento conjugal. No relacionamento terapêutico, quando somos o alvo, precisamos ter a coragem de ir até os cantos escuros e convidar toda a negatividade a sair, por mais desconfortável que isso seja para nós e para a outra pessoa.

Terceiro, o terapeuta precisa *assumir a responsabilidade pelos seus atos*. É essencial para o processo curativo de qualquer pessoa ferida que o outro reconheça o que fez.

Alguns anos atrás, uma conhecida minha processou seu antigo terapeuta por má conduta. Segundo ela, o terapeuta era culpado de comportamento antiético, que incluía má conduta sexual. Em decorrência disso, ela vivenciou depressão, disfunção, idéias suicidas, profunda perturbação em sua vida conjugal e no funcionamento de sua família, além de outros sintomas. Quando ela confrontou o terapeuta pela primeira vez, contando-lhe o quanto estava sofrendo, ele não negou seu comportamento. Ele disse as palavras certas, mas, como ela disse: "Ele não entendeu". Ela não acreditava que ele realmente pudesse sentir o que tinha acontecido com ela. Também não conseguia perceber que ele realmente tinha qualquer compreensão do que, dentro dele, o tinha levado a cruzar os limites, ou que ele estivesse fazendo algo com relação a isso de modo a nunca repetir esse comportamento com outra pessoa. Ela então decidiu levá-lo aos tribunais. Sem dúvida, o terapeuta sentiu-se traído e temeu por sua vida profissional. Durante o longo processo, ele negou tudo e fez com que ela parecesse ser uma pessoa instável e histérica. Quando tudo terminou, e chegou-se a um acordo que a favorecia, a mulher sentiu que não tinha conseguido o que ela de fato desejava o tempo todo: que seu antigo terapeuta assumisse verdadeiramente o que tinha feito e conseguisse dizer: "Sinto muito".

O primeiro filme *Esqueceram de mim* era uma história divertida sobre um menino de oito anos identificado como o "tonto" da família. Li recentemente um artigo em que o roteirista era citado, dizendo que o filme tinha tido tanto sucesso porque tocava num ponto sensível: era sobre abandono. Os pais e irmãos do menino viajavam de férias para Paris no Natal e acidentalmente o deixavam para trás. Seu abandono se transformava na definitiva fantasia de aventura de latência de um menino que nunca conseguia fazer as coisas direito. Ele enganou, com grande ingenuidade e gênio criativo, os dois assaltantes que vinham para levar tudo o que a família possuía. Os ladrões tinham cortado as linhas telefônicas, e assim os pais, em pânico e cheios de culpa, não conseguiam comunicar-se com ele quando chegaram a Paris, e a mãe voltou no avião seguinte.

A mãe passa horas miseráveis, ansiosas e cheias de culpa durante sua viagem de volta, sem saber se o filho estava bem, lutando a cada minuto para justificar como essa coisa impensável pôde acontecer. O que ela poderia lhe dizer? O roteirista acertou ao fazer a cena do encontro entre a mãe culpada e o filho abandonado.

Quando finalmente chega em casa, a mãe corre, procurando seu filho. Quando o encontra, olha para ele com sentimentos de alívio, amor e culpa. Mal consegue dizer: "Feliz Natal, querido". O menino fica distante e silencioso, olha para ela com reprovação e mágoa. As palavras não ditas no silêncio são: "Mãe, como você pôde fazer isso comigo?". A mãe diz simples e suavemente: "Oh, Kevin... eu sinto tanto!". É tudo o que ele precisava. Ele abre um sorriso e corre para os braços da mãe. E todos na platéia sentem um enorme alívio!

Algumas vezes — muitas vezes — um sincero "Sinto muito" é tudo o que é necessário. Entretanto, existem inúmeras vezes e situações em que "Sinto muito" é o início correto, mas não é suficiente. Perguntar à pessoa ferida: "O que posso fazer para ajudar na cura dessa mágoa?" faz parte de assumir a responsabilidade. Podemos precisar de muita coragem para fazer essa pergunta. Certamente não podemos fazê-la, a menos que tenhamos passado pelos passos anteriores, como discutimos. O modo como a pergunta é respondida depende, é claro, da natureza e da gravidade da mágoa, e além de várias outras coisas. Mas, ao agir assim, o terapeuta está comunicando o desejo de fazer o melhor para o cliente até chegar a uma resolução.

Por fim, acho importante observar que quando podemos dar esses passos ao sermos confrontados por um cliente ferido — quando podemos reconhecer os sentimentos da pessoa, incentivar a plena expressão de sua negatividade, e quando assumimos a responsabilidade pelo que fizemos — então não só facilitamos a cura do ferimento do cliente, mas alguma parte de nosso próprio ferimento pode ser curada no processo. Pois o ferimento do cliente é também nosso. Podemos ter ferido o cliente assim como nossos pais nos feriram. Finalmente, estamos numa posição de responder ao cliente e a nós mesmos do exato modo como nossos pais não conseguiram nos responder.

6

Sobrevivendo à Psicose de Transferência*

Lawrence E. Hedges

Uma mulher de 31 anos, que por vários anos sempre tivera muito o que me contar — inúmeras histórias e vinhetas interessantes — chegou um dia cheia de fatos que estava ansiosa para relatar. Na sala de espera, de repente ela começou a sentir um intenso desejo de estar muito presente emocionalmente naquela hora. De algum modo, entendeu naquele momento que as histórias que tinha desejado contar seriam seu modo de não se permitir estar psiquicamente presente na sala. Sentiu o forte desapontamento de abandonar os relatos empolgantes que desejava narrar. Bem devagar, começou a afundar num lugar muito quieto e assustador. Ela tinha trabalhado algum tempo para tentar permitir-se estar mais presente emocionalmente — estar plenamente viva na sala. Queria sentir-se e sentir minha presença, mas havia tantas coisas para falar que em geral tinha dificuldade de estar emocionalmente presente. Em algumas poucas ocasiões, ela tinha tido um vislumbre disso.

Nesse dia em particular, disse que estava começando a sentir o caos, assim que se acomodou no divã. Junto com o caos interior vieram lágrimas de terror. Fiquei com seus medos e consegui apoiar sua experiência do caos de desejar permanecer emocionalmente pre-

---

* Partes deste capítulo foram publicadas anteriormente em *Remembering, repeating, and working through childhood trauma* (Hedges, 1994b). Desejo agradecer a Robert Hilton por seu trabalho dedicado como meu supervisor.

sente, mas sem saber como. Ela conseguiu diferenciar claramente esse medo de outros tipos que sentira antes. Chorou muito quando indiquei que ela tinha trabalhado por muito tempo para poder permitir-se experimentar esse lugar assustador e caótico. Disse aliviada: "Você quer dizer que está tudo bem em ficar neste lugar assustador?". Ela tinha interpretado meus comentários como uma reafirmação de que não importava o quanto ela estivesse assustada e confusa no momento, esse era um lugar em que se poderia estar. Apontei que não era só uma questão de estar bem; o caos e o medo que ela estava sentindo eram bem reais no momento. Ela concordou. Havia uma sensação de realidade presente muito diferente do que ela teria experimentado se tivesse ido adiante e contado as histórias que pretendia.

Por cerca de dez minutos, ela permaneceu num estado de medo sem palavras, fazendo comentários quietos ocasionais sobre as sensações físicas e sobre a consciência da dificuldade de respirar. De vez em quando, eu checava para ver como ela estava indo, e ela relatava que ainda estava presente, porém assustada. Ela contrastava esse medo mais quieto, lacrimoso e caótico com diversas experiências "regressivas" anteriores, nas quais tinha se sentido selvagemente fora de controle, aterrorizada, afundando e caindo — de forma muito mais urgente e agitada. Ela podia ver agora que essas eram formas de se defender contra esse lugar de terror quieto ao se permitir estar emocionalmente presente com outra pessoa. Em certo ponto, quando cheguei como estava, ela respondeu: "Sinto como se estivesse escorregando". Então, estendi minha mão e disse: "Você pode ficar? Consegue ficar aqui agora?". Ela moveu sua mão em direção à minha e por um breve momento sentimos que tínhamos retomado nossa conexão emocional um com o outro. Ela comentou que esta tinha sido a primeira vez em sua vida que alguém a tinha convidado a ficar junto ou pedido que ela permanecesse presente.

Ela então começou a apertar um pouco mais minha mão. Virou-se de lado, olhando para mim, e agarrou minha mão com a sua outra mão. Eu tinha a sensação distinta de que algo tinha mudado na experiência de simplesmente estarmos juntos desde o primeiro momento em que nossas mãos se encontraram. Aos poucos ficou claro que a presença dela estava deixando a sala. Quando lhe perguntei, ela respondeu: "Estou escorregando, não consigo parar isto. Algo está acontecendo para me afastar de você". Ela começou a falar sobre as histórias, a irrealidade, e de que forma o modo como tínhamos passado nosso tempo hoje fora mais real. Mas quando sua presença emocional começou a escorregar ela não conseguiu mais manter-se presente na sala. O contato emocional, que era real, caótico e assustador, aos poucos se fundiu numa sensação de estar juntos e calmos. Essa sensação, por sua vez, provocou uma retirada. O início da retirada foi marcado por ela agarrar minha mão, *como se* estivesse tentando se sentir segura. Mas o próprio contato e o agarrar dispararam uma sensação incontrolável de escorregar.

Nesse ponto, tive uma oportunidade de apontar a semelhança entre o modo como ela agora estava segurando minha mão com as duas mãos, e como às vezes ela me agarrava fisicamente num abraço no final das sessões. Disse: "Este agarrar, esta sensação de apego é muito diferente do caos real, e então, após o momento do contato que tivemos antes, você começou a escorregar, quando tinha conseguido estar conectada mais intensamente por alguns momentos quando lhe pedi".

Comparei este contato físico de apego e de agarrar, que é confortador, com as histórias que ela me contava animadamente e lhe eram confortadoras. Mas tanto as histórias quanto o contato de agarrar têm certa sensação de irrealidade, pois não incluem as emoções reais e assustadoras de estar com outra pessoa no presente, nem a segurança e a calma. Em vez disso, parecem mascarar ou ocultar o verdadeiro terror e a dificuldade de estar juntos, e o conforto que também pode ser real. O comentário dela foi: "Então esses sentimentos confortadores não são muito reais". Concordei que eram um meio de não permitir que os sentimentos mais reais de medo e de conforto fossem experimentados. Ela disse imediatamente: "Agora me sinto envergonhada pelo modo como tenho usado o contato físico porque parece muito falso". Perguntei: "A mãe de quem é que está falando agora?". Ela respondeu que era a mãe que a assustava, que rompia o contato com ela, que a acusava de ser de algum modo má. Comentei que ela tinha sido envergonhada abusivamente por muitas coisas, por ser "dramática", "falsa" e "manipuladora". Mas este não era o caso. Os medos que sentira por estar viva, vulnerável e presente hoje não tinham sido acolhidos pela mãe dela. Sua presença real, com suas necessidades genuínas de amor e de conexão, tinha sido rebatida por sua mãe, quando ainda era um bebê, fazendo com que ela se retraísse e/ou se afirmasse de modo mais agitado (agarrando ou contando histórias, por exemplo) num esforço de ser acolhida e de sentir-se amada, confortada e segura.

No fim da sessão, ela foi tentada a buscar o costumeiro abraço de despedida. Entretanto, sentia-se estranha com relação a isso, percebendo que aquele gesto nunca mais seria o mesmo. O reconforto que ele lhe proporcionava era, em certo sentido, falso, em comparação com os momentos de presença e de contato assustadoramente reais — e assim reconfortantes num sentido bem diferente.

Vários meses depois, à medida que começou a acontecer tentativa de entender a transferência organizadora, houve muito pânico e confusão. Para que a transferência organizadora se tornasse mais visível, mantivemos contato sete dias por semana, durante três semanas. O contato incluiu quatro dias de sessões regulares e três de contatos telefônicos breves agendados ou sessão extra no consultório. Após trabalhar algumas das dificuldades encontradas para manter o contato, houve uma semana de contato bastante bom. Por "contato" quero dizer não apenas o apego amoroso que ela conseguira sentir algum tempo, mas um envolvimento emocionalmente interativo. Ela tinha gostado de aquela semana ter corrido bem e de se sentir emocionalmente em contato comigo em relação a muitas questões importantes. Os dois dias de contato telefônico chegaram, sexta e sábado, e então foi marcada uma sessão especial para o domingo. O contato mantido na semana tinha passado por algum abalo nos dois dias em que houve apenas com contato telefônico. Durante a sessão de domingo houve inicialmente algum contato emocional limitado, mas bom. Depois de algum tempo, ela começou a ficar consciente de estar se afastando, de tentar fechar-se e de se afastar novamente.

Nesse período delicado eu estava observando muito de perto o momento exato em que ela poderia começar a se retrair totalmente. Quando comecei a sentir que sua presença estava indo embora, estendi minha mão e perguntei: "Poderíamos permanecer juntos deste modo?". No início, ela relutou porque parecia que estava precisando retrair-se. Mas depois de um pouco de incentivo estabeleceu o contato com a mão. Houve um breve senso real de estar juntos e de compartilhar uma experiência. Comentei como era difícil que duas pessoas ficassem juntas e sustentassem uma experiência emocional uma com a outra. Ela relatou em poucas palavras que estava lenta e silenciosamente recuando, que estava "retraindo-se interiormente". Não parecia haver nada que ela pudesse fazer a esse respeito. Estava se afastando. Estava assustada e em pânico, mas estava claramente se retraindo.

Logo ficou sem sentido estarmos de mãos dadas, e ela saiu desanimada da sessão, sentindo que a interrupção do fim de semana tinha tornado impossível que ela sustentasse o senso de conexão, que ela estava fisicamente se retraindo e fechando. Afirmou: "Às vezes, posso me sentir muito mais perto de você quando não estou aqui. É difícil compartilhar a proximidade juntos".

Tive a impressão de que o fato de eu estar presente apenas por telefonemas no fim de semana a tinha lembrado das inúmeras vezes em que seus pais, sobretudo mãe, quando ela ainda era bebê, tinham se esquivado do contato, estabelecendo uma intensa necessidade de clamar por aquilo de que ela necessitava. Mas o ato de clamar não era aprovado pelos pais, e ela era considerada mimada, abertamente carente, falsa ou manipuladora. O ciclo que havia começado devagar a ser representado na análise tinha se iniciado quando as necessidades do bebê não encontraram resposta. Isto, por sua vez, levou a um aumento na intensidade do pedido, que os pais consideravam desagradável ou intrusivo. Por fim, parece que ela tinha se retraído num isolamento autístico. Abertamente, seus pais podiam estar presentes para ela e lhe deram cuidados físicos básicos, de muitas formas. Mas parecia que eles nunca podiam gostar de estar com ela e respondiam asperamente a suas expressões agitadas do caos e do medo que seu modo imperfeito de ser como pais havia desencadeado nela. Era como se as privações emocionais deles tivessem desencadeado um intenso medo de colapso, de vazio e de morte. A promessa de disponibilidade que eles tinham feito, associada à sua falta de disponibilidade emocional, era uma traição diante das necessidades emocionais da criança.

No dia seguinte, ela chegou praticamente dobrada por causa de fortes dores no pescoço e nas costas. Já tinha ido a dois médicos naquele dia e recebera diversos diagnósticos possíveis e potencialmente terríveis, desde uma possível meningite a uma grave virose, até uma condição quiroprática crônica. Nos três dias seguintes, ela esteve sob cuidados médicos e ficou em casa tomando muitos remédios contra a dor e outros medicamentos. As sessões foram realizadas por telefone, e a discussão focou-se principalmente sobre a dor intensa e o retraimento. As possibilidades médicas precisavam ser descartadas, mas compartilhavamos a convicção de que as fortes dores e as constrições somáticas refletiam de algum modo o movimento do trabalho analítico. Ela estava inclinada a ver a causa na interrupção (abandono) do fim de semana. Levantei a possibilidade de que a semana de bom contato seguida pelo breve reviver da conexão no domingo fosse a causa. Isto é, *o próprio contato é o elemento temido porque traz uma promessa de amor, segurança e conforto que, em última instância, não pode ser realizada e relembra os abruptos rompimentos da primeira infância.*

O contato telefônico do fim de semana seguinte foi mantido. Surgiram algumas dificuldades domésticas entre ela e o namorado com quem vivia há bastante tempo. Ela compareceu às sessões na segunda, terça e quarta, e estava muito feliz por estar de volta. Ela falou bastante sobre o que estava acontecendo. Havia alguma fraqueza residual deixada pela doença da semana anterior, mas o foco principal estava em: "Como vou conseguir continuar relacionando-me com Marc!". Por volta da quarta-feira, ela tinha começado a procurar apartamento e estava prestes a se mudar. Este tinha sido um padrão em todo o tempo do relacionamento. Em diversos momentos, quando surgiram dificuldades no relacionamento deles, ela parecia ter necessidade de ir embora. A fantasia era ir para algum outro lugar onde pudesse simplesmente ficar sozinha, encolher-se em si mesma e sentir-se fechada, confortável e segura.

No final da sessão da quarta-feira, havia certo senso de fechamento, apesar de ela ter tido algumas preocupações obsessivas sobre seu relacionamento com Marc e se devia ou não se mudar. Ela disse: "Acho que não me encaixo para viver com ninguém porque não posso ficar junto de ninguém. É como se eu simplesmente não pudesse relacionar-me. Não posso ficar conectada, e quando o faço tudo vai mal. Finalmente tenho de me retrair num lugar seguro onde possa sentir-me inteira e viver por mim mesma".

Naquela noite ela teve um pesadelo terrível. Levantou no meio da noite e escreveu o seguinte relato do sonho:

"Este sonho foi completamente claro e real. Estava acontecendo aqui e agora, no mesmo apartamento em que moro. Eu não conseguia discriminar entre o que estava acontecendo no sonho e em minha vida. Marc e eu estamos brigando, ou eu estou brigando com ele, do mesmo jeito como estamos brigando no momento. Estou na cozinha tentando falar com ele. Estou tentando explicar e vou ficando cada vez mais histérica. Olho para ele. Seu cabelo dele está curto, e assim ele parece bem diferente. Ele se afasta calmamente de mim e vai para a sala. Estou histérica. Ele está calmo. Digo: Você precisa que eu vá com você no piquenique de sua empresa?. Sei que sim. Ele me olha calmamente e diz: Não. Ele decidiu que não devo ir com ele, que ele não precisa que eu vá. Está totalmente calmo. O pescoço dele no sonho é muito diferente do pescoço dele na vida real. Sei que seu pescoço não é assim quando ele está com o cabelo curto. Começo a andar atrás dele, sabendo todo o tempo que estou sendo histérica. Ele ainda está totalmente calmo. Ele começa a subir as escadas. Eu o sigo, agarrando-me à sua perna. Ele continua subindo, ignorando-me. Completamente calmo. Vai até o estúdio. Então me retiro para o meu quarto, consciente da presença de outras pessoas na casa. Todos na casa estão calmos, exceto eu. Estou chorando e histérica.

"Durante toda essa última parte do sonho há uma superposição com os *Golden books* das crianças. Não sei onde ou como estão. É mais do que uma imagem. Quando acordo histérica, sinto que os *Golden books* simbolizam a luta de toda uma vida. Acordo chorando e gritando silenciosamente, agitando meus braços e pernas, e chutando. Depois do pesadelo, tenho consciência da indignidade de toda a cena. Por alguma razão, seja ou não minha culpa, sou eu que estou furiosa e histérica, enquanto Marc está totalmente calmo. Isso parece simbolizar a luta da minha vida inteira, e o amor tem algo que ver com isso. É por amá-lo que estou presa nisso. Eu o amo e quero desesperadamente estabelecer uma conexão com ele, mas, não importa o que eu faça, sempre fracasso. As vozes em minha cabeça, no sonho e agora, estão dizendo: 'Sim, mas isso acontece porque você é muito infantil e histérica e não sabe como se conectar, e por isso criou esta situação'. Mas o conhecimento mais forte, no sonho e depois dele, é que este relacionamento funciona de modo a perpetuar a indignidade, a histeria e a frustração de minha infância. Faço tentativas constantes e fúteis de me conectar, enquanto ele continua interessado mas sem paixão, com o restante da família ouvindo minha histeria, em segundo plano.

"Também fico imaginando se o cabelo curto e o fato de ele parecer tão diferente no sonho e na realidade será simbólico por seu eu verdadeiro e seus pensamentos serem diferentes do que eu gostaria de acreditar. Isso tirou a máscara, ele não é quem penso que é. Parece que ele investiu muito e se ressente por não ter retorno. Não tenho nem proporciono um relacionamento emocional num nível maduro. O relacionamento continua num estado emocionalmente infantil, e eu continuo furiosa e histérica. A indignidade de tudo parece bem poderosa no sonho. Isso parece um réplica da minha infância, quando todas as necessidades eram mais ou menos cuidadas. Havia apenas uma quantidade moderada de maus-tratos e até algo meio parecido com amor. Mas existia um vazio generalizado e uma negligência abusiva. Sou morta por meu amor, porque o amo como amava minha família. A imagem do homem com seu cabelo curto tão diferente da imagem que tenho dele me assombra."

Durante o resto da sessão, a interação foi marcada alternadamente por períodos de compreensão entre nós e por momentos nos quais ela dizia, confusa: "Você sabe, não entendo tudo isso. Você sabe que não estou compreendendo". Em algum nível, as coisas estavam sendo processadas. Mas, no nível da compreensão profunda da discussão do sonho, ela não sentia que tivesse de fato entendido.

Após realizar diversas associações com o sonho, a preocupação do dia anterior voltou à tona: ela deveria ou não encontrar um apartamento para onde pudesse retirar-se e se sentir segura e confortável? Perguntei-lhe se poderia usar o sonho para entender o relacionamento terapêutico. Isto é, se o sonho estivesse representando uma situação de transferência, como seria? Ela pensou um pouco, mas não conseguiu conectar o sonho com o relacionamento analítico, embora pudesse entender à medida que fui explicando. Sugeri que eu era representado no sonho como seu namorado. Ela imediatamente disse: "Sim. Parece que eram seu pescoço e cabelo curto que eu estava vendo no sonho, não o dele". Interpretei o sonho como uma representação da situação da infância que estava sendo transferida não só no relacionamento com seu namorado, mas também na análise. Pensei que este sonho apresentava uma versão de como ela vivia a desconexão. Relembrei a semana de conexão, a interrupção da conexão pelos telefonemas da sexta e do sábado e a dificuldade de retomar a conexão no domingo. Lembrei-a de que mesmo que a conexão do domingo tivesse sido dolorosa e contraída, eu tinha me movido e pedido que ela continuasse presente e conectada. Lembrei-lhe que na verdade conseguira sustentar a conexão. Mas em menos de dez minutos ela tinha se sentido inexoravelmente arrastada para longe. Tinha sentido que todo o seu corpo se contraía e ela se retraía, e assim, embora nossas mãos mantivessem o contato, sua alma tinha se afastado da interação. Interpretei que a imagem do sonho representava o que estava acontecendo naqueles momentos de afastamento, que "do ponto de vista objetivo você e eu poderíamos concordar que tínhamos estado conectados e então você lentamente rompeu a conexão. Mas a imagem do sonho nos diz qual era o seu processo interno subjetivo. Isto é, a sua experiência foi de que eu não precisava nem gostava de você, e então me afastava de modo muito semelhante ao de seus pais. E no sonho, semelhante ao de seu namorado. Eu a deixei calmamente e fui para o estúdio no fim de semana, sem dar importância a suas necessidades". O pesadelo traz uma imagem de como o retraimento acontece após o contato ter sido alcançado.

Neste ponto, ela observou que seu namorado reclamava freqüentemente que, mesmo quando eles tinham momentos de proximidade e de intimidade, em seguida ela começava algum tipo de briga. Comentei que as lutas eram um meio de esconder ou de se defender contra essa situação de contato mais assustadora, dolorosa e perigosa, lembrada da primeira infância. "A superposição dos *Golden books* no sonho sugere que esta é a história de sua infância. Os *Golden books* falam sobre o modo como se supõe que a vida seja. Os seus *Golden books* lhe contam como a vida foi e de algum modo ainda se 'supõe' que seja. Existem muitas pessoas em seu ambiente, sua mãe, seu pai e sua família, que podiam lhe dar muitas coisas, e eles lhe deram cuidados básicos. Mas quando se tratava de interações emocionais, eles viravam as costas e a deixavam agarrando o ar, numa histeria selvagem e finalmente se retraindo para o seu quarto em busca de segurança. Sempre fizeram com que você acreditasse que os problemas do relacionamento eram culpa sua."

Ela ficou horrorizada ao pensar que seu retraimento fosse a reação *à conexão* em vez de ser sua reação ao afastamento do outro. Isto é, ela tinha conscientemente percebido que se tornava histérica porque a outra pessoa não estava se conectando. Mas o sonho, visto como uma representação da transferência, sugere que isso acontece quando na verdade ela se conecta. Houve uma semana de boa conexão, seguida por uma leve interrupção, uma forte reconexão e um afastamento. Vinte e quatro horas depois ela estava sentindo uma dor física excruciante e continuou assim por vários dias, sentindo-se fisicamente traumatizada por ter feito a conexão que agora era vivida como traumatizante.

Ela respondeu: "Então você realmente não acha que devo mudar de apartamento". Nesse momento, tive bastante clareza sobre o significado da fantasia de mudança. Apontei como no passado, e também no presente, a fantasia de mudança funcionara como um retraimento autístico para chegar a um meio de sobreviver e obter uma sensação de conforto quando ela não podia conectar-se de modo seguro com uma pessoa de quem precisasse.

Eu estava considerando as formulações de Tustin (1981, 1986) na tentativa de entendê-la. Tustin pensa que o bebê e a mãe mantêm um relacionamento sensual durante a gravidez. Nos primeiros meses extra-uterinos, o relacionamento físico sensual idealmente continua confortável até que comecem a se formar as pontes psicológicas entre a mente da mãe e a do bebê. Se a mãe não consegue manter o relacionamento sensual com o bebê, ou o rompe de modo abrupto, o bebê começa a manifestar comportamentos auto-sensuais de afastamento. Essas idéias foram apresentadas informalmente. Ela interrompeu: "Você está se referindo ao afastamento e ao retraimento que manifesto às vezes?". "Sim, quando a conexão sensual com a sua mãe foi necessária, mas ela não a proporcionou, você se retraiu na segurança e no conforto da auto-estimulação." Na verdade, ela tinha se retraído fisicamente na infância indo para o seu quarto, e na idade adulta a mudança para outro apartamento expressara uma fuga de diversos relacionamentos, buscando sentir-se aliviada pela solidão, pelo menos por um breve tempo.

Esta vinheta durou talvez seis semanas de contato intensivo. Foram necessários cerca de 12 dias para obter a imagem do sonho do retraimento. O tempo intermediário foi passado em intensa agonia

150

física, agitação e contato diário. Nesse período não houve nenhuma conexão interpessoal emocional comigo. Os contatos eram do tipo "apego" agitado. Ela está certa quando fala de seu amor pelos outros, mas estava também começando a tomar consciência de que há um "tipo de amor apegado" e um "tipo de amor conectado" no qual existe um envolvimento emocional. Está pronta para vivenciar seu desesperado apego ao amor, mas está limitada na possibilidade de experimentar ou de sustentar o tipo de amor de envolvimento emocional mútuo. Quando sente que os outros não precisam nem gostam dela, abandonando-a com suas próprias preocupações, se torna desesperada e se agarra. O sonho retrata a experiência dela de que o outro se afasta friamente, sem se preocupar com o desespero dela, e também o retraimento autístico que se segue. Todo o ciclo é internalizado e repetido inúmeras vezes.

O foco da discussão que se seguiu ao sonho foi a possibilidade de seu namorado algum dia conseguir interagir com ela. Isso não podia ser previsto naquele momento. Afirmei: "Você o escolheu porque era retraído o suficiente emocionalmente, de modo que você podia manter um apego com ele por um longo período sem que essa ameaçadora transferência de sua infância aparecesse para destruir o relacionamento. À medida que você começa a encontrar uma maneira de estar mais presente e de pedir mais conexão e interação emocional, surge a questão de saber se ele conseguirá evoluir com você e desenvolver também uma conexão crescente. Hoje você simplesmente não sabe a resposta porque não tem conseguido estar presente por um tempo longo o suficiente para permitir que ele enfrente o que for preciso no relacionamento para poder estar plenamente presente".

Depois de um intervalo extenso causado pelas férias de verão, houve muita novidade e uma adaptação que durou três semanas, e para ela a elaboração das experiências de conexão parecia estar no passado distante. Após ter trabalhado alguns meses numa estratégia de *marketing* criativa e complexa, ela tinha apresentado suas propostas aos colegas e aos executivos da empresa numa quinta-feira à tarde. Recebeu uma resposta entusiasmada e extremamente positiva. As pessoas estavam interessadas e fizeram perguntas complicadas para as quais ela tinha boas respostas. As pessoas realmente se conectaram com ela de modo favorável. Desfrutou isso e ficou orgulhosa de seu trabalho. Um grupo a levou para tomar alguns *drinques* e festejar, e ela se sentiu rodeada por uma atmosfera calorosa.

Depois de algumas horas, as dúvidas e o medo começaram. Uma espiral de autocrítica, desamparo e desespero cresceu na sexta e no sábado seguintes, até que ela entrou em pânico e telefonou para minha casa no sábado à noite. Conversamos por cerca de quarenta minutos. O pânico diminuiu aos poucos, e as principais questões referentes à conexão anterior às férias voltaram a ser focalizadas. Os detalhes da reunião de *marketing* foram revistos. Interpretei a admiração, o respeito e a calorosa conexão pessoal que ela experimentara por parte de seus colegas e de seus superiores como a causa da espiral negativa. Ela havia sido lembrada de que a conexão e o valor pessoal são proibidos e perigosos. Sentimo-nos profundamente conectados e a avisei sobre o perigo de uma reação contra a boa conexão que ela agora estava conseguindo comigo. Concordei em telefonar-lhe no domingo de manhã.

Várias reações emergiram durante o curto telefonema do domingo. Ela estava num leve estado de confusão e de perplexidade. Como não queria perder a boa conexão que experimentara na noite anterior, pegou alguns artigos de jornais que eu tinha escrito sobre o desenvolvimento infantil e tentou permanecer em contato com a boa experiência de nossa conexão. Mas a confusão começou enquanto ela lia, porque muitas das idéias escritas pareciam ser as suas próprias. Será que eu tinha usado as palavras dela e as transformado em minhas sem pedir permissão para fazê-lo? Ou será que as idéias eram minhas, mas com tanta interação ela as tinha assumido que sentia que agora elas eram suas? Ela citou vários exemplos, querendo saber de quem eram as palavras. Discuti essas questões com ela, por um lado mostrando que algumas das idéias pertenciam a outras pessoas, citadas nos textos, e ambos as tínhamos assumido. Outras idéias claramente tinham partido de mim, mas era possível que *houvesse* algumas que originalmente fossem dela, embora os exemplos não estivessem disponíveis no momento. Incentivei-a a procurar, indicando que eu desejava obter permissão ou dar crédito sempre que possível e apropriado.

Pensei comigo mesmo que o conteúdo parecia expressar o nível de incerteza organizador de "De quem é este corpo? De quem é este seio?" e anunciava a desilusão com o desejo infantil de onipotência que normalmente precede uma experiência de colapso. (Winnicott, 1975). Isto é, minha mente (palavras) devia pertencer a ela, mas depois da boa conexão parecia que eu estava fugindo, roubando meu eu (nutridor) dela, e ela ficou confusa e assustada. A elaboração da experiência estava sendo retomada depois das férias de verão, mas com alguns temas novos: ser afirmada desencadeia uma espiral negativa e a confusão da fonte de nutrição. Ela então apresenta uma "memória projetada" que havia aparecido mais cedo naquela manhã. "Eu estava de volta à casa de meus pais. Você sabe como costumava manter meu quarto arrumado com uma escrivaninha e coisas para ler e fazer — meu retiro? Bem, eu tinha algo realmente importante a dizer, saí de meu quarto e fui contar a meu pai. Seja lá o que fosse, ele logo o descartou e me humilhou, e assim corri de volta para me esconder no quarto." A interpretação que ofereci foi de que na noite anterior ela tinha saído da segurança das férias e permitido uma regressão desencadeada pela gratificante reunião de *marketing*. Então tinha feito um contato bem-sucedido comigo na noite de sábado. Mas ao ler os meus artigos ficou agitada e confusa a respeito de quem eram aquelas palavras. O sentimento de ser desvalorizada por minha atitude diferente ou pelo "roubo de palavras" foi considerado um sentimento de transferência que exigia que ela fugisse do contato assustador e humilhante de volta a seu quarto. A memória projetada sugeria que a posse onipotente infantil do corpo da mãe tinha sido quebrada abruptamente e sem empatia pela preocupação narcisística da mãe com suas próprias questões, provocando um retraimento autístico. O que ela acreditava pertencer-lhe tinha sido reclamado pela mãe, lançando-a subitamente numa confusão assustadora e incontrolável e retraída para dentro de si mesma. Avisei que previa reações mais adversas, à medida que o contato fosse solicitado e atendido.

Na noite de segunda, ela chegou arrastando-se ao meu consultório. Sua aparência era terrível; mal conseguia falar. Tinha sentido dores intensas o dia inteiro, tinha dificuldade para respirar e falar. Sentia-se extremamente doente e desorientada. Será que eu achava que ela deveria ir a um médico? Incentivei-a a procurar um médico e também revisei os acontecimentos, dizendo que tinha sido ddifícil reunir a coragem para recomeçar o trabalho analítico profundo, mas que este tinha começado na noite do último sábado. O corpo inteiro doendo, a dificuldade de respirar, a dor no peito e a quase laringite, tudo parecia ser uma reação ao contato — seu corpo estava protestando contra os prazeres proibidos do contato que tinham sido desfrutados[1]. Estávamos tocando aquela barreira aterrorizante de relacionamento que remetia ao desejo original de estar biologicamente segura e no controle das substâncias vitalmente necessárias. O que se internalizara somaticamente era expresso na memória projetada de uma repulsa abusiva nas mãos de um pai narcisístico (ou de uma mãe louca).

Na terça-feira, relatou que tinha ido a um médico que pensara que ela estava com pneumonia. Todos os ossos doíam e ela mal podia falar ou estar presente na sessão. Houve suspiros profundos no divã, enquanto ela expressava o medo de estar morrendo. Ela estava prevendo que no dia seguinte estaria tão mal que não conseguiria comparecer à sessão. Perguntou se poderia tentar vir se conseguisse. Afirmei a necessidade de cuidar de si mesma e de respeitar sua doença e os efeitos dos antibióticos. Afirmei ainda a importância de vir à sessão analítica, se possível.

Indiquei novamente como a seqüência vista antes das férias de verão tinha sido revivida. Houve o triunfo da quinta-feira, a espiral descendente e o contato analítico de sábado, seguido pela perda de contato e pela confusão quanto a quem pertenciam os pensamentos, e a memória projetada referente à agonia corporal, à humilhação e à fuga aterrorizada cheia de dor para seu *closet*, depois de um contato desvalorizador com o pai narcisístico.

A quarta-feira trouxe muita dor e perturbação, com um relato de sintomas físicos, de dificuldades para dormir e das agonias da semana. Como já havia feito na segunda e na terça, tentei contextualizar a agonia como o retraimento corporal para fugir do contato gratificante. A agonia e o retraimento eram memórias corporais evocadas por meio do contato analítico. Mas hoje, ainda mais que nos dois dias

---

1. A interpretação bioenergética dessas dores é que elas são memórias corporais das constrições precoces na garganta e na área dos brônquios. As constrições, iniciadas na infância, representam uma reação corporal à privação de comida e/ou ar, e simultaneamente um esforço da força vital de afirmar um desejo de vida na musculatura. As memórias iniciais se reafirmam à medida que esse desejo de estar vivo nos relacionamentos humanos é revivido no mundo real e na transferência analítica.

anteriores, ela parecia fechada em sua doença e totalmente inacessível a minhas palavras. Só conseguia acenar com a cabeça enquanto ouvia às interpretações apresentadas. Nada podia ser discutido ou processado. Relatou que estava "escorregando para um vazio negro e nada podia impedi-lo".

Na quinta-feira, chegou com uma expressão facial de dor, segurando um antibiótico e pedindo água para tomar o remédio. Continuou a falar no mesmo estilo dos dias anteriores por cerca de dez minutos. De repente, perguntou: "Por que você está tão silencioso?". Respondi: "Porque ainda não pensei em nada para dizer". Isso a enfureceu, e o restante da hora foi passado acusando-me por ser emocionalmente ausente, narcisisticamente preocupado e por não "vir em meu socorro" empaticamente. Minha resposta instintiva foi ser um pouco defensivo ante a bateria de acusações. "Isso sempre acontece. Aconteceu todas as vezes em que realmente precisei de você — quando estou escorregando para o vazio negro, quando não tenho como sobreviver, você se afasta emocionalmente. Apenas desaparece quando fico dependente e regredida e preciso de você. Você me deixaria morrer." A raiva aumentou até ela deixar a sala sete minutos antes do fim da sessão, batendo a porta e dizendo que não sabia como poderia continuar viva (isto não foi uma ameaça de suicídio, no tom em que foi dito).

Eu tinha lutado para não ser defensivo, para entender o desespero e a fúria crescentes. Esse tipo de acusação havia aparecido antes, mas o contexto nunca tinha sido tão claro quanto agora. Com o final antecipado da sessão, porém, não tive oportunidade de indicar que no passado esse tipo de raiva tendia a aparecer quando ela ansiava por uma fusão confortadora ou nas quintas-feiras antes do intervalo do fim de semana. Não consegui dizer que certamente poderíamos marcar um contato por telefone, se isso fosse útil. Embora eu tivesse tentado relacionar a reação raivosa presente aos acontecimentos da semana anterior, por uma ou duas vezes, a reação e a acusação violenta de frieza, distância e preocupação narcisística impediram totalmente qualquer possibilidade de contato interpessoal.

Fiquei bastante perturbado com a intensidade raivosa da sessão e com a saída furiosa, mas já experimentara uma intensidade semelhante em ocasiões anteriores quando estávamos elaborando questões similares, e assim decidi esperar pela reação dela em vez de interrompê-la com um telefonema. Ela tinha o telefone de minha casa e eu estaria lá nos próximos três dias. Assim, estaria prontamente disponível, se fosse necessária alguma conexão[2]. Ela faltou na sessão da segunda-feira. De novo, achei que o contato era possível se fosse necessário, e decidi esperar. A saída raivosa e a falta à sessão tinham um tom dramático e manipulador, tornando mais interessante o desenvolvimento da situação para se compreender a seqüência do desdobramento da transferência. Nas situações anteriores em que buscávamos entender a situação infantil, o que eu experienciara como manipulações da mulher, tinha sido extensamente discutido como um resíduo internalizado de um bebê cujas necessidades eram ignoradas até o ponto do terror e do medo de morrer. Elas tinham sido vistas como a manifestação historicamente significativa de um bebê que temia a morte iminente pela negligência ou abandono, e tinha aprendido a fazer tudo a seu alcance para forçar as pessoas do ambiente a responder a suas necessidades, a resgatá-lo da solidão e da morte psíquica. As constrições musculares no peito e na garganta eram indicações adicionais de como o desespero era profundo. Embora houvesse um tom manipulador, o que me parecia mais importante na época era o desespero claramente articulado, o medo de morrer, a raiva diante do abandono emocional percebido de minha parte, o desejo de ser resgatada, a fúria ante minha "impotência" afirmada, que era vista como "preocupação narcisística", e o "*bailing out* quando havia uma necessidade verdadeira". De novo, por diversas razões, pareceu-me melhor esperar: a seqüência já havia sido experimentada de algum modo, ela estava sendo articulada muito clara e incisivamente, havia acusações transferenciais significativas e memória corporal, e eu estaria prontamente disponível se ela tentasse fazer qualquer contato. Desse modo, preferi esperar em vez de intervir no desenvolvimento da elaboração da seqüência de transferência primitiva.

---

2. Numa consulta posterior questionei o possível significado de meu papel aparentemente pouco útil e não expansivo nesta situação difícil. Após refletir, achei que o contexto e a experiência prévia sugeriam que a função egóica da lembrança da memória corporal estava em operação e precisava ser ouvida, por menos acolhedora que a situação parecesse ser superficialmente.

A terça-feira foi passada em raiva, silêncio e desespero. "Por que você não me ·salvou na quinta passada? Eu estava morrendo. Você simplesmente me deixou cair de cara no chão. Por que não me ligou na quinta à tarde ou no fim de semana? Você nem ficou preocupado quando faltei ontem? Sabia que eu estava mal. Por que não ligou?" No passado, todos os meus telefonemas tinham sido agendados, e assim não existia um precedente histórico para que ela esperasse um telefonema em resposta à perturbação analítica. Tentei permanecer tão presente quanto possível no nível do sentimento, de modo a não ficar na defensiva diante da barragem de acusações. A sessão oscilou entre algum envolvimento empático com relação ao desespero e a ruptura causada por minha incapacidade "narcisística" de ficar com sua "verdadeira necessidade". Num momento de raiva, quase no fim da sessão, ela teve um lapso e me chamou pelo nome do namorado. Ficou horrorizada e sua raiva redobrou, dizendo que agora eu iria exagerar o lapso e usá-lo contra ela.

Na quarta-feira, mal se sentou, ela começou a me confrontar, com minha personalidade brutal e insensível, com o modo como eu poderia ter lidado com cada fato, e como meus defeitos eram frios e cruéis.

Tudo isso aconteceu como é esperado no desenvolvimento e na elaboração da psicose de transferência. A experiência do pai diabolizado é fortemente autêntica. O analista *se transforma* no objeto odiado da infância (a "mãe psicótica"), e não há nenhuma possibilidade de haver um ego observador ou um ego de teste de realidade no momento da experiência. Como nos dois dias anteriores, tentei uma sintonia empática com o desespero e a raiva, mas também continuei a trazer o contexto geral de todos os eventos. Ela insistia em que a ruptura tinha acontecido na quinta anterior, quando precisava que eu me sintonizasse empaticamente com o desespero dela. Eu acreditava que a ruptura era interna e estava relacionada com a noite de sábado da semana anterior quando, depois de um longo intervalo, havia sido feito um contato profundo que tinha sido imediatamente rompido pela confusão das palavras, pela memória projetada do pai subestimando-a e humilhando-a, e pelas memórias corporais dolorosas que se seguiram. Todo o ciclo de acusação raivosa e de sintomas físicos dolorosos era visto por mim como uma reemergência de uma reação primitiva internalizada diante da deslealdade do contato interpessoal.

Ao contrário do que acontecera nas sessões anteriores, algumas partes de meu argumento gradualmente pareciam estar sendo relutantemente aceitas, mas só depois de minha paciência ter sido levada ao limite e de eu estar claramente a ponto de ficar com raiva. O sentimento de contratransferência era claro, "Deus, dane-se! Estou aqui, estou sustentando você nesta regressão do melhor modo possível. Por que você está me acusando tão ferozmente — onde está sua racionalidade, seu senso de decência humana? Por que você me trata tão mal?". É claro que isso não foi dito no momento, porque naquela hora a clara prioridade era apoiar a emergência da transferência organizadora. Ela afirmou: "Sempre tenho de desistir, que fazer do seu modo. Nunca posso vencer. Sempre foi assim. Meus pais sempre estavam certos, e eu sempre errada. Eles estavam bem, então havia algo de errado comigo. Minha única opção era fingir e ser falsa". Tive uma chance de apontar que apesar de ela se sentir magoada e raivosa: "Nós não estamos em papéis adversários como você estava com seus pais. Podemos estar passando por um ponto difícil no momento, mas nosso relacionamento não tem a ver com ganhar ou perder. Estamos trabalhando juntos para permitir que surjam os padrões e as memórias de seqüências passadas de agonia, para que possamos estudar o modo como sua mente opera. A última coisa que eu desejaria que fizesse seria fingir, desistir. Você tem de ficar firme enquanto entendemos tudo isto". No final da sessão estávamos um pouco mais calmos.

Na quinta-feira, ela voltou ao divã, e por meia hora foi possível conversar com mais compreensão do ponto de vista um do outro. Comentei que uma coisa era que sou quem sou e que quando me comporto de modo equivocado isso ocorre de acordo com minha personalidade. Mas a *reação* dela aos defeitos de minha natureza nos dá uma oportunidade de ver toda a seqüência como uma parte da estrutura mental dela. Isso não significa que meu comportamento esteja sendo justificado nem que eu, como analista, esteja "certo" e ela "errada". Mas sim que tenho meu modo pessoal de responder, e isso lhe provoca uma raiva primordial, porque as limitações de minha personalidade lembram-lhe as limitações de seus pais. Isso foi repetido e depois aceito de modo um tanto relutante.

Indiquei que a preocupação da outra pessoa consigo mesmo sempre é nosso inimigo, e temos de lidar com isso. Em todos os relacionamentos, mais cedo ou mais tarde, ela descobrirá que as preocupações narcisísticas da outra pessoa lhe lembrarão os encontros traumáticos infantis com seus pais. Nossa investigação se refere às reações dela quando encontra os limites narcisísticos dos outros. O que vimos nessas duas semanas, durante o desdobramento de uma seqüência mental, foi *ela mesma*, suas próprias reações pessoais às limitações narcisísticas dos outros.

Então, ela contou um sonho que tivera na noite anterior, no qual descobria que alguém estava colocando as roupas de seu namorado no *closet* dela, e então reclamava que este não era o lugar delas. Ela sentia que o sonho condensava o retraimento infantil, por meio do qual fugia das invasões sem empatia e ia para a segurança de seu *closet*, a humilhação e a fúria de transferência que ela experimentava tão freqüentemente com seu namorado, e a presente situação de transferência com o analista, na qual sentia que minha identidade (roupas) era uma intrusão em seu lugar autisticamente seguro.

Na manhã seguinte, me confidenciou ao telefone: "Tenho medo de lhe contar isto. Você sabe que uma das proibições de minha infância era 'nunca conte nada a ninguém'. Tenho medo de perder isto se contar a você. Que de algum modo você possa explodir isto interpretativamente, de forma que não quero que você diga nada sobre isso". Ela explicou: "Quando saí na terça-feira, percebi que não posso relacionar-me com ninguém, que nunca conseguirei, que não existe esperança. Como não sei como me relacionar com as pessoas, tenho de me relacionar com algo ou morrer. Eu pensei que poderia começar a me relacionar com meu corpo, simplesmente tentar sintonizar-me com ele, e fiz isso. Quando procurar você está além das minhas possibilidades, posso estar comigo mesma e, ainda que seja doloroso, posso ficar bem". Respeitei seus desejos e apenas ecoei o que estava sendo dito no momento, concordando em que ficar com seu corpo era muito importante. O contexto geral da seqüência foi de novo mencionado, e agendamos um telefonema para a noite seguinte.

Depois de dois dias inteiros de muitas exigências sociais, o próximo telefonema foi novamente cheio de agonia, o que não me surpreendeu por causa da tensão inevitável dos acontecimentos sociais previstos. Ela queria fugir, retrair-se, brigar, mas podia lembrar que havia alguma razão para não fazê-lo. Não conseguia lembrar a razão, mas esperava poder ficar com isso. Optei por lembrar-lhe que ela tinha conseguido estar presente na noite de terça porque tinha escolhido permanecer conectada com um senso de si mesma, com seu corpo, independentemente de quão doloroso fosse. As intensas interações sociais eram perturbadoras o suficiente para que ela desejasse refugiar-se em seu *closet* e consolar a si mesma. Talvez ela conseguisse permanecer. Permanecer com as reações dolorosas que estava sentindo em seu corpo no momento parecia mais importante que fugir delas. Por que não se encolher na cama por algum tempo? Assim podia estar sozinha, diminuir os estímulos e concentrar-se nas dores físicas causadas pela tentativa de se relacionar com as pessoas. Soava como uma possibilidade.

No dia seguinte, relatou que o refúgio na cama tinha sido bem-sucedido, que ela tinha conseguido focar-se em si mesma e sentir que sua respiração difícil e as dores no peito iam diminuindo até chegar a um estado de calma física, reconstituindo assim um estado de eu satisfatório. Perguntou: "Você acha que talvez a ruptura tenha que ver com eu ter lido seus artigos no jornal e ter ficado confusa na noite de sábado, e não com minha reunião de *marketing* na quinta-feira?". Respondi: "Não, esse foi o momento em que você começou a sentir a fragmentação, a escorregar para a confusão traumática em resultado de nossa conexão pelo telefone. A conexão serve para lhe lembrar que você havia conseguido conectar-se satisfatoriamente com o corpo da mãe, e depois perdeu essa conexão de forma abrupta. Isso aconteceu na quinta, em sua reunião, e evocou a espiral descendente até que você me ligou e conectou-se novamente comigo na noite de sábado. A conexão é temida porque sempre era destruída de algum modo pelas preocupações narcisísticas de seus pais. No momento é impossível sentir a conexão interpessoal sem logo esperar o afastamento traumático e abusivo de seus pais".

Um adendo sobre a empatia psicanalítica

Este exemplo evoca ainda mais uma questão interessante e difícil com relação à empatia. Kohut e os psicólogos do *self* enfatizaram a importância da sintonia eu-outro — de o analista permanecer sintonizado com as preocupações subjetivas da pessoa em análise. Kernberg e outros criticaram agudamente esta abordagem (ver Hedges, 1983, pp. 269-70), dizendo que é relativamente fácil formular uma interpretação que concorde com o estado subjetivo do cliente. É mais difícil proporcionar interpretações psicanalíticas que empatizem com o quadro mais amplo da personalidade, mas possa ser subjetivamente desagradável no momento.

É comum que este problema se torne agudo quando se trabalha com a experiência organizadora. Seria possível argumentar que eu estava sendo não-empático quando não respondi de modo salvador ao desespero dessa mulher. Quando tentei permanecer com o que via como as questões mais amplas da personalidade, fui acusado de estar narcisisticamente preocupado, fora de sintonia e errado. Existe sempre um equilíbrio delicado quando se responde empaticamente sob condições de acusação. Por um lado, a experiência subjetiva do cliente tem certa prioridade ou urgência no contexto imediato. Mas simplesmente seguir de acordo com as exigências subjetivas do cliente pode significar uma cooperação com a resistência ao estabelecimento da transferência infantil dolorosa, impotente, humilhante e raivosa. Neste caso, apenas resgatar o cliente da reexperiência do ato de reexperienciar a transferência organizadora da ruptura do contato teria sido cooperar com a atuação da resistência. Mas, ao manter firme demais esta perspectiva mais ampla, corre-se o risco de provocar uma colisão danosa de mundos subjetivos, o que poderia precipitar uma reação terapêutica negativa (Freud, 1918, 1923, 1933). O problema da intersubjetividade, como visto aqui, envolve equilibrar-se entre receber as acusações desesperadas, manipuladoras e raivosas como o objeto de transferência, e evitar defender-se das acusações — *que em geral são as que nos tocarão profundamente de algum modo.*

V. Hilton (Capítulo 5) aponta que quando somos acusados existe uma resposta tripla que surge quase por instinto na maioria das pessoas: (1) negação — "Não fiz isso"; (2) defesa — "Fiz o melhor que pude"; e (3) culpa — "Ela sabe muito bem, essa acusação é patológica". Hilton diz que o problema real é que a acusação freqüentemente é dirigida, de modo bem-sucedido, para uma ferida central, para um ponto cego, ou para nosso calcanhar-de-aquiles. É improvável que o acusado seja capaz de dar uma resposta satisfatória ao acusador, que "sabe" que está parcialmente certo, até que possa elaborar a ferida central, do modo como está ativa no relacionamento presente.

O problema da ferida central do analista, a quem a acusação é dirigida, se torna complexo quando se considera a natureza da experiência organizadora. No caso de uma experiência desenvolvimentalmente mais adiantada, simbiótica ou *borderline*, o cliente teme ser abandonado, e uma acusação de falha empática significa: "Você me abandonou". Mas, no caso da experiência organizadora, a transferência é incluída paradoxalmente na questão do terror estruturado ante a conexão ou a manutenção de uma conexão interpessoal. Isto é, *não* se conectar é profundamente empático. As acusações referentes ao analista ter deixado a pessoa de lado, de ter fracassado empaticamente, emergem do nível organizador da resistência diante da experiência da transferência, não da transferência em si. A transferência infantil só pode ser avaliada depois que a pessoa em análise puder deixar de lado, pelo menos em parte, a acusação ou a exigência, e então permitir um lapso dentro do anseio profundo, da impotência e do terror. A análise só pode prosseguir depois que a pessoa puder experimentar plenamente o senso profundo de colapso, de vazio e de morte, no relacionamento presente. O resgate por meio da concordância "empática" nesta situação seria antiterapêutico.

Portanto, numa situação de acusação que envolva questões do nível de organização, a empatia psicanalítica mais ampla envolveria ser capaz de navegar entre o risco de cooperar com a resistência subjetivamente válida e o risco de formular uma interpretação da transferência indesejada, desagradável, "sem empatia". Hilton mapeou nosso caminho: (1) evite a negação, a defensividade e a culpa; (2) use a supervisão para elaborar a ferida central que a acusação toca em você; (3) mostre à pessoa que sabe como ela foi profundamente ferida pela posição que você assumiu; e (4) proporcione alguma garantia de que esse tipo específico de ferimento poderá ser suavizado ou evitado no futuro, que "isto não acontecerá novamente com você ou com outra pessoa". Esta garantia pode tomar a forma do reconhecimento, por parte do analista, de que houve um mal-entendido ou uma inabilidade técnica ou empática quanto à situação (a resposta usual de Kohut). Ou, como no caso do dilema apresentado neste exemplo, a interpretação precisa incluir alguma referência à circunstância geral de transferência que está ocorrendo no momento. Infelizmente, por ocasião da experiência da transferência organizadora, a pessoa está vivendo num mundo infantil de trauma, concreto e não-simbólico, sem suas habilidades usuais de teste da realidade, e sem o acesso normal à lógica simbólica, de modo que uma discussão sensata e significativa é virtualmente impossível. No exemplo, o dilema se refere ao problema de que o "narcisismo nos outros é sempre um perigo. Mas ao entender sua *reação* a minhas preocupações narcisísticas como uma parte de sua estrutura mental, como uma seqüência de sua vida mental contínua, temos um modo de trabalhar juntos e mais efetivamente para entender como o padrão aparece repetidas vezes em sua vida". A resposta dela foi: "Oh, tudo isso é apenas parte do modo como minha mente funciona? Acho que talvez possa entender isso".

Os leitores podem perguntar: "Mas a cura não é o resultado de o cliente sentir a antiga dor numa nova situação na qual ele/ela pode ser tocado/a satisfatoriamente de modo diferente e mais satisfatório no presente? A pessoa não pode sentir sua experiência bruta contida de modo empático, de modo que a experiência possa ser reorganizada numa estrutura de eu mais coesa e significativa? A cura necessária não irá acontecer se desenvolvermos formas mais amplas e mais acolhedoras? Agora a pessoa é capaz de estar em outro lugar, um lugar de maior auto-acolhimento. A forma geral de acolhimento do analista não proporciona o ambiente para o desenvolvimento dos novos instrumentos da personalidade?". A resposta é sim e não. Sim, pois é necessário um contexto novo e mais amplo de acolhimento interpessoal para que se desenvolva um modo mais complexo representacional de relacionamento. Mas não é suficiente apenas reviver positivamente as situações traumáticas num ambiente mais satisfatório. Na infância, o amor e o acolhimento podem ter sido suficientes. Mas após acontecerem extensões de nível organizador que foram malsucedidas ou dolorosas, cria-se uma estrutura psicológica que precisa ser desmontada, analisada ou quebrada. Foi criada uma ilusão que desde então torna o relacionamento perigoso e assustador. Na análise, a transferência pode chegar a incluir os elementos organizadores ou psicóticos que revivem as memórias precoces do trauma sob a forma de transferência e de resistência à experiência da transferência. Nesses exemplos, vemos a transferência desenvolvendo-se lentamente. A pessoa implora ao analista que participe da resistência diante da lembrança dos horrores de ser rejeitada, humilhada e mandada de volta a um *closet* autístico.

"Mate o bebê":
Uma regressão de contratransferência

(O que vem a seguir é uma narrativa na primeira pessoa da experiência da contratransferência que emergiu neste ponto do caso.)

O primeiro aparecimento do tema que estimulou minha regressão de contratransferência aconteceu há vários anos. Lembro-me de uma fantasia nítida em que esta mulher estava alguns metros na minha frente, encarando-me através de uma pequena multidão dominada, pulando para cima e para baixo, sorrindo e acenando entusiasticamente, tentanto atrair minha atenção. Na época, relatei-lhe minha fantasia, que foi discutida em termos de como ela nunca se sentira vista pelos pais. Na verdade, nunca sentiu que pertencesse a eles ou a ninguém mais. Sempre se sentira um pouco diferente, à parte, isolada e separada dos outros, sem realmente pertencer a nenhum grupo ou relacionamento. Em resultado de nosso trabalho analítico, ela agora sente que algumas vezes "pertence" a Marc, seu namorado de longo tempo, e outras que "pertence" a mim.

Um pouco depois emergiu o tema da sua "intensidade" interpessoal. Ela estava sofrendo por causa de uma série de relacionamentos nos quais, por alguma razão misteriosa, sentia que as pessoas pareciam de algum modo se afastar dela, ridicularizá-la e virar-lhe as costas silenciosamente, falhar em responder reciprocamente às investidas amigáveis dela, e ficou preocupada se não seria intensa demais. *Intensa* era uma palavra que parecia resumir um conjunto de características que sentia que os outros percebiam como invasiva, agressiva, exigente, desafiadora, cheia de reclamações, insistente, forçando os outros, e assim por diante.

Por um lado, estava orgulhosa de sua assertividade como mulher e gostava de sua habilidade de fazer as coisas acontecer, de expressar preocupação pelos outros, de ficar firme com o que era correto, e não ser levada pelos outros. Mas temia que sua intensidade afastasse as pessoas, fizesse com que tivessem medo dela, ou não gostassem dela.

Era uma mulher brilhante, com um *insight* penetrante com relação às pessoas, e parecia que talvez ela visse demais, soubesse demais sobre o que motivava as pessoas, e isso não lhe fazia bem. Parecia que lia as pessoas profundamente, deixando os outros incomodados, ou talvez provocando-os. Mas apesar dessas características intensas e às vezes abrasivas, ela tem muitos amigos, é querida e respeitada por sua integridade, visão e *insight*.

No contexto de um diálogo sobre sua intensidade, pude observar diversas ocasiões em que ela me via na sala de espera, ou saindo do consultório, e me examinava profundamente, a ponto de algumas vezes me sentir incomodado. Em meu trabalho, tenho cultivado o hábito de evitar um contato ocular pesado, de às vezes desviar meus olhos para que as pessoas não se sintam observadas. O contato ocular limitado com os clientes parece natural e confortável para mim, sobretudo com clientes analíticos que usam o divã. Mas, muitas vezes, ela procurava o contato ocular, olhando fixamente e depois examinando com o olhar, ou perguntando como estava, se eu estava bem, o que estava pensando. Tudo isso me parecia um pouco invasivo e desconfortável.

Em diversas ocasiões, ela intuiu que eu estava tendo um dia "desligado", e fez comentários a esse respeito. Embora eu não tivesse percebido nenhuma irregularidade em meu estado de espírito em mim, em duas ou três ocasiões em que ela ficou incomodada pelo que percebia como meu estado mental, pude lhe dizer que mais tarde, no mesmo dia, outros clientes tinham observado que eu estava um pouco afastado ou não responsivo. Disse-lhe isso com o objetivo de validar suas percepções de meus estados de espírito inconscientes. Questionei os significados possíveis de sua extrema sensibilidade. A principal conclusão a que chegamos foi de que enquanto criança ela tinha sido tão traumatizada pelos estados de espírito destrutivos ou não disponíveis dos pais que passou rotineiramente a avaliar as pessoas para saber "de onde estariam vindo" naquele momento. Parecia que algum mecanismo básico de sobrevivência estava sendo observado. Ela precisava saber se eu estava bem, como estava me sentindo, se estaria emocionalmente disponível para ela, se ela estaria segura comigo naquele dia, ou se haveria motivações emocionais ou perigos ocultos.

Com o tempo, a questão de sua intensidade interpessoal, que parecia criar desconforto nos outros, foi ligada à sua necessidade de "ler os estados de espírito e motivações inconscientes". Afirmei como me sentia incomodado por ser examinado visual e emocionalmente, mas entendia sua necessidade de me avaliar a cada dia, embora essa necessidade fosse claramente maior em algumas ocasiões.

Logo no início da análise, ela começou a pedir abraços no final da sessão. Esses abraços de despedida começaram no contexto de momentos regressivos em que se sentia desesperada e não tinha certeza de que poderia ir embora, chegar até o dia seguinte ou sobreviver ao fim de semana. Depois disso, em diversas ocasiões, expliquei-lhe que me sentia desconfortável com os abraços. Ela garantiu-me que eram humanos e expressavam conexão. Expliquei que embora não estivesse comprometido com a total ausência de toque, como a maioria dos analistas tradicionais, sempre sentia que qualquer natureza de contato físico precisava ser entendida, e sempre me sentia desconfortável com o contato físico que ainda não tinha sido entendido. Ela achava que os analistas eram fóbicos diante do contato físico, tinham um problema com isso e sem dúvida temiam a superestimulação ou a sexualização do contato pelo cliente. Afirmou que os abraços no final da sessão não tinham nada a ver com isso. Eram uma parte comum da compreensão humanas e do calor. Esses gestos podiam ser omitidos nos períodos em que ela se sentia mais forte.

Entretanto, ela experimentou uma série de sessões poderosas nas quais eu estendia minha mão e segurava a dela, e ao mesmo tempo me esforçava para manter também o contato emocional, quando ela estava se afastando emocionalmente. Mais tarde, expliquei-lhe o que acreditava ser um aspecto crítico e concreto do toque nessas ocasiões, pois ele nos ajudava a permanecer juntos quando ela estava perdendo o senso de minha presença. Com o passar do tempo, passei a perceber seu desejo por abraços e a responder espontaneamente de acordo com isso.

Pouco a pouco, a transferência organizadora começou a ser traçada ou definida no modo como ela estava mais ou menos "presente" na sala, mais ou menos "disponível para o contato". No início, ela acreditava que estava presente e em contato na maior parte do tempo. Mas lentamente ela percebeu que quase nunca estava presente num modo emocional e interpessoalmente envolvido. E que inúmeras vezes ela não tinha a menor idéia de quem eu era. Disse diversas vezes: "Posso me sentir muito mais próxima de você quando não estou com você". Isso foi interpretado como um sinal de quanto era difícil estabelecer realmente um senso de interação profunda e significativa comigo no qual ela pudesse de fato sentir minha presença como uma pessoa real, separada e diferente dela. Ela tinha desenvolvido uma fantasia a meu respeito, de quem eu era, e podia ter um diálogo reconfortante comigo na minha ausência. Mas com freqüência ela se sentia perdida quando se tratava de saber quem eu era, no sentido de ser capaz de interagir comigo aqui e agora. Sentia desanimada e gravemente incapacitada com isso.

Com o tempo, consegui estabelecer uma distinção entre o sentimento que ela tinha de estar "ligada" a mim de modo seguro e estar "conectada" comigo — ser capaz de sentir canais abertos e ativos para comunicação e conexão entre dois seres reais, vivos, que interagem. A princípio, ela ficou perturbada quando apliquei a distinção entre ligação e conexão aos abraços no final da sessão. Não gostou da idéia de que sua procura de contato físico provinha mais de uma ligação, de um impulso de apegar-se ou da necessidade de tranqüilização física, e não de uma interação comunicativa e conectadora. Mas em várias ocasiões ela sentiu claramente a distinção e depois começou a limitar tais gestos a circunstâncias especiais, embora não gostasse do fato de eu interpretá-los como ligação sem conexão.

No decorrer do tempo aconteceram algumas rupturas nas quais sentia que eu não respondia emocionalmente a ela. Dizia que quando realmente precisava que eu estivesse emocionalmente presente, eu me retraía de algum modo. Acreditava que eu não podia tolerar a carência ou a dependência e, assim, me retraía ou me desconectava e ia para um lugar frio, crítico e autoritário. Sem dúvida, eu podia sentir as desconexões abruptas, seu desespero, sua agonia e sua raiva por eu não estar presente para ela. Mas não conseguia ver nem experimentar o padrão que ela acreditava estar presente. Parecia-me que suas agonias e desconexões ocorriam exatamente depois de ela ter estabelecido alguma conexão comigo, e tentei chamar sua atenção para isso.

Após diversas rupturas, aprendi a notar que aos primeiros sinais de raiva ou de uma postura intensa, invasiva ou acusatória por parte dela, eu tendia a ficar mais silencioso porque ficava intrigado, atento ou pensativo — sem ter nenhuma idéia de onde ela estava, ou sem entender a natureza ou o significado de seu comportamento. Ela sentia minha cautela e atenção ampliada como um frio retraimento. Depois, dizia-me o que eu deveria ter dito ou feito nesses momentos e que teria sido mais empático. Entretanto, essa resposta empática que eu "deveria ter dado" não me ocorreu porque no momento eu estava operando num modo mais abstrato, tentando descobrir o que estava acontecendo. Isto é, ao perceber amargura, intensidade ou invasividade, eu tendia a rever mentalmente o contexto geral das últimas semanas ou meses, ouvindo o mais atento possível para determinar onde o problema presente se situava no contexto geral da personalidade dela e de nossa interação. Às vezes, enquanto ainda estava intrigado desse modo, ela insistia para que eu desse alguma resposta imediata. Esse pedido de resposta imediata me pegava desequilibrado. Parecia que sob tais condições qualquer resposta que eu pudesse dar seria insatisfatória, e sua raiva aumentaria. Embora eu não esteja certo se haveria alguma resposta que pudesse ser mais útil ou pudesse impedir o aumento da raiva, ela se queixava de que eu era sempre inadequadamente frio e distante.

Em tempos mais tranqüilos, eu parecia ser capaz de lhe mostrar as conexões e desconexões que estava seguindo, e ela parecia entendê-las. Mas de repente ela ficava tensa. Sentia-se presa numa luta comigo com relação a meu modo de me retrair friamente, de considerar suas queixas uma transferência, de culpá-la por se desconectar e de vê-la como "louca" e a mim como saudável e certo. Houve uma série de interações perturbadoras para nós dois. Tendíamos a ter opiniões diferentes sobre o que estava acontecendo. Ela acreditava que eu sempre me retraía de algum modo quando ela se sentia carente, e reagia mal a isso. Acusou-me de me recusar a examinar e a reconhecer que minha escassa receptividade fazia com que fosse impossível que ela confiasse em mim ou na análise. Temia que eu estivesse a ponto de fazer isso novamente, e pensava que talvez não houvesse sentido em continuar seu relacionamento comigo, que eu tinha um defeito básico de personalidade e não podia evitar rejeitá-la. Parecia-me que no momento em que ela sentia algo real na conexão interpessoal ou em seu corpo, com referência à nossa conexão, acontecia alguma coisa interna que fazia com que ela sentisse que eu era frio, isolado, crítico, retraído, cético e zangado por ela ser tão dependente e carente.

Minha linha de pensamento geral, por alguns meses, tinha se referido aos modos como ela não permitia que acontecesse a conexão ou o envolvimento entre nós, e aos modos como se fechava quando estes aconteciam. Eu podia ouvir a insistência dela em que nesses momentos de ruptura o problema de desconexão era meu, e não dela. Podia ver que ela precisava que eu lidasse com suas acusações de que eu era inadequadamente frio e retraído emocionalmente. Se eu não aceitasse de imediato a culpa pelo retraimento emocional, isso aumentava ainda mais a perturbação dela porque eu estaria dizendo (como seus pais sempre tinham dito) que tudo era culpa dela, que eu estava certo e ela doente, excessivamente carente, ruim, errada ou patológica.

Fiquei especialmente interessado em seguir a forma pela qual ela conseguia produzir essas rupturas, usando de algum modo os aspectos de minha personalidade para reviver a angústia de sua infância. Considerei a possibilidade de que o fato de eu buscar as respostas num plano mais abstrato do aquele em que ela desejava ser ouvida pudesse ser uma defesa de intelectualização, uma forma de evitar suas aberturas de conexão. Talvez minha defesa de intelectualização fosse ativada quando (como ela afirmava) ela era mais carente. Mas independentemente de estar sendo ou não defensivo, em alguma medida, ou de meu estado de espírito me deixar menos disponível para a conexão, eu tinha a impressão nítida de que ela estava usando aspectos de minha personalidade para realizar desconexões transferencialmente determinadas. Em várias oportunidades, tentei sugerir isso, mas encontrava a firme convicção de que havia uma falha de personalidade narcisística em mim, pela qual eu estava tentando responsabilizá-la. Se estivesse certo em acreditar que ela procurava cuidadosamente alguma coisa em mim para estimular e/ou ligar a transferência organizadora, como poderia mostrar-lhe isso, sem parecer estar repetindo o crime de seus pais de "jogar a culpa" sobre ela e enraivecê-la ainda mais? O que estava acontecendo e como poderíamos sair disso? Ambos concordávamos que essas disrupções aconteciam antes dos intervalos dos fins de semana ou de férias.

O incidente desencadeante que levou à nossa próxima perturbação aconteceu numa sexta à tarde. A semana tinha sido confortável, e ela tinha se permitido estar mais em contato com suas sensações

169

corporais do que de costume. Eu achava que a sexta também correria bem. Entretanto, eu tinha consciência de que não estaria perto de um telefone por 48 horas, pois ia acampar. Poderia ter de lhe contar isso, pois muitas vezes ela precisava saber como poderia entrar em contato nos fins de semana. E estava tendo um bom dia. Estava ansioso por um belo fim de semana nas montanhas com amigos próximos, e com a promessa de um belo outono.

Na sala de espera, senti seus olhos penetrantes e desviei os meus (como costumo fazer). No corredor, ela se virou e me olhou novamente. Nunca fizera isso antes. Senti-me muito examinado e desviei de novo os olhos. Nos dois últimos meses parecia que ela estava consciente de me examinar na sala de espera, desde que eu havia comentado seu olhar intenso. Em algumas ocasiões tinha acontecido uma troca de sorrisos que me pareciam indicar que estávamos pensando a respeito do contato ocular e do que isso poderia significar. Num instante, eu estava revisando tudo isso mentalmente e pensando: É sexta-feira, ela está *me* obrigando a romper a conexão, a me afastar de seu exame intenso e invasivo. Sinto-me penetrado e retraio-me instintivamente. Ela sabe disso. O fim de semana está se aproximando e ela está tentando romper uma conexão potencial ou evitar que ela aconteça, usando meu retraimento instintivo ante seu olhar.

No consultório, em vez de se dirigir ao divã, como normalmente faz, ela se virou, olhou para mim e perguntou se eu estava bem. Garanti-lhe: "Estou bem, mas (e aqui acontece o rompimento) quando você me examina, isso me obriga a me retrair". Ela ficou furiosa. Isso era ridículo. Como poderia me "obrigar" a me retrair? Está acontecendo de novo, e estou culpando-a. Ela deseja que eu coloque isso por escrito porque ninguém acreditará nela de outro modo. Tentei me explicar (o que foi um erro claro, nessas circuntâncias), lembrei-lhe de minha aversão a seu olhar intenso e comentei que se ela desejava se conectar comigo, esse não era modo de consegui-lo. Ela ficou ainda mais furiosa. Tentei algumas outras racionalizações que fracassaram e depois fiquei quieto, desejando ouvir tudo para ver se haveria algum elemento que talvez eu pudesse usar. O meu silêncio a enfureceu ainda mais. No final da sessão, ela anunciou que tinha tido uma boa semana, que estava muito feliz na noite anterior e tinha escrito um poema animado que tinha trazido e queria me mostrar.

170

Estava feliz com o que estava acontecendo, com nosso trabalho, comigo, e tinha vindo falar sobre isso nesse dia até que arruinei tudo. Em vez de esperar para ver onde ela estava, estraguei a sessão ao me desconectar (ela nem pôde chegar a ler o poema). Ela me confrontou em todas as sessões da semana seguinte. Eu sempre fazia isso com ela, bem quando estava pronta para se conectar eu dava um jeito de estragar tudo. Eu era um analista não analisado. Ela fez uma lista de todas as vezes em que eu falhara com ela e depois a tinha culpado por ser patológica. Eu tinha um profundo defeito de caráter que nunca será corrigido, e assim não havia sentido em tentar conectar-se comigo. Por que continuar a análise se todas as vezes em que ela está pronta para se conectar estrago tudo? Precisávamos de um árbitro, alguém que pudesse mostrar minha participação nisso tudo.

Minhas tentativas hesitantes de falar sobre o contexto geral, sobre a intensidade dela, sobre o contato ocular, sobre o fato de ela usar meu desconforto com seu exame para provocar uma desconexão, foram inúteis. Ela está sendo levada pela raiva, e nada que eu possa dizer a fará pensar nos outros aspectos do que pode estar acontecendo. Seu corpo está tenso, seus olhos, apertados, sua voz está tensa e autoritária, sua aparência é confiante e estridente. Eu o fiz novamente e isso tem de parar. Conforme revê os incidentes passados, que, segundo ela, me recuso a reconhecer, tento repetidamente corrigi-la, relembrá-la de que tenho reconhecido como fracassei em ser empático, mas que esse reconhecimento não ajudou. Continuei a pedir que notássemos, se possível, o modo como ela está reagindo a meu erro empático. A cada vez ela interpreta isto como uma tentativa de culpá-la, de torná-la responsável pelo que fiz errado.

O ataque aumentou na terça-feira: ela soltou todos os freios de sua raiva, relembrando todas as queixas e falhas de minha natureza em que pôde pensar. No meio da sessão de quarta-feira eu estava exasperado e batendo com as mãos nos braços de minha cadeira, quase gritando que não tinha dito que ela era um pessoa ruim, ou que era culpa dela, ou que minha resposta na sexta passada tinha sido a melhor possível. Apenas disse que éramos pessoas diferentes, com modos de pensar e de responder distintos. Tenho uma personalidade real que responde às coisas que ela faz. Ela poderia estar usando minha receptividade pessoal para seus propósitos inconscientes. Estava bravo por ela persistir em distorcer tudo o que eu dizia para significar que eu estava bem e ela não. Estava lutando para não me defender contra seus ataques rudes, para encontrar algum modo de validar seus sentimentos. Mas ela ainda distorcia meus comentários como se quisessem dizer o quanto a achava louca, como acho que tudo é transferência, e que eu ainda acredito que não fiz nada para merecer sua raiva e seu desapontamento.

No final da sessão, consegui dizer com a sinceridade possível que ela está absolutamente certa em afirmar que comecei mal a sessão da última sexta. Ela se acalmou, e tive a esperança de que estivesse ouvindo o que eu tinha a dizer. Tentei explicar a busca a longo prazo que estava fazendo. Disse que quando senti seu olhar e sua exigência imediata de saber se eu estava bem, respondi equivocadamente no plano abstrato que estava considerando no momento, em vez de esperar para ver onde ela estava. Ela estava tendo uma experiência corporal agradável, tinha escrito um poema e queria mostrá-lo para mim. Ela desejava um momento concreto de compartilhar alegre. Disse que meu erro tinha sido responder num plano diferente daquele em que ela estava.

Enquanto me esforçava para explicar como, sendo eu quem sou e considerando nossas conversas anteriores sobre seu olhar intenso, ela poderia esperar que eu desviasse meus olhos quando ela me olha fixamente, comparei isso com os abraços no fim da sessão, pois pensava que ela já havia-me dado uma indicação de compreendê-lo. Expliquei-lhe que se quisesse interagir confortavelmente comigo, nenhum desses modos iria funcionar porque eles me incomodavam. Mostrei-lhe que posso conviver com isso se ela o desejar, mas se seu desejo for atingir uma conexão interpessoal mutuamente confortável, sendo eu quem sou, esses meios não funcionarão. Isto não me torna certo nem a torna errada, é apenas a maneira como sou. A intensidade e o contato físico simplesmente não são modos de se aproximar de mim e de contar com uma resposta favorável. Ela ficou quieta e pensativa, e foi embora em silêncio. Eu esperava ter reconhecido a natureza de meu erro, e o modo como de fato ele tinha me impedido de estar com ela — e como eu repetira as inúmeras vezes em que seus pais tinham feito exatamente isso, deixando-a isolada e ferida.

No dia seguinte ela chegou completamente arrasada. Agora podia ver que não podia mesmo confiar em mim. Tinha acreditado em mim o tempo todo. Ela tinha esperado que nosso relacionamento fosse diferente. Tinha acreditado que eu podia ser emocionalmente honesto, mas por minha resposta no dia anterior podia ver que não havia esperança. Não havia esperança para mim, nem para nosso relacionamento, nem para ela. Tudo o que eu podia ver era "um erro de *timing*". Mas o defeito fatal permanecia, eu ainda acreditava que era culpa dela e não minha. Além disso, eu a tinha humilhado ao dizer que nunca desejava os abraços, que não gostava deles, que eram provocados pela carência dela e não tinham importância para mim. Isso simplesmente não era verdade. Ela disse que eu tinha calorosamente me envolvido com esses abraços. Ou se fosse verdade que eu odiava a carência de abraços dela, então estava sendo desonesto quando a abraçava. Consegui não corrigir defensivamente o modo como ela torcia as coisas nesse dia, mas apenas ecoei seu desespero e o modo como esse era o mesmo desespero que ela experimentara durante toda a vida com a desonestidade emocional de seus pais.

Antes, eu a tinha incentivado a levar suas preocupações a um supervisor que ambos conhecíamos. Levantei novamente essa possibilidade, dessa vez como uma sugestão de saída para seu desespero. Quase no fim da sessão, após um longo silêncio, lentamente lágrimas começaram a rolar por seu rosto. Ela conseguiu murmurar: "Traição, que traição horrível. Acreditar que alguém é emocionalmente honesto e depois descobrir que não". Enquanto ela saía, mencionei que estaria em casa todo o fim de semana, caso tivesse algo a me dizer.

Na segunda-feira, estava outra vez com asma. A traição era o tema. Ela reviu suas perturbações comigo. Pude corrigir o "erro de *timing*" de que ela tinha falado e afirmei que tinha estado fora de contato com ela ao manter-me num plano de abstração, seguindo temas de longo prazo quando ela estava querendo viver alguma felicidade concreta do momento. Isso pareceu melhor. Pude repetir minha crença de que estávamos experimentando ser pessoas diferentes, não que eu estivesse certo e fosse bom, e ela estivesse errada e fosse má. Estávamos lutando nisso juntos, não como adversários. Ela concordou, mas expressou que se sentia como se eu estivesse tentando livrar-me dela, dizendo-lhe para resolver isso com um supervisor, quando tinha de trabalhar isso comigo. Concordei que ela tinha de trabalhar isso comigo, mas indiquei que às vezes uma terceira pessoa pode ajudar a esclarecer as coisas.

Depois relatei a supervisão que tinha tido na semana anterior com relação a meu trabalho com ela. Disse-lhe que tinha entendido diversas coisas de forma mais completa. Ela ouviu de modo tranqüilo e atento, mas praticamente não respondeu no momento. Revisei o modo como tinha falado de meu dilema com ela. Disse que tinha comentado como, visto da perspectiva dela, meu dilema lhe parecia de um inimigo — e, finalmente, desesperador e desolado enquanto ela experimentava o horror da traição emocional. Demonstrei, batendo com as mãos nos braços da cadeira, como tinha me relacionado, como ficara bravo por ela continuar interpretando o que eu dizia como significando que tudo era culpa dela. Mostrei-lhe minha postura corporal congelada de bater nos braços da cadeira, que tinha sido percebida por minha supervisora. Citei a interpretação empática que minha supervisora deu à minha situação: "Mãe, eu a odeio por não estar disponível para mim, por não ouvir o que tenho a dizer, por interpretar mal o meu amor, por não estar presente quando preciso de uma resposta sua. Achei que você me entendesse e agora descobri que não". Nosso trabalho tinha causado uma tendência regressiva em mim que estimulara minha resposta à minha própria mãe organizadora.

Os olhos dela se abriram mais, porém continuou calada. Senti que tinha entendido o que eu estava contando sobre minha regressão em nossa situação, minha impotência e minha raiva; sobre como eu ficara frágil e magoado. Continuei a falar sobre minha supervisão. Reafirmei como tinha dito que aquilo que estava acontecendo entre nós era crucial. Eu estava seguindo as desconexões em um nível e ela em outro, e não nos estávamos encontrando — e como isso era frustrante para ambos. Mencionei que tinha falado que de algum modo sabia que ela estava fazendo exatamente a coisa certa ao ficar enfurecida comigo, mas que não conseguia entender bem a que isso se referia. Disse que estava sentado numa namoradeira quando a supervisora observou outra postura corporal congelada no exato momento em que eu estava expressando a maior agonia diante da minha situação com ela. Mostrei-lhe como tinha me inclinado para a frente e para o lado (assumindo uma posição fetal) com meu polegar direito aproximando-se de minha boca. Nossa sessão estava chegando ao fim. Ela fez algumas perguntas para se assegurar de que entendera o que eu estava dizendo sobre a regressão corporal oral e fetal que tinha experimentado. Expressei compaixão por nós dois com relação ao dilema em que nos encontrávamos, e à força necessária de ambos os lados para permitir que essa regressão profunda acontecesse na profundidade em que obviamente estava.

Várias horas mais tarde ela me deixou uma mensagem pedindo que eu lhe telefonasse, e a contatei no meio da tarde. Ela estava soluçando e mal conseguia murmurar, seus pulmões e sua garganta estavam insuportavelmente apertados e doendo. Todo o seu corpo doía. Ela disse que estava desabando e começou a soluçar incontrolavelmente. Disse que Marc estava com ela, e assim estaria bem, mas estava muito assustada e confusa. Um pensamento passava sem parar por sua mente, sobre o qual ainda não me tinha falado. Pelo que ela podia se lembrar, sempre que sua mãe estava brava, a mãe primeiro gritava, mas depois caía num silêncio retraído, frio e distante. Sua mãe literalmente não falava com ela dias seguidos. Nem sempre sabia com certeza o que havia feito para provocar o terrível silêncio em sua mãe, mas ele era gelado e cruel. Parecia-se com o que ela recebia de mim quando me retraía em silêncio. E depois ela disse: "Outra coisa sobre a qual não tenho certeza é sobre o que quebrava o silêncio frio. Mas parece que depois de uma semana algo acontecia, talvez nos cruzássemos em alguma parte da casa ou algo assim, nossos olhos se encontravam e eu desabava. Assim que isso ocorria, ela ficava bem novamente. Mas ela permanecia em silêncio até eu desabar. Era bem cruel. Como alguém podia fazer algo tão inacreditavelmente cruel com uma criança — conter-se até ela desabar. E eu desabava. Sempre fazia isso. Eu sempre era a primeira a quebrar o silêncio. Como se houvesse uma batalha para ver quem podia conter-se por mais tempo. E ela sempre vencia — até hoje ela vence, tenho de ser a primeira a falar".

Disse-lhe que achava que algo tinha acontecido quando eu tinha compartilhado com ela minha própria perturbação e impotência regredida. Ela concordou. Falamos sobre isso de diversos modos. Ela agora estava se acalmando, feliz pela conversa. Pareceu que quando pôde ver a minha dor, minha regressão, algo tinha se quebrado. Mas dessa vez não tinha sido ela. Quando lhe falei sobre minha regressão corporal em resposta a ela, soube que eu estava conectado com ela. Soube que eu tinha sentimentos, não era sua mãe de aço. Que não estávamos numa batalha terrível para descobrir quem era mais saudável. Respondeu: "Agora estou sentindo uma enorme necessidade de ser cuidada, de ser fisicamente cuidada, abraçada, acariciada, confortada. Como se tivesse acontecido um trauma horrível e eu precisasse de conforto". Sugeri que pedisse a Marc que a confortasse fisicamente nessa noite. Ela perguntou se poderia ligar-me na manhã seguinte.

Quando telefonou na manhã seguinte, disse-me que Marc a tinha abraçado a noite toda. Primeiro um lado de seu corpo e depois o outro tinham ficado frios e muito doloridos. Ele ficou feliz por estar junto dela, e ela lembrou que, apesar das diversas frustrações com ele, sempre que tinha precisado ele tinha estado presente. Comentei: "Ele se importa profundamente com você e tem a paciência de uma mãe que fica junto até que as coisas estejam bem de novo".

Esta não foi a primeira repetição de transferência traumática com essa mulher, nem a última enquanto trabalhamos com a transferência organizadora. Mas depois do fato foram ditas várias coisas interessantes. Ela almoçou com uma amiga íntima, contou toda a história de sua perturbação comigo e sentiu-se muito compreendida. Percebeu, pela primeira vez, que eu não precisava ser uma pessoa perfeita para ser seu analista. Expressou preocupação por ter feito com que me sentisse tão mal. Apressei-me em lhe dizer que eu estava bem, que minha regressão certamente tinha acontecido em relação a ela, mas era também uma parte de nosso trabalho juntos, do mesmo modo que meu relato. Ela disse: "Sei disso. Mas você sabe que todas as coisas que falei a seu respeito são verdadeiras". Respondi: "Essa foi a pior parte, você me conhecer bem demais". E ela disse: " Mas não sei por que as disse de um modo tão mesquinho. Preciso pensar a respeito disso". Respondi: "Você precisava se lembrar, e esse era o único modo. Sei que gostaríamos de imagens e de histórias fáceis de lembrar, que não fossem tão difíceis para nós. Seria maravilhoso se simplesmente pudéssemos concordar que você teve pais ruins. Seria fácil demais apenas confrontá-los com suas falhas, seus abusos, o trauma de tensão acumulativo que eles causaram. Mas esse tipo doloroso de memória que é de novo experimentada é mais difícil. Essa batalha cruel e abusiva que começou desde a primeira infância só pode ser lembrada como trauma, raiva, traição, confusão, medo, aperto na garganta e nos pulmões, frio e dor no corpo. As acusações vêm dos danos que eles lhe causaram por estar preocupados consigo mesmos".

Então falamos sobre como a mãe dela devia ter sido frágil para sentir-se tão ameaçada pelas demandas de relacionamento de um bebê. Ela sempre pensara na mãe como fria, calculista, forte e cruel. Súbito, entendeu que não era assim — que sua mãe estava agarrando-se desesperadamente à sua própria sanidade. "Ela só podia agarrar-se à vida falsa que ele [pai] lhe oferecia. Ela podia se esconder de um modo seguro na vida falsa com ele. Se tivesse havido uma escolha, se fosse ele ou eu, a resposta teria sido "mate o bebê".

Na semana seguinte as sessões dela foram tranqüilas, sua respiração era calma e compassada, e por várias vezes ela cochilou no divã — quase adormecida, pensando, sonhando, desfrutando silenciosamente estar comigo sem precisar me entreter — sabendo que eu estava apreciando sua paz e serenidade. Tive a fantasia de ser um pai perdido num devaneio atemporal numa cadeira de balanço com um recém-nascido.

A definição da ilusão

Na segunda-feira seguinte havia novamente uma raiva desesperada. Não havia sentido em continuar sua análise. Ela sabia agora que não podia confiar emocionalmente em mim, que sou fundamentalmente psicótico, como seus pais, e nunca poderei lhe dar o ambiente de que ela precisa para continuar sua análise. "Você simplesmente me deixaria ir!" Isso queria dizer que não me importo com o que lhe aconteça, que apenas a deixaria ir com toda sua dor e desilusão. Assegurei-lhe que não podia impedi-la de "ir". Mas que essa seria uma horrível perda para ambos, por mais desanimada que ela se sintisse diante de mim no momento. Talvez ajudasse se ela falasse sobre os problemas em relação a mim com o supervisor, o que em diversas ocasiões pedi que ela visse.

Na terça-feira, sem dizer uma palavra, ela virou de costas para mim a grande poltrona em que costumava se sentar e me deu as costas silenciosamente durante toda a sessão. Não tinha como saber se ela estava sentindo raiva ou desespero.

Na quarta-feira, falou novamente sobre a inutilidade de continuar comigo, a desesperança de tudo. Como sou psicótico e como ela está desiludida. Esforcei-me por ficar com ela no horror de sentir que não existe ninguém em quem confiar e lugar nenhum aonde ir. Tive a oportunidade de expor em linhas gerais algumas idéias de Tustin e Klein. Parecia que ela tinha esperado que eu fosse capaz de restaurar o estado intra-uterino de unidade com o corpo de sua mãe. Repetidamente, quando ela esbarra nos limites, meus ou de outras pessoas, é dolorosamente relembrada de que o paraíso não pode ser recuperado, que o corpo materno foi perdido para sempre. Conversamos sobre as dimensões mais amplas de como um bebê pode ser levado lentamente a perceber que o corpo da mãe é separado do seu e que o bebê não irá morrer, que a confiança básica é possível mesmo num mundo imperfeito e defeituoso. No caso dela, parece claro que foi obrigada, de modo abrupto e cruel, a perceber que os aspectos necessários e amados de seu mundo não estavam sob seu controle e que ela tem se enraivecido e sofrido desde então. Ela disse que tinha de se agarrar a esta raiva e não sabia por que não podia entregar-se. Sustentei-a nisso, dizendo que não deveria entregar-se, que ela devia ficar com sua intuição. Mas pela primeira vez fiquei um pouco preocupado com a possibilidade de ela realmente tentar interromper o trabalho comigo.

Na quinta-feira, ela anunciou que estava louca de raiva. Parecia mais confusa que raivosa. Declarou que essa situação é insuportavelmente dolorosa e confusa — que ela não pode funcionar, e não sabe como passar pelo fim de semana em tal estado. Depois expressou a angústia mais profunda que eu já a ouvira mencionar, sem a menor sombra de energia manipuladora para me menosprezar ou fazer com que a resgatasse. "Não posso confiar em você porque você é psicótico e vai me machucar emocionalmente. Mas se eu deixá-lo, morrerei." Houve um curto silêncio enquanto sentíamos o impacto de suas poderosas palavras. A verdade tinha afinal sido dita, e reconhecemos imediatamente a definição central da situação emocional que ela tinha vivido desde a primeira infância. Conversamos sobre isso e sobre como essa definição de sua ilusão fundamental é importante. Era como se um enorme abscesso finalmente tivesse se rompido, e ela fosse inundada pelo alívio. Combinei de lhe telefonar uma vez por dia no fim de semana. Ela relacionou rápida e espontaneamente esse dilema central com o encontro de negócios bem-sucedido, que acontecera vários meses antes e marcara o início desta longa experiência regressiva. Viu como tinha imediatamente duvidado da sinceridade, do calor e da boa vontade de seus amigos e colegas quando estes se conectaram com ela. Lembrou-se de uma série de outras situações que podiam ser vistas sob a luz dessa nova pedra de Rosetta. Era como se uma chave para entender tudo em sua vida finalmente tivesse sido descoberta. Disse: "Você ficava falando sobre conexão e desconexão, e suponho que seja assim, mas quando coloco isso em minhas próprias palavras, de repente faz mais sentido para mim".

Enfatizei a importância de ela finalmente ter sido capaz de afirmar o vínculo que tem comigo: que sou louco e posso feri-la, mas que ela não pode seguir sem mim. Acrescentei que pelo menos desta segunda vez eu possa não ser tão louco como sua primeira mãe! Ela sorriu. Lembrou-se de alguns anos antes, quando participou de um seminário de fim de semana sobre "regressão ao nascimento". Tinha voltado ao útero, na fantasia. Teve uma imagem de si mesma como um "ovo cozido". Todos os outros ovos estavam pulando animadamente para cima e para baixo, e ela estava cozida. Interpretei que essa tinha sido uma imagem de sua vida psíquica, com o protoplasma endurecido desde o início impedindo qualquer crescimento emocional. Ela disse: "Isso começou antes da concepção. Minha mãe não queria que eu me desenvolvesse. Aconteceu antes mesmo de meu pai surgir". Alguma tensão profunda tinha sido aliviada, e agora estava disponível um modo de repensar e reexperimentar tudo.

Ela relacionou espontaneamente essa nova descoberta a uma série de situações perturbadoras que lhe causaram muita confusão e dor. Agora podia ver que tais situações estavam ligadas a evitar o contato, ao experienciar os outros como indignos de confiança ou até mesmo ao usar partes fechadas ou defendidas das personalidades das outras pessoas e obrigá-las a fazer coisas que provassem que ela não podia confiar nelas nem se relacionar com elas. Acrescentou ao sair: "E realmente não existe ninguém em quem eu possa confiar". Eu disse: "Não do modo como você sempre desejou — eles são loucos e podem feri-la. Mas o problema é que, mesmo que você não possa confiar totalmente em ninguém, ainda precisa das pessoas para se relacionar e se sentir viva".

7

O Processo Curativo para Terapeutas:
Alguns Princípios de Cura e
de Auto-Recuperação

Robert Hilton

No Capítulo 3 abordei o papel do terapeuta como parte da auto-organização do terapeuta. Também falei sobre como é importante que esse papel seja desafiado, tanto para o cliente quanto para o próprio terapeuta, que tende a responder defensivamente quando esse papel é desafiado, pois ele faz parte da sua auto-organização. A defesa do terapeuta pode tomar a forma de afastamento, confrontação ou aproximação diante do cliente. Para que o profissional possa responder de modo diferente, precisa encontrar outro processo de cura de suas feridas narcisísticas, além do papel de ser um terapeuta.

Como qualquer outra pessoa, o terapeuta espera inconscientemente que seu papel defensivo como profissional funcione e rompa-se ou fracasse de modo que ele seja liberado do papel e possa reencontrar sua auto-expressão verdadeira. D. W. Winnicott, em seu artigo "Fear of breakdown", escrito em 1974, nos lembra de que todos tivemos "colapsos" quando éramos crianças e estes produziram estados de ser insustentáveis. O que tememos que aconteça hoje em nossas vidas já aconteceu no passado. Ele também nos lembra de que somos inexoravelmente atraídos pelo que tememos. Buscamos inconscientemente viver um colapso em nossa vida atual, de modo diferente do que vivemos como crianças, e assim integrar aquela parte perdida de nosso eu que foi sacrificada a serviço de nossas defesas. Isso também é verdadeiro no que diz respeito ao terapeuta e a seu papel. Entretanto, se esse colapso e essa recuperação não acontecerem em sua própria análise, o terapeuta não estará equipado para ajudar seu cliente a encarar o mesmo processo no relacionamento terapêutico, mas, em vez disso, irá responder defensivamente e assim retraumatizar o cliente ou abrir a possibilidade de ele mesmo ser retraumatizado. Gostaria de discutir como esse colapso e esse processo de cura acontecem para muitos terapeutas com quem trabalhei essa questão. Alice Miller (1981) resume este processo:

> Acredito então que nosso destino não é menos importante que nosso talento em nos capacitar a exercer a profissão de psicanalista, depois de ter tido a possibilidade, por meio de nossa análise didática, de viver com a realidade de nosso passado e de abandonar a mais óbvia de nossas ilusões. Isso significa tolerar o conhecimento de que, para evitar perder o amor do objeto (o amor do primeiro objeto), fomos obrigados a gratificar as necessidades inconscientes de nossos pais ao preço de nossa própria auto-realização. Isso também significa ser capaz de experimentar a rebelião e o luto evocados pelo fato de que nossos pais não estavam disponíveis para satisfazer nossas necessidades narcisísticas primárias. Se nunca vivemos esse desespero e a raiva narcisística resultante, e portanto nunca fomos capazes de elaborá-la, podemos correr o risco de transferir sobre nossos pacientes essa situação que permaneceu inconsciente. Não seria de surpreender se nossa raiva inconsciente não encontrasse um modo melhor do que usar uma pessoa mais fraca e a colocasse no lugar do pai indisponível. Isso pode ser feito mais facilmente com os próprios filhos, ou com pacientes, que às vezes são tão dependentes de seus analistas quanto as crianças são de seus pais. [pp. 22-3]

Miller está dizendo que nós, como psicoterapeutas, ou elaboramos em nossa própria análise o modo como nossas necessidades não foram satisfeitas no passado, ou usaremos nosso papel de psicoterapeuta para atuar nossa raiva inconsciente sobre nossos clientes no presente. Ela sugere que existem certas coisas que, como psicoterapeutas, precisamos *reconhecer* sobre nós mesmos e algumas *experiências* que precisamos ter para poder realizar nossa própria cura e minimizar o processo de atuação. Quais são essas coisas?

A primeira delas que precisa ser reconhecida é que tivemos e ainda temos necessidades narcisísticas. A psicologia do eu nos lembra de que todos temos necessidades narcisísticas que são necessidades atuais do eu, não apenas necessidades arcaicas que ficaram de nossa infância. Se negarmos isso, estaremos negando a base de nossa frustração com o cliente e dele conosco. Não estaremos lidando com a realidade. Também devemos reconhecer que nossas necessidades narcísticas não foram satisfeitas pelas pessoas que cuidaram de nós quando éramos bebês. Queremos dizer que eles fizeram o melhor que podiam ou que realmente não foi tão ruim ou qualquer outra coisa que nos ajude a não ficar com o quanto éramos dependentes e quanto nos sentíamos negligenciados. O fato de reconhecer que de fato tínhamos necessidades e elas não foram satisfeitas nos faz aceitar nossa vulnerabilidade e impotência. Precisamos reconhecer como essas necessidades eram importantes para nós e como é impossível substituir o que foi perdido. Nenhuma quantidade de sucesso ou de amor no presente anula o fato de que precisávamos e perdemos a luta para fazer com que nossas necessidades fossem satisfeitas. É muito importante que um terapeuta reconheça isso porque tem ramificações no modo como ele lida com os desapontamentos de seus próprios clientes quanto a seu papel como terapeuta. Não podemos reconhecer que tínhamos necessidades e elas não foram satisfeitas e continuar mantendo a ilusão de onipotência. Entretanto, há muitos anos, trabalhei com um psiquiatra que mantinha a crença de que era como Moisés. E, na verdade, ele se parecia com Moisés e tentava chamar a atenção das pessoas com suas ilusões de poder. Certo dia, durante uma sessão em meu consultório, fiz um exercício simples com ele: pedi que se dobrasse para a frente, dobrasse os joelhos e tocasse o chão com a ponta dos dedos. Em poucos minutos as pernas dele começaram a tremer com a tensão. Então, pedi-lhe que se levantasse e experimentasse o tremor de suas pernas. Perguntei-lhe como juntava sua imagem de Moisés e o tremor em suas pernas. Ele pareceu surpreso por um momento e depois endireitou ainda mais suas costas e levantou o queixo, dizendo: "É preciso ser uma pessoa muito especial para ser Deus com as pernas trêmulas!". Então, se você quiser negar que tinha necessidades e perdeu, acho que consegue. Mas o preço que paga é viver na realidade sem conhecer a si mesmo e a seu mundo.

A seguir, precisamos entender que o princípio organizador por trás de nosso papel como psicoterapeuta era o medo de perder o amor da primeira pessoa que cuidou de nós. A possibilidade de perdê-lo era impensável e insustentável. Um bebê não pode lamentar a perda de seu objeto primário de amor. Ela precisa ser negada, e tem de ser criada alguma forma de adaptação para evitar o terror da perda. É uma das coisas que acontecem com uma criança e ela não pode experimentar. Perder o amor do primeiro objeto é perder a pessoa da qual depende sua auto-organização. Se isso não estiver disponível, então outro princípio organizador precisa entrar em jogo, isto é, a organização precisa acontecer ao redor das necessidades do objeto e não de sua própria auto-expressão. O papel de terapeuta é simplesmente esse princípio. Quando a pessoa que éramos não podia ser espelhada por aquelas que cuidavam de nós, nos tornávamos especialistas em espelhar a eles e a suas necessidades. Isso pelo menos nos dava o *feedback* de que existíamos e nos ajudou a evitar nosso próprio terror do abandono ou da despersonalização.

Recentemente, eu estava trabalhando com um casal em meu consultório. A mulher estava confrontando o homem a respeito da imagem que ele estava retratando em vez de quem ela o via ser. Ele respondeu que, se ele não fosse quem pensava ser, então ao olhar no espelho não veria uma imagem ou uma pessoa. Pedi-lhe que se virasse e olhasse diretamente em meus olhos. Depois pedi que segurasse minha mão, fechasse seus olhos e tentasse conectar-se com qualquer sentimento que tivesse com relação ao contato comigo. Eu estivera trabalhando com esse homem, em sessões individuais, por mais de um ano. Quando ele pôde contatar um sentimento referente a eu estar segurando sua mão, pedi-lhe que olhasse para mim para verificar que na verdade eu estava lá com ele e podia responder a seu sentimento. Lentamente, ele começou a sentir sua presença na sala como um ser vivo agora, e não como uma imagem em sua cabeça, e percebeu que mesmo que a imagem fosse destruída ele existiria. Isso foi especialmente relevante para ele, pois tivera uma mãe muito narcisística que era incapaz de espelhá-lo, mas exigia que ele a espelhasse.

Aqui estamos lidando com os rudimentos mais básicos da organização de um eu separado. Quando o espelhar básico não está presente para a criança, ela aprende a estar disponível para as necessidades do outro. Isso se transforma na base do papel de psicoterapeuta. Como mencionei, uma vez que esse papel auto-organizador esteja estabelecido, nós o mantemos por toda a vida, mas inconscientemente buscamos um modo de fracassar neste papel a fim de recuperar nossa auto-realização original perdida. A menos que o exposto seja reconhecido pelo terapeuta, ele será incapaz de abandonar seu papel quando for desafiado e, em vez disso, atuará defensivamente com o cliente como se seu senso de eu estivesse sendo ameaçado, e de certo modo está.

Dissemos que existem algumas coisas que o terapeuta precisa *reconhecer*, isto é, que ele tem necessidades narcisísticas que não foram satisfeitas por seus pais e que para evitar a perda do amor deles ele assumiu o papel de ser o que cuida e abandonou a si mesmo. Agora precisamos examinar o que o terapeuta precisa *experimentar* para não repetir com seus clientes o que foi feito com ele. A primeira coisa que precisamos experimentar, para recuperar nosso verdadeiro eu e não atuar sobre nossos clientes, é encarar a perda da ilusão. O que isso significa? Significa não sermos mais ingênuos a respeito do que aconteceu conosco enquanto éramos crianças. Significa *experimentar*, e não somente reconhecer, que na verdade não escapamos sem ferimentos. Que, como terapeutas, somos o curador ferido. Ninguém escapa da infância sem ferimentos. O oposto da ilusão é o desespero. Nós agarramos a nossas ilusões para evitar nosso desespero. Tememos que se abrirmos mão de nossas ilusões não teremos nada e seremos nada. Esse desespero precisa ser vivenciado num relacionamento terapêutico.

A experiência de rebelião também é necessária — rebelião contra a perda do objeto de amor, rebelião contra ter de abandonar nossa auto-realização e assumir um papel de ser a pessoa que cuida, rebelião contra a inadequação das pessoas que cuidavam de nós e nos forçaram a esta concessão. Acredito que em algum momento todos nós nos rebelamos. O problema foi que as conseqüências da rebelião foram grandes demais para sustentar nossa auto-expressão. O resultado de nossa rebelião e de dizer não às expectativas dos outros foi ser abusado, abandonado. As pessoas que cuidavam de nós não podiam tolerar essa expressão ativa de nossas vidas e sentiam-se ameaçadas por ela. Assumir o papel de ser quem cuida foi um modo de nos juntarmos a elas e esmagar nossa própria rebelião. É por isso que não confio num terapeuta que não se rebelou contra o papel que impôs a si mesmo. Se não se rebelou em sua própria terapia, então quando o cliente frustrar seu papel e se rebelar o terapeuta irá responder a essa auto-expressão do cliente do mesmo modo como seus pais responderam a ele quando ele se rebelou.

Junto com a rebelião, o terapeuta também precisa ter sentido a raiva narcisística. Rebelar-se é assumir uma posição sobre e contra a imposição do outro, mas a fúria narcisística é uma resposta organísmica à perda do que o nutria. Nosso direito de nascença, essa nutrição, foi retirado de nós. A punição psíquica para a experiência dessa fúria é a vergonha. É avassalador desejar tão desesperadamente amar o outro e sentir a fúria que acompanha o desapontamento. Para sentir a fúria narcisística, precisamos primeiro experimentar como o amor do outro é essencial para nosso próprio senso de eu. Saber disso e ver que o outro não reconhece nosso desespero, nem sente o mesmo com relação a nós, é experimentar a vergonha por precisar de tanto. Tentamos superá-la, procurando estar presente para as necessidades dos outros e, dessa forma, ser valorizados e queridos. A *experiência* mais importante que precisamos ter neste processo de cura é *lamentar* nossas perdas. Talvez isto seja o mais difícil. Lembro-me, em minha própria terapia, de começar a chorar minhas perdas como criança e então de repente segurar as lágrimas. A terapeuta me perguntou por que eu tinha parado, e respondi: "Não vou deixar que os bastardos vençam". É claro que na verdade eles venceram há muito tempo. Preciso ser capaz de lamentar isso para deixar de organizar meu senso de eu em torno da negação dessa perda. Mas isso significa aceitar minha perda para sempre. Isso pode ser devastador. Mas se eu não tiver encarado isto em minha própria terapia, não serei capaz de abandonar este papel com meus clientes. Também serei incapaz de ajudá-los a abandonar os papéis autodestrutivos que criaram para evitar a experiência de suas perdas.

Em resumo, precisamos experimentar a perda da ilusão com relação a nossos traumas de infância, apropriar-nos da profundidade de nossa rebelião e fúria narcisística, e permitir-nos sentir o luto e o desespero que acompanham essa consciência. Só então começaremos a nos liberar da auto-organização investida no papel de terapeuta e do que cuida e mais uma vez descobriremos nossa auto-organização em torno de nossas auto-expressões essenciais. Então começaremos a estar suficientemente livres para ajudar nossos clientes nesta mesma jornada. Ou elaboramos nosso passado em nossa própria terapia, ou nos arriscamos a atuar este drama com nossos clientes. Até que comecemos este processo, nós e nossos clientes estamos em perigo.

Rompimentos de relacionamento que levam a queixas

Gostaria de discutir agora como os princípios de cura e de autorecuperação são realizados pelos terapeutas que não elaboraram este processo em sua própria terapia e, conseqüentemente, o atuam com seus clientes. Nesses casos, o terapeuta é obrigado a encarar essas questões em meio ao rompimento do relacionamento com o cliente. Esse rompimento com freqüência leva a violações éticas e a processos legais. O que o profissional não conseguiu encarar em sua própria terapia pela transferência com seu terapeuta agora precisa encarar com o cliente. É claro que este não está em posição de funcionar como terapeuta para seu terapeuta. Este chega até mim para enfrentar as questões que foram evocadas por causa da retraumatização: do terapeuta, do cliente ou de ambos.

Uma situação comum ocorre quando um cliente apresenta uma queixa ao conselho de exercício profissional do terapeuta quanto a uma violação ética. A vida do terapeuta desmorona. É difícil imaginar o caos que se segue a essas acusações, sejam elas verdadeiras ou falsas. O terapeuta está correndo o risco de perder sua licença profissional, seu modo de ganhar a vida, sua reputação, sua família, seus amigos e colegas, além de encarar uma grande crise financeira. O estresse muitas vezes é internalizado em sintomas somáticos de pânico, ansiedade, insônia e idéias suicidas. Como em qualquer situação traumática, o terapeuta começa a ficar obcecado com o caso. O que ele podia ter feito diferente, o que ele fez e o que não fez. O caos não é diferente do ocorrido em sua infância. Ele usa sua terapia pessoal alternativamente como um confessionário e uma tentativa de justificar seu comportamento. Se passar por esse caos de modo diferente de quando era criança, será afinal forçado a reconhecer algo sobre si mesmo que tinha medo de realmente conhecer e trazer à consciência. Uma parte não integrada da personalidade do terapeuta está vindo à tona da consciência do terapeuta. Aquilo de que ele está sendo acusado pelo cliente é uma parte do caráter do terapeuta que ele teve de reprimir para poder manter seu papel de sobrevivência como terapeuta. Normalmente é acusado de alguma forma de auto-expressão que era inadequada para seu papel como terapeuta e chocou o cliente. Essa expressão é sempre oposta à imagem que o terapeuta costuma apresentar. Ele é acusado de ser narcisista, frio, indiferente, sexualmente inadequado, sedutor, manipulador, explorador, e assim por diante. O lado sombrio do terapeuta é exposto: a parte não integrada em sua psique. O lado negativo dessa exposição é que ela ocorreu de forma inadequada com um cliente que foi retraumatizado por ela. O lado positivo é que inconscientemente o terapeuta está buscando expressar essa parte inaceitável de si mesmo para liberar-se do papel limitador de ser um terapeuta. Esta parte inaceitável de que é acusado na verdade é a parte do pai que o terapeuta odiava e jurou que nunca seria igual. Sem dúvida, isso torna muito difícil aceitá-la e integrá-la.

Como seu terapeuta, tento ajudá-lo a expressar diretamente o que estava sendo expresso indiretamente por meio de seu papel com o cliente. O terapeuta ficou bastante tempo preso a suas próprias necessidades não satisfeitas. Por um lado, no relacionamento de transferência o cliente muitas vezes oferece amor, sexualidade, compreensão, apoio ou alguma outra forma de contato que o terapeuta tinha desistido de receber das pessoas que cuidavam dele quando criança e estava tentando receber por meio de seu papel como terapeuta. Por outro, o cliente se ressente de ter de oferecer isso a quem cuida dele, para poder se sentir amado ou seguro. O terapeuta, cego a suas próprias necessidades, em vez de trabalhar com o cliente no relacionamento de transferência, começa a aceitar esses presentes por seu valor aparente, como se lhe pertencessem. O que ele teve de deixar de lado para ser um terapeuta agora está sendo oferecido pelo cliente. Figurativamente, o cliente está oferecendo ao terapeuta um seio em que se alimentar. E, em casos isolados, isso é literalmente verdade. O terapeuta está bastante vulnerável a essa oferta, pois ele não confrontou de forma adequada essa necessidade e essa perda em sua própria terapia e, portanto, é incapaz de pedir diretamente a sua esposa ou namorada que lhe dê essa nutrição. Sente muita vergonha por necessitar dessa forma de aceitação e nutrição, e assim não consegue pedi-la diretamente. Em vez disso, o papel de terapeuta, onde ele dirige o relacionamento, lhe dá uma falsa segurança que parece tornar seguro aceitar o que é oferecido. Além disso, ele ainda acredita que essa nutrição está disponível em alguma forma ideal, pois em sua terapia pessoal não encarou sua fúria narcisística nem a subseqüente perda da ilusão. E é claro que sua esposa ou seus amigos não podem lhe dar tal nutrição.

Como seu terapeuta, faço com que ele peça diretamente o que estava indiretamente recebendo do cliente por meio de seu papel de terapeuta. Isso é feito em meu consultório, e não com o cliente. Posso pedir que o terapeuta diga com voz inocente: "Eu só queria que você gostasse de mim" ou "Eu achava que você me amava". Quando ele diz isso, posso-lhe pedir que imagine mentalmente o cliente e estenda os braços na direção dele. Ao dar expressão física e verbal ao que estava sendo expresso indiretamente em seu comportamento, ele contata a inadequação de sua ação e confronta sentimentos profundos de vergonha e vulnerabilidade. Começa a perceber que esta era a necessidade da qual teve de desistir enquanto criança, quando decidiu cuidar de seus pais e finalmente tornar-se um terapeuta. Agora preciso ajudá-lo a ver que é correto ter esse anseio como uma necessidade humana básica e inadequado usar seu cliente para satisfazer indiretamente essa necessidade narcisística por meio do uso do papel de terapeuta. Isto é verdade não só quanto às necessidades de amor e de nutrição, mas também com relação à sexualidade, agressão, raiva, ao medo ou a qualquer outra expressão central e profunda de sua personalidade que tenha sido sacrificada em favor das necessidades ou inadequações paternas. Preciso ajudá-lo a sustentar seu direito de ter essas necessidades satisfeitas pelas primeiras pessoas que cuidavam dele, e depois levá-lo a vivenciar as diversas situações mencionadas, isto é, fúria, rebelião, desengano, desespero e luto que acompanham essa perda mas que até agora tinham permanecido inconscientes. Sua inocência foi abalada quando ele era criança. Entretanto, por ser incapaz de aceitar e lamentar essa perda, ele usou seu papel como terapeuta para atuar sua raiva e suas necessidades reprimidas sobre o cliente e o retraumatizou do mesmo modo como foi traumatizado.

Quando ele enxerga e aceita isto, passamos a outro estágio no processo de cura.

Quando o terapeuta era criança, não sabia lidar com as necessidades dos pais. Sentia-se oprimido e inadequado. Entretanto, a menos que tentasse satisfazer essas necessidades impossíveis, seria deixado sozinho e impotente. Do mesmo modo, o terapeuta com problemas precisa aceitar que a necessidade do cliente foi demasiada para ele, que se assustou com ela e ficou com raiva pela necessidade do cliente em expor a inadequação dele. Tudo isso era inconsciente. Entretanto, em vez de conseguir reconhecer sua inadequação, ele ativou seu papel de pessoa que cuida, como fez quando criança, e tentou proporcionar ao cliente o que sentia que ele precisava. Obviamente, era disso que ele precisava. Portanto, um dos estágios mais difíceis do processo de cura para o terapeuta é admitir e aceitar que, qualquer que fosse a situação com o cliente que o colocou em dificuldades, ela era demais para ele. Ele tem de aceitar que falhou. Fracassou em entender, em proporcionar aquilo de que o cliente precisava, ou em permitir que o cliente fosse ele mesmo. A aceitação do fracasso por parte do terapeuta significa que ele está aceitando que não pode mais se agarrar à ilusão de que consegue curar a si mesmo por meio do cliente. Seu papel como terapeuta é limitado e ele também o é. Quando o terapeuta imagina que está dizendo ao cliente: "Você é demais para mim", está experimentando sua inadequação com a primeira pessoa que cuidava dele, e isso o leva de volta aos sentimentos de vergonha e humilhação. Entretanto, qualquer terapeuta que não consiga aceitar que todos os clientes serão demais para ele corre o risco de atuar sobre esse cliente sua raiva inconsciente. O relacionamento de cura para o cliente está no modo como o terapeuta responde à sua própria impotência, pois o cliente também se sente impotente do mesmo modo e pelas mesmas razões.

Uma vez que o terapeuta seja capaz de admitir o fracasso e tudo o que isso significa, a questão passa a ser se ele será capaz de se permitir contatar comigo a partir dessa posição. Às vezes uso uma técnica para testar isso. Peço ao terapeuta que se encoste numa porta e depois escorregue lentamente, até ficar sentado mais ou menos a 90 cm do chão, com os pés voltados para a frente. É como se estivesse sentado numa cadeira imaginária. Este é um antigo exercício de esqui chamado "sentar na parede". Em pouco tempo, os músculos de seus

190

pernas começam a queimar com o estresse, e se ele ficar por tempo suficiente as pernas começarão a tremer. Enquanto está nessa situação vulnerável, desvantajosa, peço-lhe que respire fundo com o estresse e diga frases como "Eu não posso mais", "Desisto", "Não sei o que fazer", "Sinto muito por ter falhado com você". Finalmente ele tem de se render à gravidade e escorregar pela porta até sentar no chão. Alguns terapeutas lutam muito para não desistir; parece-se demais com um fracasso. Entretanto, quando ele afinal consegue fazê-lo, e enquanto está sentado no chão reconhecendo o fracasso, ofereço-lhe minha mão e espero para ver se a segura. Ele se sente sozinho, inadequado, um fracassado. Finalmente consegue aceitar isso. Mas ele pode segurar minha mão e aceitar minha ajuda enquanto está nessa posição de fracasso. Para muitas pessoas isso é impossível. Elas sentem vergonha por ter fracassado e acham que não merecem ajuda. Não podem ser perdoadas. Minha mão estendida essencialmente está dizendo-lhe: "Sou um ser humano e você é um ser humano, e você reconheceu o fracasso; estou estendendo minha mão como um sinal de aceitação do fato de que você é uma pessoa que merece viver". Isto é o que o cliente ansiava por ouvir do pai. E a ausência disso — ou talvez eu devesse dizer a defesa contra vir a precisar disto novamente — é o que iniciou seus problemas. Ele buscou aos clientes impotentes, mas usou-os para suas próprias necessidades porque tinha de negar seu direito a ter essas necessidades satisfeitas para evitar a perda do amor das pessoas que cuidavam dele. Se for capaz de aceitar minha mão, cairá em profunda tristeza e dor pelo que perdeu e que agora obrigou seu cliente a encarar sozinho, sem ele. Se ele conseguir continuar em seu contato comigo, ele também começará a experimentar aquilo de que temos falado, ou seja, a fúria e o desespero com que tem vivido por anos, os quais pensou que poderia curar ao se tornar um terapeuta. Muitas vezes o terapeuta, neste ponto, sente profundamente pelo cliente que traiu e pode dizer: "Eu realmente desejava o melhor para ele" ou "Eu estava realmente assustado, mas não queria magoá-lo. Fiz uma coisa errada, mas eu também me importava de fato. Eu precisava receber aceitação mesmo que seja inadequado e tenha agido mal".

Lembro-me de um programa de televisão que vi há alguns anos que mostrava militares que haviam sido capturados e feitos prisioneiros de guerra. Esses homens tinham servido na Segunda Guerra, na Coréia e no Vietnã. Levavam-nos de volta ao lugar onde tinham sido aprisionados e falavam das condições sob as quais tinham vivido. Um piloto da Marinha falou sobre ser abatido e capturado no Vietnã. Disse que sabia que como prisioneiro de guerra deveria dizer apenas seu nome, posto e número de série, mas não estava preparado para as torturas que o aguardavam. Disse que depois de intermináveis dias de torturas extremamente dolorosas, que descreveu vividamente, ele afinal tinha sucumbido e contado ao inimigo tudo o que este desejava saber. Após essa experiência, eles o colocaram na solitária de modo que não pudesse contatar nenhum dos outros prisioneiros. Estava tão envergonhado por ter traído a si mesmo e a seu país que sabia que nunca poderia voltar a seus homens ou a sua família. Nesse desespero, só conseguia pensar em se matar. Enquanto estava nesse estado de espírito, outro prisioneiro conseguiu passar-lhe um pedacinho de papel em que estava rabiscado: "Fique firme, todos sucumbimos". Isso lhe deu a esperança de que precisava para tentar conectar-se novamente com seus homens e juntos começaram a planejar sua fuga.

Tornamo-nos psicoterapeutas porque sucumbimos e pensamos que esse fosse um modo de encontrar a cura. Tentamos curar nossas famílias, nossa sociedade, os outros e a nós mesmos. De muitos modos, fizemos um bom trabalho. Entretanto, tivemos de pagar um preço muito alto por nossa jornada. O preço foi nossa auto-realização, a concretização de nosso próprio ser, a integração do corpo e da mente. Nossos clientes desafiam nossos papéis e nos dão a oportunidade de mais uma vez recuperar nossa verdadeira expressão, assim como tentamos ajudá-los a encontrar a sua. Essa recuperação significa passar por toda a dor e os desenganos do passado que achamos que poderíamos evitar aos nos tornar psicoterapeutas. Precisamos lembrar que todos fomos derrotados. Precisamos compartilhar uns com os outros esta importante jornada. É essencial que o terapeuta em perigo compartilhe sua dor e seu desengano comigo, seu terapeuta, e permita-me aceitá-lo em seu fracasso. Pois também sei o que é estar derrotado. Ele também precisa compartilhar isso com seus colegas, e assim formar um grupo de apoio para si mesmo, que o ajude nos momentos difíceis com seus clientes. Muitas vezes, digo a meus alunos e supervisionandos: "Seus clientes e seus filhos irão curá-lo se você lhes der uma chance".

Parte **11**

Toque, Sexualidade, Relacionamentos Duais e Contratransferência

8

O Toque na Psicoterapia

Robert Hilton

Alguns pioneiros do toque

Há vários anos fui convidado pela Academia Americana de Psicoterapeutas a participar de sua reunião anual, fazendo parte de um painel que discutiria o tema "Tocar ou não tocar em psicoterapia". Um psicanalista tradicional participava do painel, representando a posição "não tocar", enquanto eu havia sido escolhido para representar o "tocar". Havia também dois outros membros que representavam outros pontos de vista. Fazer parte desse painel obrigou-me a examinar as razões pelas quais toco, como toco, e os diversos significados associados ao toque na psicoterapia, incluindo as implicações da transferência e da contratransferência. Tive de pensar sobre o toque na psicoterapia em geral, mas também em particular, e tomei consciência de seus efeitos para minha especialidade em análise bioenergética. Para chegar à minha posição atual, precisei repensar minha história pessoal e rever o que significa para mim ser tocado na psicoterapia. Gostaria de rever brevemente essa história e extrair dela alguns princípios que se aplicam a este tema.

Em 1965, obtive meu Ph.D. em aconselhamento, minha licença como conselheiro para casamento, família e criança, e era professor num seminário teológico no qual ensinava aconselhamento pastoral. Tinha estudado terapia rogeriana centrada no cliente enquanto estudava teologia. Na graduação, além de conhecer todas as diversas escolas de pensamento, fui especialmente atraído por Eric Berne e pela análise transacional. Li seus livros, assisti a seus seminários e comecei a fazer terapia individual e de casal com dois analistas transacionais diferentes. Também li sobre a terapia *gestalt* e sobre seu fundador Fritz Perls, o principal guru no Instituto Esalen, que era um centro de desenvolvimento muito progressista e humanista, situado em Big Sur, Califórnia.

Nesse mesmo ano, que era o coração do movimento humanista em psicoterapia e um momento de experimentação e revolução neste campo, decidi ir a um *workshop* de uma semana sobre *gestalt*, em Esalen.

Toda a atmosfera daquela época em Esalen era de despertar sensorial. O próprio instituto estava localizado nos belos rochedos de Big Sur, à beira-mar. Piscinas naturais de água sulforosa quente tinham sido transformadas em banhos coletivos para os participantes de ambos os sexos. É desnecessário dizer que as roupas eram totalmente opcionais. Um dos líderes daquela época era Bernie Gunther, que estava escrevendo seu livro *Sense relaxation: below your mind*. Ele conduzia seminários de conscientização sensorial nos quais o contato físico sob variadas formas era a essência de seu trabalho. Além disso, Esalen era conhecido por promover e ensinar a massagem sensual de Esalen. E nos grupos de *gestalt* terapia os participantes não eram apenas incentivados a expressar as diversas emoções que surgissem na terapia, mas também a confrontar e a abraçar abertamente os vários membros do grupo. Esses eram os primeiros dias do movimento dos grupos de encontro.

Bem, você pode imaginar o que poderia acontecer comigo. Aqui estava eu, um professor de um seminário batista, inundado por estímulos sensuais e físicos, e recebendo não só permissão para me envolver com isso e desfrutá-lo, mas aprendendo que o caminho para a verdadeira saúde psicológica seria encontrado com o rompimento das defesas rígidas que eu construíra e com a participação livre em meu corpo e sentimentos. Ou, como costumava dizer Fritz Perls: "Perca sua mente e chegue a seus sentidos".

Entretanto, minha resposta a essa abordagem foi inesperada. Mais ou menos depois do quarto dia, comecei a me sentir avassalado pelos sentimentos e a soluçar mais profundamente como jamais fizera em minha vida. Estava experimentando um profundo pesar que nesse momento eu só podia entender como um despertar interno do anseio por contato e amor que nunca tinha tido. Esse colapso foi incentivado, e foi me dito que eu estava começando a me soltar. Nessa tristeza, descobri pela primeira vez que também podia procurar os outros para ser abraçado e confortado em meu sentimento. Conforme o pesar desaparecia, senti uma renovação da energia em meu corpo que nunca sentira, e fui incentivado também a sentir e expressar essa recém-descoberta vivacidade. Depois de uma semana, fui embora com um novo modo de salvação.

Retornei a meu trabalho no seminário, animado com as empolgantes possibilidades de toque. Estava pronto para apresentar esta nova forma de terapia a meus alunos nas aulas de aconselhamento pastoral. Ainda me lembro que a primeira pessoa que encontrei no *campus* foi o presidente do seminário que, até então, sempre fora cumprimentado como "dr. Heaton". Corri para ele, cheio de entusiasmo, dizendo: "Adrian!", e lhe dei um grande abraço. Ele respondeu com choque e formalidade. Esta foi minha primeira pista de que o ambiente não estava pronto para a salvação que eu acabara de descobrir!

Entretanto, percebi que os alunos estavam famintos por essa mensagem. Organizei grupos de encontro, conduzi experiências de conscientização sensorial e, quando chegou minha vez de ser o professor que conduziria o fórum dos professores, em vez de apresentar algum ensaio seco sobre algum obscuro dogma teológico, fiz com que os professores fechassem os olhos, andassem pela sala tocando uns aos outros e depois falassem sobre suas experiências. Por algum tempo, conduzi bem a situação.

Contudo, aos poucos, a resistência latente do ambiente a esta nova forma de expressão começou a aparecer para combater a empolgação que estava sendo gerada por esse processo de toque. Não percebi no momento, mas o ambiente estava respondendo à minha empolgação como havia respondido a mim quando eu era criança. Os alunos estavam bem, mas os professores e curadores da escola começaram a expressar ressentimento, raiva e suspeita. Estavam sentindo-se invadidos pelo processo. Isso provocou uma reunião especial dos professores e curadores para tratar desse acréscimo ao programa de aconselhamento.

Logo percebi que estava agindo com a ingenuidade de uma criança. Comecei a me sentir profundamente deprimido em virtude das críticas que estava recebendo. Minha bolha tinha estourado e eu não tinha uma base firme o suficiente nesta nova experiência para defender a mim mesmo. Senti-me esmagado. Esta nova experiência não tinha tido tempo para ser integrada. E me sentia novamente como me sentira em minha infância quando minha empolgação tinha sido esmagada. Naquela época não havia ninguém para me defender, e agora também me via sozinho. Além disso, o ambiente do seminário e do ministério, no qual eu confiara inconscientemente para me sustentar, estava agora sendo abalado. O problema era que eu não podia voltar a meu estado anterior sem sentimentos, nem podia sustentar a nova empolgação que sentia. Não podia voltar ao estado anterior de equilíbrio que experimentara antes de estar aberto para o toque, e não havia nenhum caminho ou meio de apoio para minha nova expressão. Minhas defesas tinham ido embora, e o ambiente que eu tinha usado para reforçar essas defesas era hostil. Dezoito meses depois desses acontecimentos, me divorciei, deixei de ensinar, abandonei o ministério e via um psiquatra que me tinha prescrito tranqüilizantes e antidepressivos.

Nessa época tive minha primeira experiência em análise bioenergética. Eu tinha mudado para Santa Ana, Califórnia, e estava trabalhando como assistente de Everett Shostrom em seu Instituto de Psicologia Terapêutica. Certo dia, durante nossa reunião semanal de equipe, Everett apresentou um hóspede vindo da costa leste. Este hóspede nos falou sobre uma terapia que até então eu desconhecia, denominada bioenergética. Disse que ela tivera origem na teoria reichiana e que havia um psiquiatra em Nova York, Alexander Lowen, que estudara com Reich e tinha um instituto onde este hóspede tinha estudado. Quando perguntei se ele podia demonstrar sua técnica terapêutica, olhou-me no meio de meus colegas e respondeu: "Você parece bem deprimido. Acho que poderia ajudá-lo".

Ele me fez ficar de pé, colocou meus punhos na parte de baixo de minhas costas e disse para que me inclinar para trás, assumindo uma posição parecida com um arco. Permaneci nesta posição forçada até meu corpo começar a vibrar e minha respiração se aprofundar. Quando a energia começou a fluir por meu corpo, ele me pediu que deitasse no chão, mantivesse minha cabeça parada e apenas olhasse pela sala. Quase imediatamente, comecei a soluçar profundo como experimentara em Esalen, mas não tinha conseguido liberar desde então. Entretanto, para minha surpresa, o soluçar me levou a um ataque de birra involuntário e furioso. Meus colegas, que nunca tinham visto algo assim antes, me rodeavam, olhando para ver o que estava acontecendo. De repente, eles se transformaram nos meus familiares que não faziam o menor esforço para me tocar. Ao experimentar essa fúria, eu sabia que tinha encontrado outro caminho de expressão além do choro e da depressão. Eu tinha tocado outra parte de minha empolgação que era a minha raiva. Isso não tinha vindo à tona em minhas primeiras experiências com o toque. A ausência desse ingrediente tinha sido uma das causas de minha profunda depressão. Também soube, nessa experiência, que tinha tocado o centro energético de meu eu (*self*) real. Quando me levantei do chão, literalmente agarrei o terapeuta visitante e lhe disse: "Você tem de me ajudar". Ele respondeu: "Estou de férias e não tenho tempo". Mesmo com essa negativa, consegui convencê-lo a realizar duas outras sessões e lhe perguntei onde poderia receber treinamento neste trabalho. Ele disse que Alexander Lowen estava vindo para a costa oeste para realizar alguns *workshops* de treinamento. Perguntei-lhe onde seriam esses *workshops*. "Instituto Esalen", foi sua resposta.

Após assistir ao *workshop* do dr. Lowen, comecei a participar de sessões de treinamento bioenergético com um professor na costa oeste. Eu agora tinha um quadro de referência teórico para a expressão de meus sentimentos. Também sabia que o toque revive todos os sentimentos reprimidos no corpo e não é uma panacéia. Ele revive a esperança, mas também revive a dor, a raiva e o desespero. O que estava me faltando agora era um relacionamento terapêutico em que eu pudesse contatar esses sentimentos e tê-los espelhados de volta a mim. O professor não estava interessado nesse tipo de relacionamento, mas em visitar e demonstrar seu trabalho. Voltei-me para meu novo sócio, um psiquiatra que também estava fazendo o treinamento, e começamos a trabalhar um com o outro. Logo descobri que, embora o trabalho fosse útil em determinado nível, estava me impedindo de trabalhar com minhas profundas questões de transferência. Numa semana sentia-me como uma criança com meu pai; na semana seguinte, eu era a criança que precisava cuidar do pai.

Este arranjo continuou por vários anos, com *workshops* e treinamentos, mas a questão mais profunda de meu caráter não foi confrontada por algum tempo. Numa sessão com o dr. Lowen, enfrentei o fato de que, como criança, eu queria morrer. Era a única saída que eu conhecia. O contato físico que experimentara com o trabalho corporal tinha mobilizado sentimentos visíveis e eliminado a esperança do paraíso e da salvação. Entretanto, essa esperança sempre colidia com as rochas da realidade. A questão central subjacente para mim era que eu não tinha tocado e acolhido meu próprio desejo de viver. Felizmente, nessa época, comecei a ter sessões com uma terapeuta, e pude trabalhar passo a passo, nesse relacionamento, a ambivalência de amor e de ódio que havia sido estimulada pelo contato físico na terapia. Senti que em decorrência desse trabalho fui capaz de estabelecer uma profunda conexão com meu próprio processo vital, que começara há quase vinte anos. A partir desta história resumida, gostaria de chamar a atenção para os princípios a seguir, com relação ao toque e à psicoterapia.

O toque é uma resposta natural de amor e empolgação

É impossível pensar em amar alguém sem desejar estar perto dessa pessoa e às vezes tocá-la. Na verdade, nós, terapeutas, muitas vezes ouvimos a queixa: "Ele diz que me ama, mas nunca me toca". Isso não combina. Quando você ama alguém, existe um aumento da energia no corpo que se move para a expressão. Um especialista em cardiologia me disse que o desenvolvimento dos braços do embrião provém de pequenos brotos originalmente ligados ao coração. Quando você ama, quer abraçar. Isto ocorre na paixão, mas também é verdadeiro quando você ama alguém que está pesaroso. Nossa inclinação natural como pais é tocar o machucado, beijá-lo e curá-lo. Queremos abraçar e confortar as pessoas a quem amamos e estão sofrendo.

O toque também é natural quando compartilhamos uma empolgação mútua. Os entusiastas dos esportes conhecem bem isso. O time fica esperando no banco de reservas pelo batedor do *home run* para dar tapinhas em suas costas ou tocar sua mão, num cumprimento. Quando o time vence a série, todos os jogadores pulam em cima do arremessador ou o carregam sobre os ombros. Quando Pat Cash venceu o torneio de Wimbledon, a primeira coisa que fez foi largar a raquete e escalar as arquibancadas para abraçar seu pai. E como fã de basquete notei que quando um jogador perde um lance livre, outro se aproxima e toca a mão dele como se dissesse: "Hei, estamos aqui, tudo bem". O que quero enfatizar é que o amor, e a empolgação que o acompanha, nos leva naturalmente a alguma expressão dessa empolgação por meio do contato físico.

A falta ou o uso equívocado do toque produzem trauma

Não precisamos insistir no ponto de que viver sem contato físico pode ser o inferno. O isolamento é um assassino. Demasiada privação sensorial pode ameaçar nossa sanidade. O isolamento tem sido usado durante as guerras para destruir o inimigo e é empregado com as crianças o tempo todo para minar seu entusiasmo e fazê-las obedecer.

Estudos realizados em orfanatos, que focalizavam a importância do contato físico para crianças e bebês, demonstraram que o contato físico é essencial para ajudar a prevenir a depressão anaclítica. Uma amiga íntima de minha esposa, Ann Petrie, produziu e dirigiu o documentário premiado sobre a vida e a obra de Madre Teresa. Grande parte do trabalho dessa notável personalidade aconteceu nos orfanatos de Calcutá. Uma cena especial neste filme me emocionou e mostrou a qualidade essencial do contato físico. Uma das freiras é mostrada num orfanato acariciando uma criança magrinha de uns seis anos. Há muito tempo ela tinha-se entregado ao desespero total e absoluto de sua situação. Não havia vida em seus olhos, e quase nenhuma vida em seu corpo. Ela não conseguia se mexer nem comer. Ela estava neste estado totalmente abjeto quando a freira a segura e o encosta nela enquanto começa a passar a mão fazendo um oito sobre a frente de seu corpo. Bem devagar, começamos a ver um minúsculo lampejo de vida voltando a seu corpo e depois, como se retornasse dos mortos, ela levanta seu pescoço enfraquecido para olhar nos olhos da freira, cheia de assombro e surpresa. Este contato era tão importante quando a comida. Na verdade, sem a reativação do contato humano que vem do toque, a comida não tem sentido.

Outros estudos ligam a sociopatia à simbiose inadequada nos primeiros meses de vida. As pessoas que cometem crimes violentos muitas vezes revelam uma história de falta de contato físico quando crianças, ou uma história de contato tão brutal que criou um entorpecimento nelas diante da dor dos outros. Por causa da falta ou do uso errôneo do contato, elas não têm uma consciência empática do outro ser humano, podendo assim ficar insensíveis a suas ações violentas para com os outros. Fazemos com os outros o que foi feito conosco. Muitas vezes, o uso errôneo do contato vem não da privação, mas da manipulação e da sedução. Como terapeutas, somos dolorosamente conscientes do uso errôneo do toque na infância. O ponto importante é que a maioria de nossos pacientes pode atribuir a origem de seus problemas a alguma forma de frustração nessa área. A distorção pode assumir a forma de manipulação, repressão, sedução, abuso físico, abuso sexual, negligência, privação ou simplesmente falta de consciência da necessidade de contato. O passo importante que nós, terapeutas, devemos dar é entender a natureza do trauma individual e assim nos preparar de forma mais adequada como curadores para a criança ferida em nossos pacientes.

O trauma criado com o uso errôneo do toque produz contrações no corpo

A ameba é um claro exemplo disso. Quando ela estende um pseudópode para o ambiente e ele é tocado com um alfinete, contrai-se de volta ao núcleo. Depois, estende-se em outra direção, e se for novamente espetado, contrai-se de novo. Por fim, se toda a expansão for bloqueada, ele se contrai e ossifica. O organismo humano é bem mais complexo que uma simples ameba, mas este mesmo princípio biológico também opera aqui. Se uma criança procura o seio com a boca, e não o encontra ou vê raiva nos olhos da mãe, vai contrair involuntariamente seu corpo. Se esta frustração continua repetidas vezes, o organismo retrai sua energia, afastando-a da fonte de frustração e mantendo-a dentro de si, por toda a vida. Se isto acontecer cedo demais na vida, o corpo pode entrar num estado depressivo e retraído, e morrer.

Depois que uma pessoa se retraiu e protegeu com relação a uma perda específica ou uma privação, por um lado ela busca reparar essa perda no mundo, mas por outro defende-se muito contra a possibilidade de se abrir novamente para a dor original. Ao estudar os padrões de contração no corpo, o analista bioenergético pode ajudar o paciente a entender quando e como ele teve de se proteger e quais medos precisa confrontar para voltar a libertar-se. A Figura 3-1 (Capítulo 3) é um diagrama que uso com os pacientes, para ajudá-los a entender tal processo. Os terapeutas devem também compreendê-lo para saber o que esperar dos diversos pacientes quando os tocam ou não. Embora existam princípios gerais, cada pessoa tem seu padrão pessoal e único.

A linha reta da esquerda indica a expressão energética do corpo conforme ele se expande para o ambiente. A flecha oposta representa a negatividade do ambiente que diz não à expansão. Quando essas duas forças entram várias vezes em conflito, parte da energia do organismo volta-se para si mesma sob a forma de contrações musculares, enquanto a outra parte é dirigida para desenvolver um eu (*self*) adaptativo que possa lidar com a dor e com o desapontamento.

O propósito de equilibrar a energia entre a contração e a expansão é estabelecer um estado de equilíbrio, cujo funcionamento reduz a ansiedade. Se todas as vezes que choro você grita comigo, e por sua vez isso ameaça minha existência, descubro que preciso contrair os músculos em minha garganta e reduzir minha respiração para poder parar de chorar e não provocar seus gritos, e assim não ter de confrontar constantemente esta ameaça à minha existência. Embora seja doloroso estar nesse estado contraído, é ainda mais sofrido sentir-se em constante ameaça. Sou obrigado a optar pela sobrevivência em vez da auto-expressão. Portanto, desenvolvo um "falso eu", que é aceitável e usado para me proteger da ansiedade. Entretanto, este "falso eu" carrega ansiedades próprias.

O contato físico muda o equilíbrio energético do corpo

Quando tocamos alguém, colocamos uma energia adicional no sistema dessa pessoa e estimulamos uma resposta específica em seu corpo. Estamos convidando-a inconscientemente a permitir que o equilíbrio delicado que ela estabeleceu em seu próprio sistema de energia seja mudado e também a responder ao ambiente de um modo que pode lhe parecer ameaçador à vida. Lembre-se, ela estabeleceu este equilíbrio para sobreviver. A mudança do equilíbrio por meio da resposta ao nosso toque pode exigir que essa pessoa experimente a ansiedade que, em algum momento, ameaçou sua vida. Quando sua força vital estava originalmente aberta, o ambiente não pôde sustentá-la. Portanto, ela ficará imaginando se sabemos de fato o que estamos fazendo ao lhe pedir que confie em nós de uma maneira em que ela sempre foi desapontada. Também precisamos nos perguntar se estamos prontos para a resposta que pode vir como um resultado de nosso toque.

Um bom exemplo deste ponto é o que acontece se colocarmos uma mão quase congelada perto de algo quente. O calor reativa a vida da mão, aumentando o fluxo do sangue, mas em tal quantidade e velocidade que pode ser perigoso. Conforme a vida volta à mão, a dor também volta. Tocar o paciente acrescenta calor às áreas congeladas e contraídas do corpo. Isso pode ajudar a trazê-la de volta à vida, mas também reativará a dor ligada ao motivo pelo qual ela se contraiu. Portanto, o toque muda o equilíbrio do corpo, trazendo de volta a fúria, a tristeza, o amor e o medo que foram congelados e enterrados. Às vezes o toque parece ser cruel, pois ele revive uma esperança que não pode ser concretizada; e, ainda assim, não tocar pode deixar uma pessoa perdida em sua própria terra devastada e congelada. A citação a seguir é do famoso poema de T. S. Eliot (1950), "A terra devastada", no qual ele fala disso. Para Eliot, o mês de abril e suas chuvas quentes representam a mão cruel da natureza que tenta reviver a terra congelada.

> Abril é o mais cruel dos meses, criando
>
> Lilases a partir da terra morta, misturando
>
> Lembranças e desejos, perturbando
>
> Raízes entorpecidas com a chuva da primavera.
>
> O inverno nos mantém aquecidos, cobrindo
>
> A terra com a neve do esquecimento, alimentando
>
> Um pouco de vida com tubérculos secos.

Lembre que quando você era criança, e estava bravo e amuado, não queria que ninguém o tocasse. Você sabia que poderia segurar enquanto não fosse tocado. Você tinha medo de começar a chorar e precisar da pessoa que o tinha magoado, se fosse tocado. E ainda assim você ansiava por ser tocado para não permanecer como vítima de sua própria teimosia congelada. Este é o freqüente dilema que encontramos nos pacientes.

O toque evoca uma resposta regressiva/transferencial

Como o congelamento original de nossos corpos aconteceu por causa de questões da primeira infância, o degelo desse congelamento convida as pessoas a experimentar mais uma vez as sensações bloqueadas em seus corpos e a expressar o sentimento reprimido. Essa expressão sempre tem uma característica regressiva, pois é uma questão inacabada do passado. Ao tocar o paciente, estamos pedindo à criança dentro dele que responda mais uma vez ao mundo.

Essa resposta regressiva é ampliada pelo fato de que temos um relacionamento transferencial com o paciente. Não é apenas uma pessoa qualquer que o está tocando. O paciente recebe e interpreta nosso toque a partir da perspectiva de sua transferência para conosco no momento. Lembre-se da canção de Barbra Streisand, "He touched me". Nela, o mundo se torna brilhante e luminoso por causa do toque casual de alguém por quem ela estava apaixonada. Tenho certeza de que você se lembra de ter sentido isso quando era adolescente, de estar apaixonada por alguém e ele só olhar para você, sem ao menos tocá-la. A empolgação era enorme.

Recentemente um terapeuta trouxe uma paciente para supervisão. Ela era alguém com quem ele sentia que estava trabalhando muito bem. A paciente, sem dúvida, respondia sempre que ele a contatava, como se só estivesse esperando a deixa. Quando observei isso acontecendo entre os dois, olhei para ela e perguntei: "Você faria quase qualquer coisa por ele, não é?". E, com olhos brilhantes, ela respondeu: "Oh, sim!". Eu disse: "Parece que você está apaixonada por ele". Ela ficou muito tímida e ele parecia bem chocado. Ele estava simplesmente supondo que estava fazendo um bom trabalho porque seu próprio senso de ego estava sendo reforçado pela resposta da paciente. Ele estava cego ao fato de a paciente não ter uma resposta própria e espontânea, de a resposta ao toque dele ser altamente erotizada, e desse modo a mantinha apegada a ele. As reações dela eram voltadas a reforçar a atenção dele. Ela bloqueava qualquer sentimento espontâneo para evitar ser separada dele. Ele precisava desse tipo de resposta e, portanto, era incapaz de ver as reais necessidades dela. Em outras palavras, ele nunca tinha analisado a resposta altamente erotizada que ela dava a seu toque porque estava preocupado demais em realizar a tarefa de fazer "terapia". Ela descobriu, como havia descoberto com seu pai, que se fosse uma boa menina e "fizesse" o que ele desejava, ele continuaria a tocá-la. O toque dele estava sendo reforçado, e a qualidade da resposta transferencial dela estava sendo ignorada.

Portanto, o paciente, num relacionamento transferencial, pode interpretar o toque do terapeuta de modo muito diferente da intenção que ele tinha. O psicanalista que participou no painel mencionado no início do capítulo contou a história apresentada a seguir. Estava tratando uma jovem muito deprimida. Numa sexta-feira, no consultório, ela estava mais desesperançada que o normal. Ele temia que ela pudesse ter dificuldade em sobreviver ao fim de semana. Quando a sessão acabou, ao caminharem para a porta, ele fez algo que nunca tinha feito com ela, e não estava acostumado a fazer com ninguém: colocou a mão no ombro dela e disse num tom firme e confortador: "Vejo você na segunda". Quando chegou para a sessão da segunda-feira, ela agradeceu-lhe por tê-la confortado no final da sessão anterior. Entretanto, conforme a sessão se desenvolvia, ele sentiu um aumento na resistência à terapia por parte dela. Ao analisar a resistência, ele descobriu que na verdade ela estava profundamente desapontada por ele tê-la tocado de modo confortador. Sob a luz da transferência, ele tinha se transformado em seu pai fraco que nunca podia permitir que ela tivesse seus próprios sentimentos, mas contatava-a motivado por sua própria necessidade de conforto. O analista, ao tocá-la, tinha evocado o desprezo oculto que ela sentia por seu pai fraco. Qualquer toque precisa ser entendido à luz da transferência e do quadro de referência do paciente.

Ao preparar minha palestra para a Academia Americana de Psicoterapeutas, tomei consciência de que, ao começar a trabalhar fisicamente com meus pacientes, sem perceber eu procurava tocar a parte de trás de seu pescoço. Esse meu movimento inconsciente estava obviamente criando respostas diferentes em pacientes diferentes. E, ainda assim, sendo um terapeuta bioenergético, tocar os pacientes desse modo tornou-se minha segunda natureza. Eu estava perdendo a consciência do impacto da energia que estava trazendo para o pescoço dos pacientes e da resposta de seus corpos ao meu toque. Quando toquei o pescoço de uma de minhas pacientes que havia sido abusada quando criança, ela ficou muito assustada, como se eu fosse arrancar sua cabeça. O mesmo contato, de meu ponto de vista, com um paciente mais dependente, fez com que ele desejasse apoiar sua cabeça em minha mão. Quando toquei o pescoço de um paciente com muitas questões referentes ao controle, meu gesto estimulou sua paranóia e sua suspeita, como se ele estivesse sendo manipulado para fazer algo que não desejava. A resposta mais condescendente de um paciente a meu toque foi ter dor no pescoço e sentir-se sobrecarregado. Toquei outro paciente na parte de trás do pescoço e seu maxilar elevou-se com orgulho, como se eu estivesse dando tapinhas em suas costas. Assim, quando toco os pacientes, eles têm uma resposta que vem de suas histórias individuais, do que o contato significou para eles no passado e de sua transferência comigo.

Há muitos anos eu estava num *workshop* com Alexander Lowen e observei-o trabalhando com um homem bastante musculoso e forte. Esse homem tinha o físico de um lutador turco. O dr. Lowen estava fazendo o melhor que podia para quebrar a resistência dessa pessoa, que se manifestava em músculos do pescoço extremamente tensos. Entretanto, todos os seus esforços foram em vão. Nesse momento, o dr. Lowen virou-se para mim e disse: "Bob, por que você não tenta trabalhar com ele?". Eu não era tolo nem ia tentar o mesmo método que o dr. Lowen. O que fiz foi sentar-me atrás do paciente e suavemente levantar a cabeça dele. Foi como se ao me olhar ele soubesse que não tinha nada a temer. Sentindo o seu poder diante de mim, o que ele não tinha sentido com o dr. Lowen, soltou-se e começou a chorar. Ele não podia soltar-se com o dr. Lowen em razão do que este representava para ele. Podia soltar-se comigo. Eu não era uma ameaça para ele. A resposta transferencial a ser tocado era óbvia.

Os terapeutas precisam assumir a responsabilidade pelos efeitos de seus toques

O terapeuta que tenha este entendimento da transferência precisa aceitar a responsabilidade por qualquer resposta que ele evoque quando toca o paciente. Quando opto por tocar um paciente que está muito desesperado por contato ou me vê como um objeto de amor, sei que estou abrindo a porta para um relacionamento que irá produzir dor. Recentemente, optei por fazer um contato com uma paciente que eu sabia que se encontrava numa situação grave e me via como uma linha de vida. Mais tarde, quando ela sentiu-se melhor e ficou brava comigo por eu não poder preencher suas expectativas, disse: "Você fez com que eu me fundisse com você, e agora me diz que não está disponível". Seria muito fácil dizer-lhe: "Não fiz você se fundir comigo, apenas a toquei quando você estava desesperada. Não me culpe por ter interpretado meu toque de modo errado ou por imaginar implicações que ele não tinha. Eu sou inocente". Entretanto, por conhecer a história dela e a natureza de nossa transferência, eu sabia que isso seria exatamente o que ela iria sentir, e tenho de assumir a responsabilidade por evocar esse sentimento, muito embora não o tenha criado nem possa satisfazê-lo. Mas posso transmitir a ela que estou consciente de que não está louca e de que é exatamente isso o que meu toque faria com ela, que isso foi feito para que pudéssemos atravessar o desapontamento dela.

O toque nem sempre evoca a fusão. Às vezes ele produz raiva, excitação sexual, medo ou qualquer outra reação emocional básica que tenha sido negada, distorcida ou incentivada na família do paciente. Como terapeutas, precisamos ter consciência da história do paciente e do relacionamento atual de transferência para poder associar terapeuticamente nosso toque à situação. Mas, acima de tudo, precisamos assumir a responsabilidade pelos efeitos do toque.

O toque estimula uma resposta de contratransferência

Segundo Alice Miller (1981), a maioria dos terapeutas tem profundas feridas narcisísticas que tentamos curar ao ouvir os outros da maneira como nunca fomos ouvidos. Transformamo-nos em pequenos adultos que cuidam de nossos pais quando deveríamos ter recebido a permissão de ser crianças. Na medida em que isso é verdade, nosso cuidado oculta o ressentimento causado por nosso amor aberto a nossos pais não ter sido suficiente para ser valorizado por si mesmo. Tínhamos de ser produtivos e, se você preferir, "perfeitos", para ser amados. Com esse tipo de história, é muito arriscado tocar um paciente porque nosso desejo de ser acolhidos e amados está oculto nesse toque. Estaremos relativamente seguros enquanto permanecermos racionais e lidarmos teoricamente com nossas feridas. Mas nos abriremos para reexperienciar nossas dores mais profundas se estimularmos por meio do toque nossos próprios. anseios enterrados. Desta vez, nossa própria auto-estima fica dependente da resposta do paciente diante de nós, pois de diversas formas ele não é muito diferente de nossos pais originais. Se o paciente rejeita nossa extensão por meio do toque, isso pode reviver em nós nossa própria fúria sádica reprimida perante nossos pais, e assim nos deixar plenamente conscientes de nosso relacionamento de contratransferência pelo paciente.

Surpreendi a mim mesmo numa sessão quando, após ser várias vezes rejeitado em minhas tentativas de contatar o paciente, disse com resignação: "Não sei como amar você". Com essa afirmação, fiquei consciente de quanto meu toque era uma tentativa de resolver minha própria ansiedade de abandono. Senti-me arrasado por meu toque/coração ter sido rejeitado. Após liberar minha tristeza, fiquei com medo de tocar o paciente de novo. Eu tinha a sensação de que a fúria narcisística assassina, ligada à rejeição que eu sentira quando criança, seria atuada sobre o paciente se eu o tocasse mais uma vez e fosse de novo rejeitado. Nesse momento de meu próprio desenvolvimento, esses poderosos sentimentos sádicos me oprimiam e eu não podia usá-los produtivamente na situação terapêutica, sem supervisão. Hoje, posso refletir para o paciente o que de fato deve ter sido o modo como ele se sentiu ao ser rejeitado por seus pais, mas naquela época eu estava vulnerável demais a meus próprios sentimentos para agir de modo tão claro.

As reações de contratransferência são estimuladas de inúmeras formas e podem ser usadas muito produtivamente no relacionamento terapêutico. Quero enfatizar aqui que tanto o processo de transferência quanto a contratransferência são amplificados pelo toque. Na verdade, por meio do toque, a resposta de contratransferência se torna bastante óbvia para o terapeuta sensível, que precisa então lidar com ela.

Ainda neste capítulo e no Capítulo 11 falarei mais sobre os problemas específicos de contratransferência que levam os terapeutas a perder seus próprios limites e fazem com que eles atuem sobre o paciente.

A congruência entre toque e sentimento é essencial

Outra questão relevante referente ao toque é a congruência. É importante que exista um relacionamento direto entre o toque e o sentimento que é comunicado por ele.

Tenho consciência de que muitas vezes tocamos nossos pacientes e filhos apenas com a percepção do que pretendemos comunicar e realmente não damos atenção à comunicação que nos volta como resultado de nosso toque. Um exemplo disso é um filme sobre maternidade que usamos em nosso programa de treinamento bioenergético. Pediu-se a um grupo de mães que tinham dado à luz num hospital específico que retornasse a ele seis semanas depois para alimentar os bebês. Elas foram colocadas numa sala e lhes foi dito para alimentar seu bebê do jeito habitual. Foram avisadas de que haveria uma câmera escondida filmando a mamada. Algumas amamentaram seu bebê ao seio; outras usaram mamadeira.

Nesse filme, observam-se diversas respostas das mães aos bebês. Os dois psicólogos que o produziram, Axelrod e Brody (1968), criaram um sistema para avaliar a qualidade de contato entre o bebê e a mãe. Ao examinar a interação entre os dois, descobriram que menos de 10% das mães davam atenção ao movimento do bebê ou ao que o bebê estava tentando expressar por meio do contato físico com ela. As mães, cheias de boa vontade e de orgulho, estavam tentando realizar a tarefa de alimentar seus bebês. Entretanto, a maioria delas não percebia que o bebê tentava estabelecer um contato ocular, que a cabeça dele estava balançando para trás e para a frente e precisava de apoio, que as mãos do bebê estavam tentando tocar ou agarrar alguma parte delas. A mãe estava ocupada tocando e alimentando o bebê, e distraída com seus próprios pensamentos. Ela estava respondendo às próprias necessidades e ao modo como estava realizando sua tarefa, e não dava atenção à resposta do bebê a suas intenções. Podia-se perceber um sinal de alívio nas pessoas que assistiam ao filme, além de um sinal visível de alívio no rosto do bebê, quando alguma mãe dava atenção ao impacto que estava tendo no bebê por meio dessa interação íntima.

Em nosso programa de treinamento, fazemos um exercício em que o terapeuta em treinamento se senta perto de um terapeuta-paciente e toca o paciente na área do diafragma. A pessoa que está tocando é instruída a olhar em volta da sala. A pessoa que está sendo tocada experimenta uma falta de congruência no toque. O paciente sente o toque de intimidade e a indiferença por parte da pessoa que faz o contato, e tenta desesperadamente fazer um ajuste entre essas duas sensações. Essa experiência é literalmente enlouquecedora.

Outro problema com relação à congruência do toque refere-se ao fato de várias vezes os terapeutas evitarem ou negarem o sentimento real que eles têm no contato. Um paciente ocasionalmente sente minhas mãos como frias. Este é um exemplo, muitas vezes, de meu medo ou de estar fora de contato com meus sentimentos. Eu costumava não querer que o paciente soubesse disso. Era embaraçoso. Eu tentava escondê-lo. Certa vez, durante um *workshop*, eu estava fazendo uma demonstração com uma mulher. Ela esticou o braço, segurou minhas mãos e disse: "Elas estão muito frias". Senti-me exposto na frente do grupo de treinamento. Um treinador bioenergético não deveria ter mãos frias! Ela disse: "Deixe-me aquecê-las para você". Depois ela me olhou assustada, soltou minhas mãos e disse: "Isto é o que sempre fiz com minha mãe". Em seguida, disse com medo: "Meu Deus, você está tão assustado quanto eu! O que vamos fazer?". Olhei para ela e disse: "O que vamos fazer?". Ficamos juntos, com esta experiência de minhas mãos frias, do medo e do desejo dela de aquecer minhas mãos e assim assumir responsabilidade por mim e ao mesmo tempo não negar o medo dela. Ambos aprendemos algo quando reconheci a congruência de meu toque e da percepção que ela teve da realidade. Aprendemos que podíamos viver com nossos medos, permanecer em contato um com o outro e descobrir outra forma genuína de contato, na qual nós dois éramos vulneráveis e reais.

O terapeuta precisa estar disponível para o toque do cliente

Alexander Lowen disse muitas vezes que não basta que toquemos nossos pacientes, mas eles devem ser capazes de nos tocar. No início deste capítulo, mencionei que o toque é uma resposta natural ao amor e à empolgação, que cada um de nossos pacientes sofreu diversos traumas com relação à falta ou ao abuso do toque. Conforme trabalhamos com essas questões centrais profundas em nossos pacientes, estamos reativando neles o amor e os medos que envolvem esses abusos precoces. Permitir que o paciente seja capaz de estabelecer um contato físico adequado com o terapeuta no presente é ajudá-lo a completar o ciclo que foi interrompido. Como nosso ego primário é um ego corporal, às vezes apenas o contato físico pode dar ao paciente a experiência de nossa presença, que lhe permite mover-se de sua histeria infantil para um estado de equilíbrio.

Como terapeutas, precisamos proporcionar um ambiente seguro que permita que o movimento bloqueado no paciente seja novamente expresso com um contato adequado. Posso ser tocado e amado por meu terapeuta, mas preciso correr o risco de me abrir e soltar minha própria energia em direção a ele, encarando todos os riscos que acompanham esse ato. A ação de tocar a partir de um lugar profundamente regredido pode ser aterrorizante. Mas é necessária para libertar a pessoa das defesas da infância e para criar novas maneiras de integrar o toque no presente. Este é um ingrediente essencial na auto-recuperação. De outro modo, permaneceremos atolados em nossas ilusões de transferência.

Um colega me falou sobre sua própria psicanálise. Ele estava numa análise didática, com sessões quatro vezes por semana. Disse-me como passou pela fase de transferência da análise e ficou surpreso com seu comportamento. Certa vez, quando ele estava no meio da transferência positiva, viu o analista dirigindo seu carro e começou a segui-lo para descobrir onde ele morava. Ele se parecia com qualquer outro tiete adolescente, embora ele também fosse um terapeuta. Tinha medo de deixar que seu analista percebesse o quanto ele desejava seu amor e sua afeição, sabendo que receber isso seria inadequado e não se encaixaria no "contexto" da terapia. Como um bom paciente, ele por fim se resignou à realidade da situação. E então chegou a derradeira sessão de uma análise que já durava três anos. Enquanto ele saía do consultório pela última vez, o analista colocou o braço pela primeira vez sobre o ombro de meu amigo e lhe disse quanto tinha gostado de trabalhar com ele. Meu amigo disse que foi como se a terapia nem tivesse acontecido. Todos os sentimentos que ele achava que tinha elaborado vieram à tona em seu corpo quando ele sentiu o toque do analista. Disse que lá estava ele indo embora quando sentia pela primeira vez que estava começando.

Como terapeutas precisamos entender nossas respostas pessoais e nossos limites com relação ao toque

Por ter sido sacerdote, tenho consciência do conflito entre a natureza humana e os mandamentos da igreja. Como terapeuta, percebo a diferença entre *insight* e as poderosas forças de vida e de morte no corpo. Muitos sacerdotes pregaram contra os demônios da liberdade sexual e depois descobriram que estavam aprisionados por suas próprias paixões. Do mesmo modo, muitos terapeutas, que negaram ou desconsideraram o poder de seus próprios sentimentos, caíram na armadilha da atuação contra os pacientes. O problema é que a proibição não impede a atuação, mesmo quando sua reputação e sua carreira estão em jogo. As poderosas forças de vida no corpo precisam ser reconhecidas e integradas na personalidade. Do contrário, podem esperar como os soldados no cavalo de Tróia, prontas a

213

tomar de assalto a inocente cidadela do ego. A maior garantia contra o uso distorcido do toque é conhecer suas próprias respostas e limites com relação a tocar e ser tocado.

Como terapeutas, somos chamados a lidar com a intensidade das paixões das pessoas e ainda assim temos muito pouco treino sobre como reconhecer e lidar com as nossas. Quando somos simplesmente ensinados a controlar esses sentimentos com nossa vontade, ficamos sujeitos a uma enorme ansiedade e fracasso diante de seu poder. Isto é especialmente verdadeiro quando abrimos a nós mesmos e a nossos pacientes ao contato físico. E, ainda assim, o toque é parte da existência humana e o modo como a criança dentro de nós aprende a integrar e confiar em nossos sentimentos.

Existem muitas razões pelas quais o toque é mal utilizado e abusado na terapia. De repente, somos inundados por estudos que indicam como os relacionamentos duais e os abusos sexuais são numerosos. Sacerdotes, advogados, médicos, professores e terapeutas, todos são culpados. Artigos recentes indicaram os tipos de terapeutas mais vulneráveis a esta distorção. Gostaria de chamar a atenção para duas áreas problemáticas específicas.

O problema com o toque não é o toque em si, do mesmo modo que o problema com o abuso sexual infantil não está no desejo de contato e na vulnerabilidade das crianças. Os problemas acontecem quando as necessidades não satisfeitas do terapeuta são atuadas sobre o paciente. Ao trabalhar com terapeutas que tiveram problemas nessa área, descobri que eles caíam na armadilha principalmente com dois tipos de paciente. O primeiro é o "compreensivo". Nesta situação, o paciente oferece ao terapeuta o que o terapeuta nunca recebeu de seus próprios pais e provavelmente tem tentado dar aos outros. O paciente vulnerável que se oferece para tocar o terapeuta e o convida a tocá-lo está oferecendo algo à criança dentro do terapeuta, que é irresistível para muitos profissionais. O terapeuta sente-se amado e acredita que esta oferta é real, pois não expressou sua própria raiva e seu desapontamento por não ter sido amado como criança. Logo o terapeuta está tocando o paciente cada vez mais por causa de suas próprias necessidades. Finalmente, isto leva a um contato sexual ou o paciente começa a perceber que ele está pagando pela terapia do terapeuta.

A segunda área problemática refere-se ao trabalho com o paciente "inocente". Aqui, o paciente tem uma característica infantil e indefesa que abre o coração do terapeuta e este começa a tocar o paciente como você tocaria um bebezinho, mas sem a consciência de que esse "bebê" existe num corpo sexual adulto. Os limites logo perdem a nitidez, pois mais uma vez o terapeuta, ao tocar o paciente sem aceitar a realidade da situação, está revivendo sua própria privação. Ele sente que ama o paciente e o toque vem de um lugar "inocente". Entretanto, não existem terapeutas nem pacientes "inocentes", apenas ingênuos, e a "inocência" da afeição do profissional ainda está vindo de sua própria criança ferida. Afinal, a raiva reprimida, que fez com que essas duas pessoas permanecessem ingênuas, vem à tona, e a realidade é encarada. O paciente não é uma criança, mas um adulto sexual, e o terapeuta não é um pai dedicado, mas uma criança faminta num papel paternal.

Guntrip (1964), ao discutir a natureza da psicoterapia, diz:

> A chave para a natureza da psicoterapia... é a busca, não do "parceiro ideal", mas do "pai substituto ideal", que fará pelo "pequeno ego carente" dentro do adulto o que os pais reais não conseguiram fazer no momento correto. Pode-se dizer que o relacionamento entre o terapeuta psicanalítico e o paciente ocupa um lugar intermediário entre o relacionamento pai-filho e o relacionamento marido-esposa. O relacionamento terapêutico não é uma relação entre um pai real e um filho real, nem é uma relação entre dois adultos em termos de igualdade. A terapia é um relacionamento entre a criança infeliz e debilitada num paciente adulto e um terapeuta cuja "criança interior" deveria ter sido cuidada em sua própria análise didática, de modo que ele esteja livre para ser o pai-substituto adulto e estável para a solitária "criancinha carente" no paciente. Só este tipo de terapia pode promover o crescimento da personalidade a partir de suas profundezas. [p. 75]

O problema se encontra no trecho, "um terapeuta cuja criança interior deveria ter sido cuidada em sua própria análise didática, de modo que ele esteja livre para ser o pai-substituto adulto e estável para a solitária criancinha carente no paciente". Como terapeutas, precisamos estar abertos para nossas questões internas que estamos tentando trabalhar com os outros. Para não distorcer as sensações sexuais de nossos pacientes, precisamos aceitar e conhecer o poder de nossa própria sexualidade, e isto precisa ser feito no contexto de um relacionamento terapêutico. Caso contrário, somos atingidos no ponto cego com as sensações intensas de nossos pais e, antes de perceber, perdemos a cabeça. Isso também se aplica ao toque. Um dos principais problemas com relação ao abuso infantil é o segredo, o que também acontece com os terapeutas em relação aos momentos em que eles se sentem inadequados diante das questões de intimidade pessoal com os pacientes. *Cada terapeuta que toca os pacientes precisa ter vivido e elaborado seu próprio comportamento regressivo relativo a isso com seu próprio terapeuta e precisa agora ter um grupo de supervisão com o qual ele possa contar quando se sentir sobrecarregado.* A resposta não é evitar o toque; entender e integrar o significado que o toque tem pessoalmente para você lhe dará uma base sólida a partir da qual você pode ser o pai-substituto adulto e estável que é necessário. Antes, porém, sua própria criancinha carente precisa ter sido reconhecida e receber permissão para crescer.

Em resumo, foi o uso distorcido do toque que criou nossa dor e obrigou-nos a desenvolver nossas estruturas defensivas. Os pacientes e os terapeutas se arriscam a tocar novamente a partir da esperança de liberar essa dor que sentimos. O cerne da recuperação será encontrado ao revivermos nossas necessidades mais profundas em um relacionamento seguro. Estar em nossos corpos é viver com o desejo de amar, de tocar e de ser tocado.

9

Sexualidade no Processo Terapêutico

Virgínia Wink Hilton

As razões que os clientes relatam para procurar terapia muitas vezes incluem algum grau de disfunção ou insatisfação sexual. A não ser que a terapia tenha uma duração curta e se foque numa questão específica, não sexual, é quase inevitável que algum aspecto de sexualidade surja no decorrer do processo de tratamento. E, na maior parte dos casos, será experimentado certo grau de atração sexual, consciente ou inconscientemente, por um ou ambos os participantes da díade terapêutica (Pope *et al.*, 1986, 1993).

Como terapeutas, confrontamos o desafio de lidar com a sexualidade e com as questões sexuais na prática clínica e, na maioria dos casos, sem termos sido adequadamente treinados e a partir de uma posição de todo vulnerável. Precisamos responder a essa tarefa sem ter nenhum tipo de apoio: sem o apoio da cultura "negativa diante do sexo", que por um lado está preocupada com o sexo e por outro tem medo dele, e sem o apoio da profissão, que tem perpetuado uma "atmosfera antilibidinosa" (Pope *et al.*, 1986). E muitas vezes não somos apoiados por nossa própria história pessoal, que afinal de contas pode ser apenas um pouco mais do que um reflexo da atitude coletiva.

Essa tarefa é muito exigente para o terapeuta. Os fracassos são dolorosamente aparentes nas estatísticas que revelam a dominância de intimidades sexuais entre terapeutas e clientes (Gartrell *et al.*, 1986; Holroyd e Brodsky, 1977; Pope *et al.*, 1979, 1986, 1993). O dano causado por essas violações é extenso e profundo (Bouhoutsos *et al.*, 1983; Brown, 1988; Butler e Zelen, 1977; Feldman-Summers e Jones, 1984; Pope *et al.*, 1993, Sonne 1985; Vinson, 1987).

Por tempo demasiado houve nos profissionais uma tendência de negar ou deixar de lado as indiscrições de seus colegas (do mesmo modo que a cultura em geral negou ou deixou de lado o incesto e o abuso infantil). Recentemente tem havido uma mudança. A literatura sobre essas questões está crescendo rápido, e a consciência foi muito ampliada. O resultado é aparente mediante o aumento de denúncias e processos civis e a criação de leis criminais (Pope *et al.*, 1993).

Violações sutis por parte do terapeuta

Embora existam evidências de que o aumento da consciência das ações contra as violações sexuais resultou numa diminuição desse tipo de incidentes (Pope *et al.*, 1993; Strausburger *et al.*, 1992), continua acontecendo outro nível de comportamento sexual. Estou me referindo a um contínuo de comportamentos *sutis* que em geral não provocam uma queixa formal ou um processo civil. Entretanto, o cliente se sente violado por ele ou pelo menos mal compreendido. Às vezes os sentimentos evocados por esse comportamento são vagos e incipientes, mas sempre desconfortáveis. Muitas vezes o cliente sente que não tem "direito" real a questionar ou a fazer alguma objeção. E o processo terapêutico afunda. Nessas situações "sutis", é comum que o terapeuta não tenha idéia de qual possa ter sido a atitude, o comentário ou o gesto que ofendeu o cliente, nem perceba nenhum comportamento inadequado de sua parte. Lembro-me de dois exemplos:

Uma estagiária disse a seu terapeuta que seu supervisor sempre lhe dava um abraço "de corpo inteiro" no fim de suas sessões semanais. Ela sentia que ele não tinha intenções sedutoras conscientes, mas sempre ficava perturbada e ia embora incomodada. Ela não queria pôr em risco sua posição de estagiária ao reclamar dessa situação.

Um analista em treinamento confidenciou sua perturbação com o fato de que sua antiga terapeuta, a quem ele às vezes encontrava socialmente, o cumprimentar com um beijo "social" no rosto, como é comum nessas situações. Cheguei a observar esse comportamento, e não tinha dúvida de que não havia nenhuma intenção sedutora por parte da terapeuta. Mas o homem se sentia confuso e perturbado com esse gesto.

Parece haver uma lacuna surpreendente e onipresente com relação aos efeitos de alguns comportamentos "levemente" sedutores ou invasivos da parte do terapeuta. Infelizmente, é raro que haja oportunidade para que os terapeutas e professores aprendam sobre esses efeitos, recebam *feedback* sobre eles, ou pensem a respeito e entendam seus impactos.

Contudo, é provável que a falha mais comum entre os terapeutas seja mais de omissão do que de comissão: evitar totalmente as questões sexuais. Todo assunto da sexualidade é imenso, frustrante, confuso, avassalador, empolgante e — apesar da preocupação cultural com ele — um aspecto pouco entendido da existência humana. Considerando-se as complexidades e os perigos (inclusive a ameaça subjacente de punição legal e de censura profissional), não é de admirar que os profissionais optem por se focar em outras questões, se isso for possível. Essa escolha parece ter sido feita também pelos escritores e educadores neste campo.

Entretanto, a sexualidade é fundamental para a existência humana e, portanto, fundamental para o processo terapêutico. Estejamos ou não confortáveis com ela, nossa tarefa como terapeutas é estar presentes com nossos *sentimentos* e com nossa consciência, quando as questões sexuais do cliente emergirem no relacionamento. E a tarefa é intervir de foram efetiva a favor das verdadeiras necessidades do cliente.

A maior ajuda que o terapeuta tem para lidar adequada e efetivamente com as questões sexuais vem de uma exploração ampla da dinâmica da transferência e da contratransferência. Acredito que os fracassos ligados a abuso — atuação erótica de qualquer magnitude desde um flerte "inofensivo" até o envolvimento sexual real — freqüentemente acontecem em decorrência de *uma compreensão inadequada da natureza da transferência*. O fracasso ou a evitação das questões e sensações sexuais no processo terapêutico muitas vezes se deve ao *medo dos sentimentos de contratransferência*.

O fenômeno da transferência foi observado pela primeira vez e esclarecido por Freud (Breuer e Freud, 1893-95; Freud, 1912a, b, 1915), transformando-se no foco central da prática da psicanálise. A análise da transferência se tornou a chave para o entendimento do inconsciente e o meio de efetivar a cura. Com o tempo, a contratransferência, a resposta de sentimento do terapeuta ao cliente, passou a ser reconhecida como importante — e, para muitos, crucial — para o processo terapêutico. Embora a definição e o desenvolvimento desses conceitos e sua aplicação tenham evoluído sobretudo na comunidade psicanalítica e de sua literatura, a maioria das outras terapias analiticamente orientadas reconhece a importância deles e incorporam-nos em seu treinamento, pelo menos em parte. A maior parte dos terapeutas, independentemente de sua abordagem, tem algum conhecimento superficial sobre o significado e o funcionamento dessa dinâmica.

A transferência e a contratransferência são fenômenos relacionados, presentes em alguma medida em todas as interações humanas. Eles ocorrem de modo particular nos relacionamentos que envolvem algum tipo de autoridade. Portanto, sejam a transferência e a contratransferência diretamente utilizadas no tratamento ou não, a dinâmica precisa ser reconhecida e entendida por todos os que trabalham terapeuticamente com pessoas. Isto é ainda mais relevante com relação às sensações e às questões sexuais. Contudo, a compreensão "popular" vaga e parcial dos termos *transferência* e *contratransferência* não é adequada.

Entender os conceitos é uma coisa. Tornar-se familiarizado com as implicações e ramificações e com o modo como elas se manifestam especificamente em si e nos próprios clientes é outra. Ao trabalhar com a sexualidade e as sensações sexuais, estamos lidando com interações dinâmicas que criam respostas profundas e reações intensas. Os terapeutas têm bem poucas oportunidades em sua educação, supervisão e treinamento para se familiarizar com a amplitude possível de respostas sexuais dos clientes, ou para ficar mais à vontade com suas próprias sensações sexuais (Holroyd, 1983; Kenworthy *et al.*, 1976; Landis *et al.*, 1975; Pope *et al.*, 1986). Este capítulo indica alguns modos de se preparar melhor para realizar nossa tarefa de responder ética, adequada e apropriadamente às questões sexuais de nossos clientes.

Transferência

Entendendo o Fenômeno da Transferência

Definição

Transferência é a palavra aplicada a um processo inconsciente de deslocar para uma pessoa no presente os sentimentos e as respostas originalmente evocadas por uma pessoa ou relacionamento no passado. Portanto, as respostas de transferência são uma repetição do passado e em alguma medida são inapropriadas para o presente (Greenson, 1978). O colega de Freud, Joseph Breuer, tinha uma paciente que ficou conhecida na literatura analítica como "Anna O." (Breuer e Freud, 1893-95). No decorrer de sua análise, essa mulher respondeu a seu analista com grande intensidade erótica, que foi considerada injustificada pela realidade da situação. Freud (1921a), ao refletir sobre esse caso, reconheceu que os sentimentos apaixonados da paciente não eram evocados primariamente por nenhum atributo real de seu médico, mas, ao contrário, estavam sendo deslocados para ele a partir de uma fonte anterior. Ele então passou a entender que as interações precoces do indivíduo com as figuras parentais proporcionam um protótipo para as respostas posteriores ao objeto de amor. Parte dos sentimentos e dos impulsos precoces permanece inconsciente ou não se desenvolve, e apenas parte se torna consciente e dirigida para a realidade. É o material *inconsciente* que é transferido para o médico. Portanto, o inconsciente e os efeitos dos relacionamentos precoces sobre sua realidade presente se tornam acessíveis ao processo terapêutico por meio da resposta do paciente ao analista. Assim, a transferência se transformou e continua sendo o centro da psicanálise clássica.

A transferência é vista como "*sempre presente, ativa e importante na situação analítica*" (Bird, 1972, p. 52). Mas o fenômeno não se limita a esse relacionamento. Freud (1925) afirmou que a transferência "*é um fenômeno universal da mente humana... e na verdade domina todas as relações de cada pessoa com seu ambiente humano*" (p. 76).

A Função da Transferência

Qual é a função da transferência? Segundo Fenichel (1945), o paciente confunde o presente em termos do passado e então, em vez de lembrar o passado, e sem reconhecer a natureza de sua ação, ele busca *reviver o passado, e revivê-lo de modo mais satisfatório do que quando era criança.* Ele "transfere" as atitudes passadas para o presente. Silverburg (1918) nos dá a seguinte formulação:

> A transferência pode ser definida como uma tentativa repetitiva para retificar, pela ação, uma situação traumática que, embora em certo sentido seja "lembrada", não pode ser recordada; é uma tentativa de aprender, mediante uma série de ensaios, como não ficar impotente ou desamparado numa situação que originalmente nos encontrou nesse estado — a situação original é "lembrada" (o que implica a atuação), embora não seja recordada conscientemente. Essas tentativas continuam a ser feitas, de diversas maneiras, por toda a vida do paciente, até que ele tenha aprendido a entender a natureza e o propósito de seu comportamento e se convença de sua futilidade. [p. 309]

A função do fenômeno de transferência, segundo essa formulação, é replicar o passado *para retificá-lo.* Poderíamos dizer que no processo terapêutico o paciente está inconscientemente tentando afinal encontrar as respostas "certas" para seus sentimentos ou ações.

Transferência Erótica

Freud e a Transferência Erótica

Em seu tratado, "Observations on transference-love" (1915, 1959), Freud deixa claros a importância e os perigos da transferência erótica. Ele comunica compreensão e certa empatia diante das dificuldades que aguardam o analista ao trabalhar com a transferência erótica e das tentações que podem aparecer:

> Não se tem direito de duvidar da natureza "genuína" do amor que aparece no decorrer do tratamento analítico... O amor de transferência é caracte-

rizado, entretanto, por alguns aspectos que lhe garantem uma posição especial. Em primeiro lugar, ele é provocado pela situação analítica; em segundo lugar, é muito intensificado pela resistência que domina essa situação, e finalmente ele está em grande medida afastado da realidade, é menos sensato, menos preocupado com as conseqüências, mais cego na avaliação da pessoa amada do que estaríamos dispostos a admitir de um amor normal. Não deveríamos esquecer, entretanto, que são precisamente esses elementos que se afastam da norma que formam o elemento essencial na condição de estar apaixonado. [p. 388]

Freud fala com eloqüência de amor entre os sexos e diz que "*a combinação de satisfação mental e corporal atingida no desfrute do amor é literalmente uma das satisfações da vida*" (p. 389). Entretanto, ele é claro e inequívoco a respeito da resposta correta do analista ao paciente:

Quando uma mulher busca o amor, é doloroso para o homem desempenhar o papel de rejeitar e recusar... E ainda assim o analista está totalmente impedido de entregar-se. Por mais que ele possa valorizar ·o amor, ele precisa valorizar ainda mais a oportunidade de ajudar seu paciente num momento decisivo de sua vida. [p. 389]

Apesar de a formulação da transferência como um elemento central do processo psicanalítico ter origem nas reflexões de Freud sobre a transferência *erótica*, a maior parte da atenção nos escritos posteriores, especialmente em anos recentes, tem se focalizado em outros aspectos. Ethel Person (1985), em um dos raros artigos sobre o assunto, pode dar os motivos disso: "Comparada aos outros tipos, [a transferência erótica] sempre tem sido tingida por associações desagradáveis e continua a ser considerada levemente vergonhosa. Ela continua sendo *uma mina de ouro e um campo minado*" (p. 163, itálicos meus).

Diferenças nas Respostas Masculinas e Femininas

No mesmo artigo, Person também enfatiza que embora a transferência erótica seja considerada um fenômeno universal, o seu desenvolvimento acontece em diferentes graus nos pacientes. As mulheres em tratamento com homens têm muito mais probabilidade de vivenciar fortes sentimentos eróticos do que na situação inversa.

Person sugere que as mulheres tendem a usar a transferência erótica para resistir à análise, enquanto os homens tendem a resistir à *consciência* da transferência erótica.

Ela indica que são raras na literatura as referências a pacientes homens que tiveram fortes transferências eróticas com suas analistas (Bibring, 1936; Lester, 1982).

> No caso de mulheres pacientes e terapeutas homens, a transferência erótica é freqüentemente aberta, experimentada conscientemente, intensa, de longa duração, e dirigida para o analista, e se foca mais no amor que no sexo; [numa díade paciente homem e terapeuta mulher], ela é muda, de duração relativamente curta, aparece indiretamente em sonhos e em preocupações triangulares, raramente é experimentada conscientemente como um motivo afetivo dominante, com freqüência é transposta para uma mulher fora da situação analítica e aparece mais freqüentemente como sexual do que como anseio por amor... Como as mulheres, os homens podem idealizar o analista, mas a idealização não se funde com o anseio erótico. [Person, 1985, pp. 170 ss.]

O que explica essas diferenças entre as respostas de homens e de mulheres à transferência erótica?

> Para o paciente masculino, sentir desejos eróticos com relação à analista enfatizaria a necessidade geral que ele tem dela, uma necessidade que aparentemente enfraquece seu senso de autonomia. Na medida em que pode fazer isto, o homem preserva ou se ilude quanto a sua autonomia e independência, separando sexo e dependência (e intimidade) e controlando seu objeto sexual. Ele teme a dependência ligada à sexualidade na medida em que ela representa fraqueza e perda de controle. [Person, 1985, p. 172]

Com base nessas observações, valeria a pena chamar a atenção para o fato de estatísticas "viesadas" sobre conduta sexual inadequada não indicarem, como poderia parecer à primeira vista, que as terapeutas são moralmente superiores, ou mais capazes de conter seus impulsos do que seus colegas. Em geral, as pressões sobre as mulheres não são tão grandes; pois na maioria dos casos elas não encaram com a mesma intensidade os afetos eróticos poderosos que seus colegas enfrentam. E quando o fazem, se o fazem, é mais provável que os impulsos para o comportamento de atuação não sejam tão irresistíveis nem para o cliente nem para a terapeuta.

Conclusões

O relacionamento cliente-terapeuta é uma díade íntima e intensa na qual, na maioria dos casos, o terapeuta é percebido como portador do controle e do poder. O cliente é visto numa posição dependente. Não existe uma mutualidade real; o terapeuta revela comparativamente pouco de si mesmo, deixando grandes espaços em branco que são um convite à projeção. A díade está fora do contexto social das duas pessoas; não existem comparações facilmente disponíveis, nem medida nem padrão. Cada uma dessas pessoas vê a outra primariamente contra um pano de fundo de emoções poderosas evocadas durante o processo. O palco está pronto para que o cliente projete no terapeuta os aspectos do objeto parental ansiado. Quando a transferência de sentimentos e desejos eróticos acontece, o terapeuta pode confrontar afetos poderosos, como uma adoração e uma paixão sem limites. Nem sempre é fácil, nesse momento, lembrar, como disse Freud, que "... *o apaixonar-se por parte do paciente é induzido pela situação analítica e não se deve aos encantos da pessoa, que ele não tem nenhum motivo para se orgulhar de tal 'conquista', como isso seria chamado fora da análise*" (Freud, 1915, 1959, p. 379).

O reviver da experiência dos impulsos eróticos por parte do paciente é uma tentativa de corrigir e curar a situação inicial, que de algum modo bloqueou o processo natural de amadurecimento, e não uma tentativa de realizar os anseios incestuosos.

No processo terapêutico, o terapeuta está se relacionando com uma pessoa adulta num corpo adulto. Ainda assim, os sentimentos do cliente podem ser os mesmos de uma criança de três anos, de cinco anos ou de um adolescente de 15 perante um dos pais. Podem surgir sentimentos semelhantes aos de um bebê. Por isse o envolvimento sexual com um cliente é comparado a um incesto (Marmor, 1972), e os efeitos muitas vezes são semelhantes aos do abuso infantil (Pope, 1988, 1990; Pope *et al.*, 1993).

Os terapeutas correm mais riscos que as mulheres, por causa da natureza dos relacionamentos eróticos homem-mulher e das atitudes culturalmente definidas com relação a poder e dependência de homens e mulheres.

Implicações para o Tratamento

Resposta Erótica para com o Cliente

Freud (1915, 1959) foi claro com relação aos efeitos que uma resposta recíproca aos sentimentos de transferência do cliente teria sobre a terapia: "*Se seus avanços fossem retribuídos, seria um grande triunfo para a paciente, mas uma catástrofe completa para a cura*" (p. 384). E, segundo os dados disponíveis (Bouhoutsos *et al.*, 1983; Holroyd e Bouhoutsos, 1985; Pope, 1988, 1990), qualquer senso de triunfo na paciente está destinado a durar pouco. Mesmo no calor da paixão, as clientes muitas vezes sabem *consciente* e inconscientemente que não desejam que suas investidas sejam retribuídas. Elas sabem que "vencer" é perder. Uma cliente ilustra esse ponto com a seguinte reflexão sobre sua experiência na terapia:

> Compreendi que, para elaborar meus problemas sexuais, eu precisava encontrar um terapeuta em cuja presença eu pudesse ficar "totalmente acesa" e ter certeza absoluta de que ele não viria até mim. Ele apenas ficaria lá e apreciaria meus sentimentos sem querer algo de mim para si mesmo. Não tive isso com meu pai. Tive experiências ruins com dois terapeutas. Apaixonei-me pelo primeiro e me senti extremamente atraída pelo segundo. Os dois vieram para cima de mim, em certo sentido. Eu os odiei por isso, por não entenderem o que eu realmente precisava. [V. Hilton, 1987, p. 81]

Os seres humanos são admiráveis na busca da replicação de seus relacionamentos primários. Como já foi dito, a manifestação dos sentimentos de transferência no processo terapêutico é uma tentativa inconsciente de recriar a situação original e de encontrar uma diferente — e melhor — solução. O terapeuta precisa ter claro que uma solução melhor exige que ele ou ela intervenha *apenas em nome das verdadeiras necessidades do paciente.*

Estabelecendo Límites Claros

Os clientes precisam saber que seus sentimentos de transferência pelo terapeuta podem ser experimentados e expressos com absoluta segurança. Isso necessita do estabelecimento e da manutenção de limites claros. Para ter uma idéia firme de quanto isso é importante, só precisamos considerar os efeitos que limites pouco claros com relação à sexualidade por parte de um dos pais tem sobre uma criança. Na terapia, o processo inevitavelmente se torna distorcido quando os limites não estão bem definidos e explicitados.

No decorrer dos anos, descobri com certa freqüência que os clientes homens fazem algum comentário humorístico que é um pedido velado de uma verbalização dos limites com relação à sexualidade, mesmo que eles conheçam as regras. Tenho entendido isso como uma expressão da necessidade de ser tranqüilizado quanto ao fato de eu estar protegendo sua vulnerabilidade além de estar contendo seus impulsos. O reforço verbal do que é suposto racionalmente é muitas vezes crucial para o estabelecimento da confiança necessária para lidar com os sentimentos eróticos e com a intimidade do relacionamento.

O relato a seguir foi feito por uma cliente, a partir de sua experiência com limites pouco claros:

Na sessão inicial, achei o terapeuta atraente. Quando lhe contei sobre minha infância, ele indicou algumas coisas que tínhamos em comum. Parecia ser um vínculo. Lá pela quarta sessão, comecei a dizer que pela primeira vez estava em contato com a raiva e a insatisfação diante de meu marido. Nesse ponto, o terapeuta me disse que ele queria colocar as cartas na mesa. Ele se sentia atraído por mim, e eu era o tipo de mulher que ele estava procurando. Ele disse que não atuaria seus sentimentos porque isso acabaria com a terapia. Fiquei aterrorizada! Mas, na sessão seguinte, eu me sentia irremediavelmente apaixonada. Depois disso, ele nunca fez nenhuma investida que pudesse realmente ser chamada de sexual. Mas nunca havia um paciente marcado depois de mim, e muitas vezes depois da sessão ele me convidava para conversar sobre sua fascinação pela astrologia, ou para ouvir música. Uma vez nos deitamos no tapete, lado a lado, ouvindo o "Bolero", de Ravel.

Dentro de mim havia um imenso conflito. Eu estava experimentando sentimentos de paixão intensa por meu terapeuta, sentimentos que eu não tinha em meu casamento. Eu estava consciente psicologicamente o bastante para saber que meu relacionamento com meu pai estava todo misturado nisto. Assim me esforcei por vários meses, lutando contra minha paixão e desejando liberá-la. Finalmente, um dia cheguei ao consultório pronta para declarar o amor que sentia. Quando falei sobre meus sentimentos, o terapeuta respondeu que ele não estava disponível. Ele continuou dizendo que no fim de semana anterior retomara um relacionamento que tinha sido rompido justamente antes de eu iniciar a terapia. Senti-me estupefata, ferida e traída.

A partir desse momento houve uma mudança nítida no comportamento dele com relação a mim. Sempre havia algum cliente depois de mim. Tentei ser compreensiva e racional. Eu me descobri protegendo-o. Mas logo a mágoa se transformou em raiva. Eu não podia liberá-la. Finalmente o terapeuta e eu nos encontramos com um supervisor, que deu sustentação suficiente para que eu expressasse meus sentimentos. Na discussão que se seguiu, meu terapeuta percebeu que, embora ele tenha decidido não me seduzir, inconscientemente sentia que estaria tudo bem se eu o seduzisse! Percebi que a experiência de minha infância tinha se repetido. Eu tinha ficado responsável por manter os limites. [V. Hilton, 1987, pp. 85 ss.]

Aqui havia uma situação em que o terapeuta estabeleceu os limites *verbalmente*, dizendo: "Eu não vou fazer sexo com você". Mas como, inconscientemente, ele tinha decidido que podia ser seduzido, estava sempre deixando a porta aberta, por assim dizer, e estava de fato seduzindo-a para que ela o seduzisse. Quando, de repente, se comporta mais profissionalmente, após retomar um relacionamento pessoal, fica claro que os "limites" estavam definidos mais pelas necessidades dele do que pelas de sua cliente.

Auto-Exposição

Outra questão demonstrada nesse relato é o efeito da "confissão" do terapeuta a respeito de seus sentimentos pela cliente. A adequação e a utilidade da auto-exposição do terapeuta têm sido extensamente debatidas na literatura psicanalítica; por exemplo, Winnicott (1975) e Heimann (1981) assumem pontos de vista opostos. Muitos terapeutas de todos os tipos adotam a posição de que revelar honestamente os sentimentos e as reações pessoais é uma resposta terapêutica válida. Entretanto, em minha experiência como professora e supervisora, o constante *feedback*, recebido por meio de *role playing*, discussões e dados clínicos, confirma que, com relação aos *sentimentos eróticos*, os clientes não desejam receber essa informação sobre o terapeuta. Na melhor das hipóteses, ela é perturbadora e confusa, e muitas vezes (como no relato apresentado) assustadora. E automaticamente deixa o limite ambíguo.

Os clientes, ao lidar com a transferência erótica e com as questões edipianas, podem perguntar ao terapeuta, direta ou indiretamente: "Você se sente atraído por mim?". A necessidade por trás disso é de que *sua sexualidade seja reconhecida e afirmada*. O que eles desejam ouvir da figura do terapeuta/pai é: "Você é uma pessoa atraente". Essa resposta do terapeuta dá a sensação de ser "objetiva", e não é vivida como ameaçadora. Minha experiência me levou a concluir que, independentemente de como a pergunta é formulada, o cliente *não* deseja ouvir: "Eu me sinto atraído por você". A diferença é sutil mas crucial: "Você é atraente" fala sobre o cliente; "Eu me sinto atraído por você" fala sobre os sentimentos do terapeuta. A última resposta viola o limite e muda na hora o relacionamento. Como no processo relatado, a cliente não é mais capaz de focar-se inteiramente em seus próprios sentimentos, mas agora tem de carregar o fardo opressivo de se relacionar com os perigosos sentimentos do terapeuta. A tarefa do profissional é conter seus sentimentos eróticos e "descarregá-los" na supervisão ou em sua própria terapia, até e a menos que seja capaz de *usá-los* a serviço do processo terapêutico.

Uma Experiência Masculina

A história a seguir — desta vez um jovem paciente e uma terapeuta — ilustra os efeitos da "auto-exposição" da terapeuta.

CLIENTE: Depois de estarmos trabalhando juntos por algum tempo, minha terapeuta deu-se conta do fato de que eu nutria alguns sentimentos sexuais por ela. Acho que ela queria validá-los, mas saiu errado. Ela me disse que se fosse mais jovem seria minha amante. Foi um momento bastante incômodo. Fiquei envaidecido e me senti bem e especial. Mas era assim que eu me sentia em meu relacionamento com minha mãe: Bem, eu sou especial! E isso também fez com que, desde então, eu me sentisse bem estranho perto dela. Eu ficava imaginando: o que isso significa? Será que vamos fazer sexo alguma vez, ou o que acontece quando termina o relacionamento terapêutico? Onde estão os parâmetros ou os limites para isto, e onde fica minha sexualidade? Naquele momento não sabia o que esperar. Eu era muito ingênuo e vulnerável.

SUPERVISOR: Qual o efeito disso sobre a sua terapia?

CLIENTE: Contaminou tudo. Tudo foi para outro nível. Cruzamos um limite com essa afirmação. E então, como me sentia especial, isto me transformou num tipo de homem pseudo-sexual... Comecei a ficar com medo de ser seduzido, de ter um relacionamento sexual. Como a terapeuta representava uma autoridade, como uma mãe, eu estaria em essência tendo sexo com minha mãe. E seria castrado ou diminuído de algum modo por não ser suficientemente masculino para ela. Algumas vezes, eu só ficava imaginando, O que aconteceria se ela me seduzisse? Eu diria sim ou não? Era um conflito real. Estava tudo dentro de mim, mas, por Deus, este era um lugar aterrorizador para se estar. Entretanto, eu não podia fugir, porque ela era minha terapeuta e uma pessoa em quem eu acreditava e com quem me sentia conectado. Eu não podia simplesmente me levantar e dizer: "Bem, ela estragou tudo!". Eu não podia nem dizer: "Isto não está certo". Porque ela era a figura de autoridade, que tinha as respostas. Isso me colocou numa situação bem difícil.

SUPERVISOR: Seus sentimentos foram abordados?
CLIENTE: Nunca falei sobre eles, e ela nunca disse algo seme-lhante novamente. Eu nem ousaria abordar o assunto de sexua-lidade depois disso. Na verdade, finalmente chegamos a um impasse porque não podíamos falar. Eu literalmente me sentei com ela na última sessão sem conseguir dizer uma só palavra. Eu não podia falar sobre imagens nem palavras, e sabia que tinha de ir embora... Isso aconteceu há alguns anos, mas ao falar sobre isso os sentimentos voltam quase tão intensos como se tudo tivesse acontecido ontem.

Duração da Transferência – Sexo Depois do Fim da Terapia

A força e o poder do fenômeno da transferência ficam evidentes se considerarmos sua duração. Ele parece prolongar-se para sempre depois de ter se estabelecido. A falta de percepção geral dessa carac-terística da transferência só foi desafiada recentemente pela comuni-dade terapêutica em geral. Uma atitude bastante comum é revelada na resposta de um psiquiatra indignado com a atuação sexual de um residente com sua paciente: "Se ele queria dormir com ela, deveria ter terminado a terapia!". Essa resposta demonstra claramente uma dedução de que o fim da terapia muda tudo. Novos estudos indicam que o contrário é verdadeiro.

Se, como claramente demonstrado, a presença e a natureza da transferência proíbem por si mesmas a atuação sexual, então o sexo entre terapeuta e cliente será uma violação enquanto existir a transfe-rência.

A transferência termina com o fim da terapia? Há indícios de que mesmo depois de uma terapia longa e bem-sucedida a transfe-rência nunca é de todo resolvida (Bird, 1972). Gabbard e Pope (1988) afirmam: *"Mesmo na análise formal, em que a interpretação deta-lhada da neurose de transferência constitui a pedra fundamental do tratamento, sempre persistem resíduos da transferência com intensi-dade variável"* (p. 21). Eles citam diversos estudos que apóiam essa observação (Buckley *et al.*, 1981; Carlson, 1986; Norman *et al.*, 1976; Oremland *et al.*, 1975; Pfeffer, 1963).

Não existe nenhuma indicação de que a transferência desapareça ou mesmo fique mais fraca depois da conclusão da terapia, mas alguns dados indicam que o "resíduo de transferência" na verdade aumenta ao redor de cinco a dez anos depois do término da terapia (Gabbard e Pope, 1988, referindo-se ao estudo de Buckley *et al.*, 1981). Herman e colaboradores (1987) referem-se à "*natureza atemporal do inconsciente. Os apegos intrapsíquicos às figuras incestuosas, pais ou terapeutas, não conhecem limites de tempo*" (citado em Gabbard e Pope 1988, p. 22).

Gabbard e Pope dizem que a própria essência da psicoterapia orientada psicanaliticamente é abandonar os desejos infantis incestuosos, lamentar sua perda e passar para um relacionamento com um objeto adequado e maduro. Se houver uma possibilidade de "algum dia" gratificar esses desejos, então esse processo pode ser bloqueado pelo apego à fantasia.

Argumentar que a sanção contra as relações sexuais terapeuta-paciente possa ser quebrada num futuro indeterminado desde que o terapeuta não esteja mais vendo o cliente na terapia seria tão absurdo quanto sugerir que o tabu contra relações sexuais pais-filhos possa ser quebrado quando o filho sair de casa (Gabbard e Pope, 1988).

Vulnerabilidade do Cliente

O cliente busca a terapia porque está necessitando de algum tipo de ajuda. Ele está expressando algum grau de vulnerabilidade ao marcar a primeira consulta. Fica dependente pela própria natureza do relacionamento. A transferência amplia e intensifica a dependência e, portanto, a vulnerabilidade. Até a pessoa mais sofisticada, culta e independente pode descobrir-se certa de que o "terapeuta sabe o que é melhor", incapaz de questionar as intervenções dele, mesmo quando elas não combinam com o conhecimento interior. Assim, o cliente é uma presa fácil para a exploração, sutil ou óbvia, do inconsciente e também para o perpetrador intencional. Terapeutas com distúrbios de personalidade que têm probabilidade de ser ofensores reincidentes, em diversos níveis de exploração, deveriam ser barrados de algum modo durante seu treinamento. Mas e os demais profissionais? E a exploração inconsciente de "menor" importância? E os que não pensariam em atuar sexualmente, mas com sutileza buscam a afirmação de sua própria atratividade sexual? E quem incentiva as expressões dos sentimentos de transferência erótica para sua própria gratificação? Qualquer uso do cliente para obter a gratificação das próprias necessidades representa uma exploração dos sentimentos de transferência e viola o relacionamento cliente-terapeuta. Isso também pode ser dito com referência a todos os relacionamentos de autoridade (Gabbard, 1989; Rutter, 1989).

Contratransferência

Uma vez que o terapeuta tenha compreendido a natureza da transferência no relacionamento terapêutico, a tarefa mais importante passa a ser entender e utilizar apropriada e efetivamente a *contratransferência*: sua resposta ao cliente.

Embora Freud tenha mencionado apenas duas vezes a contratransferência em seus escritos, grande parte da literatura psicanalítica tem sido devotada a esse assunto. A definição clássica de contratransferência tem sido desafiada ao longo dos anos, desde os tempos de Freud, e tem se desenvolvido uma perspectiva mais ampla. [Para uma revisão da literatura, ver Bollas (1983), Ernsberger (1979), Gorkin (1987), Kernberg (1965, 1980), Langs (1976 a), Orr (1954).] Afirmei que o medo das respostas de contratransferência contribui para que se evitem as questões sexuais. É necessário considerar a posição clássica e ainda salientar os pontos de transformação e de desenvolvimento para compreender a importância da contratransferência no processo terapêutico.

A Definição Clássica

A atitude de Freud com relação à contratransferência é evidente na primeira menção que ele faz a esse conceito:

Nós tomamos consciência da "contratransferência", que surge no [analista] como um resultado da influência do paciente sobre seus sentimentos inconscientes, e estamos quase inclinados a insistir que ele deve reconhecer essa contratransferência em si mesmo e superá-la. [1910, pp. 144-5]

E na única vez em que Freud faz outra referência direta à contratransferência, ele afirma:

Nosso controle sobre nós mesmos não é tão completo que não possamos repentinamente algum dia ir mais longe do que pretendíamos. Na minha opinião, portanto, não devemos desistir da neutralidade diante ao paciente, o que conseguimos ao manter a contratransferência sob exame. [1915, 1959, p. 383]

Assim, desde o início, houve uma conotação pejorativa ligada ao conceito de contratransferência; ela era algo que deveríamos manter sob controle e "superar".

Como Freud não elaborou esse conceito de contratransferência, tem se debatido por décadas o que ele queria dizer exatamente. Entretanto, a maioria concluiu que, ao falar em contratransferência, Freud se referia à *transferência do analista sobre o paciente* (Gorkin, 1987). A implicação é que a contratransferência, a resposta do analista ao paciente, contém material inconsciente e conflitante. De acordo com a perspectiva clássica, a posição correta do analista é ser uma "tela em branco" e permanecer como um observador neutro. Desse modo, as respostas provenientes de seu próprio material inconsciente seriam inadequadas e representariam um *obstáculo* ao manejo adequado da situação analítica.

O Analista como Participante

Desde o início existiram discordâncias ante a perspectiva freudiana. A abordagem de Ferenczi (1926 a, b, 1933; Ferenczi e Rank, 1923) à psicanálise incluía a interação emocional e direta com o paciente. Ele considerava as respostas do analista importantes no tratamento.

Michael e Alice Balint (1939) tinham uma posição semelhante:

A situação analítica é o resultado de uma interação entre a transferência do paciente e a contratransferência do analista, complicada pelas reações liberadas em cada um pela transferência do outro sobre si. [p. 218]

Eles afirmam que a reflexão precisa do paciente não exige uma abordagem estéril ou "inanimada" do processo analítico (p. 220).

Embora a corrente principal continue a aceitar a posição de neutralidade de Freud como uma postura correta para o analista, a escola de pensamento estabelecida por Harry Stack Sullivan, conhecida como escola "interpessoal", representa uma importante discordância (Sullivan, 1953). Nessa abordagem, o analista é visto claramente como um participante, e não apenas como observador.

Contratransferência como um Instrumento de Pesquisa: Paula Heimann

O maior desafio à posição clássica a respeito da contratransferência veio da escola inglesa de relações de objetos. Paula Heimann é geralmente reconhecida como a primeira a considerar construtiva a contratransferência (Langs, 1981). Ela começa seu curto e importante ensaio (lido em 1949) com uma observação sobre quais podem ser os efeitos da posição clássica a respeito da contratransferência:

Tenho me surpreendido com a crença generalizada entre os candidatos de que a contratransferência é apenas uma fonte de problemas. Muitos candidatos têm medo e sentem-se culpados quando tomam consciência dos seus sentimentos com relação aos pacientes e, conseqüentemente, buscam evitar qualquer resposta emocional e permanecer completamente sem sentimentos e "desapegados". [Heimann, em Langs, 1981, p. 140]

No mesmo artigo, Heimann define a contratransferência como *todas* as respostas que o analista experimenta com relação ao paciente. Esta foi então a primeira afirmação daquilo a que Kernberg mais tarde se referiu como o ponto de vista "totalista" (Kernberg, 1965). Heimann afirma:

Minha tese é a de que a resposta emocional do analista a seu paciente na situação analítica representa *um dos instrumentos mais importantes* [itálicos meus] para este trabalho. A contratransferência do analista é um instrumento de pesquisa no inconsciente do paciente... Nossa suposição básica é que o inconsciente do analista compreende o de seu paciente... Muitas vezes as emoções que emergem nele estão muito mais próximas da essência da questão do que seu raciocínio, ou, dizendo de outro modo, sua percepção inconsciente do inconsciente do paciente é mais precisa e avançada do que sua concepção consciente da situação. [p. 141]

Em seu ensaio, "Counter-transference and the patient's response to It", Margaret Little foi ainda além no desafio ao apresentar o conceito de *usar* a contratransferência:

Ambas [transferência e contratransferência] são essenciais para a psicanálise, e a contratransferência não deve ser mais temida ou evitada do que a transferência; na verdade, ela *não pode* ser evitada, só pode ser procurada, controlada em algum medida e usada. [Little, 1981, p. 49]

Revivendo a História do Paciente: Harold Searles, Christopher Bollas

Harold Searles é um dos mais poderosos proponentes da contratransferência como uma fonte indispensável informação e de compreensão do paciente seriamente perturbado. Mas ele também diz (1979) que "*a contratransferência nos dá uma das abordagens mais confiáveis para entender os pacientes, qualquer que seja seu diagnóstico*" (p. 309). Searle fala dos intensos sentimentos característicos dos pacientes *borderline* que serão experimentados intensamente na contratransferência. Ele indica que o analista pode descobrir-se vivenciando as emoções, não apenas do pai projetado, mas *também da criança*.

Um escritor mais moderno, Christopher Bollas (1987), fala da importância da "prontidão da contratransferência", um estado de disponibilidade e sensibilidade emocional aos sentimentos evocados em nós pela transferência: pois "*para encontrar o paciente precisamos procurar por ele dentro de nós mesmos*" (p. 202, itálicos meus). Bollas diz que o paciente cria um ambiente único ou "idiomático" no qual ele e o analista "viverão" e irão recriar os diversos aspectos de sua experiência objetal inicial.

Variedades da Receptividade de Contratransferência: Hedges

A visão de Lawrence Hedges com respeito à contratransferência (1983, 1992) desafia o campo da psicoterapia ao abranger uma mudança mais ampla de paradigma para colocar o pensamento e a prática psicanalítica na era quântica. Ele aponta que os conceitos de transferência e de contratransferência, começando com Freud, foram formulados dentro de um quadro de referência baseado no determinismo biológico e na física newtoniana, e que nosso uso contínuo de uma linguagem ultrapassada limita nossas possibilidades criativas. Ele sugere que, para ser coerente com o pensamento contemporâneo de sistemas, nossa busca pela verdade "exterior" tem de ser substituída por um estudo sistemático dos "pontos de vista" subjetivos que um observador escolhe para realizar suas anotações. O novo paradigma a que Hedges se refere inclui diversas formas de escuta e de resposta aos diferentes modos desenvolvimentalmente determinados pelos quais o eu é experimentado em relação aos outros. Cada um dos quatro estágios de desenvolvimento da "representação do eu e do outro" exige um modo distintamente diferente de escuta e de resposta, aos quais Hedges denomina "perspectivas de escuta". Além disso, Hedges (1992) especifica como a receptividade de contratransferência pode ser usada diferencialmente em resposta a cada estágio de desenvolvimento da conexão. Portanto, de acordo com essa abordagem, a contratransferência — a resposta do terapeuta ao cliente — e seu uso são determinados pelo estágio de desenvolvimento em que ocorrem a transferência e o trabalho terapêutico.

Resumo

Temos então, nessa áreal crucial das respostas do terapeuta ao cliente, a evolução do pensamento desde (a) a formulação de "obstáculo" de Freud, até (b) a contratransferência como um instrumento importante para entender a experiência do cliente, e (c) o uso da contratransferência responsivamente segundo o nível de desenvolvimento do processo do cliente. Encarar a contratransferência a partir dessas diversas perspectivas tem implicações diversas e profundas para o terapeuta quando este se confrontar com sentimentos eróticos pelo e do cliente.

Contratransferência Erótica

Michael Balint (1949) escreve: *"É óbvio que todas as relações humanas são libidinosas. Assim, isto ocorre na relação do paciente com seu analista... mas a relação do analista com seu paciente é libidinosa exatamente do mesmo modo"* (p. 231).

Em seu artigo "Countertransference neurosis" (1953), Heinrich Racker afirma que, do mesmo modo como a transferência está sempre presente revelando-se no processo analítico, a contratransferência também está sempre presente revelando sua presença. A neurose original e a neurose de transferência se centram no complexo de Édipo, e isso também acontece com a neurose de contratransferência (que ele define como a expressão patológica da contratransferência). *"Neste nível cada paciente masculino representa fundamentalmente o pai e cada paciente feminina representa a mãe"* (p. 107). Essas observações da literatura psicanalítica apóiam a conclusão não só de que a contratransferência é um fenômeno ubíquo, mas de que a sexualidade também está sempre presente no relacionamento terapêutico, e desse modo também a contratransferência erótica.

Mantendo a Contratransferência sob Observação: A Perspectiva do Obstáculo

Embora haja uma concordância teórica geral de que os terapeutas irão experimentar sentimentos eróticos por seus clientes, em razão da natureza da contratransferência, a pesquisa confirma ainda mais esta posição. Estudos mostram também que os terapeutas ficam bastante perturbados por sentimentos sexuais com relação a seus clientes.

Num estudo nacional realizado em 1986 (Pope *et al.*, 1986), 87% dos entrevistados relataram que sentiram atração sexual por seus clientes (95% dos homens, 76% das mulheres, 88% das mulheres com menos de 45 anos). 82% disseram que nunca tinham pensado seriamente em atuar (7% relataram ter atuado seus sentimentos). 66% disseram que se sentiam ansiosos, culpados e desconcertados por tais sentimentos.

Em nossa cultura, experimentamos um extremo desconforto quando temos sentimentos sexuais que seriam inapropriados se fossem atuados. Os terapeutas também estão sujeitos à resposta universal "se eu não devo *fazê-lo*, também não deveria *senti-lo*", que leva à negação ou à repressão.

O Impacto da Definição Clássica

Além da dificuldade geral que nossa cultura tem para integrar os sentimentos sexuais, tem-se sugerido que as nossas dificuldades como terapeutas são exacerbadas pela definição clássica e dominante de contratransferência. Pope e colaboradores (1986) indicam as implicações dessa visão clássica da atração que os terapeutas sentem pelos clientes — que os sentimentos de atração são contratransferência e, como tal, representam uma distorção vinda do que ele/ela não tem consciência; e por ser uma resposta inadequada à transferência do cliente, ela representa um manuseio inadequado do fenômeno; portanto, é algo para esconder e da qual se envergonhar.

Um professor, ao comentar recentemente a relutância dos terapeutas em abordar essas questões na supervisão, disse: "Quando um membro de um grupo de supervisão *traz* material de transferência sexual, todos ficam em absoluto silêncio; quando é mencionado um material de *contratransferência* sexual, a tensão na sala se torna palpável!".

A reticência a respeito da contratransferência sexual pode ser refletida na raridade dos escritos sobre o assunto. Gorkin (1987) observa que *"apesar do interesse crescente nas questões de contratransferência, pouca atenção tem sido dada na literatura aos sentimentos e fantasias sexuais que o terapeuta possa ter com relação a seus pacientes"* (p. 108). Se já é suficientemente difícil reconhecer os sentimentos sexuais pelos clientes, com certeza será ainda mais arriscado expor-se, escrevendo sobre tais respostas no processo terapêutico.

O evitar da contratransferência sexual reflete-se na educação. A pesquisa tem revelado que a maioria das escolas de graduação e programas de treinamento nas profissões de saúde mental não dá a seus estudantes treinamento suficiente nessa área, deixando-os com o sentimento de inadequação. (Holroyd, 1983; Kenworthy *et al.*, 1976; Landis *et al.*, 1975; Pope *et al.*, 1986).

Além do desconforto culturalmente evocado com relação à sexualidade e aos sentimentos sexuais, da visão clássica da contratransferência que reflete tão bem essa situação cultural, e da atenção inadequada aos sentimentos sexuais na literatura e na educação, existe hoje outro obstáculo poderoso à discussão da contratransferência sexual. A atenção considerável dada recentemente aos problemas de abuso sexual cometido por terapeutas, e o aumento de processos legais contra os terapeutas, acusados de erro médico, fazem com que pareça ainda mais arriscado e mesmo perigoso que os clínicos reconheçam, e muito menos explorem, seus sentimentos sexuais pelos clientes.

Embora não exista um modo de determinar com que freqüência as questões sexuais do cliente são evitadas no processo de terapia, considerando-se o desconforto geral com a contratransferência sexual, a inadequação da informação e do treinamento, e a atual atmosfera litigiosa, é fácil ver como essas questões têm grande probabilidade de ser evitadas, desviadas ou suprimidas. Pope (1986) cita estudos em que terapeutas reagiam com "ansiedade e evitação verbal do material" quando uma "cliente" discutia material sexual (Schover, 1981, p. 477). Outro estudo (Abramowitz *et al.*, 1976) sugere que as terapeutas evitam ativamente tratar clientes masculinos atraentes. Pope *et al.* (1993) cita Reiser e Levenson (1994), que fazem um relato de um residente em psiquiatria que lidou com a atração que sentia por uma cliente muito atraente, dirigindo inadequadamente suas intervenções a questões "precoces" e incorretamente diagnosticando-a como *borderline*.

Lembro-me de um terapeuta que, numa sessão de treinamento sobre transferência e contratransferência sexual, afirmou que não tinha nenhuma cliente em sua ampla prática que tivesse mostrado qualquer indicação de ter sentimentos eróticos para com ele. Ele era um jovem caloroso, sensível e atraente. Em termos objetivos, era inconcebível que sentimentos eróticos de transferência não estivessem presentes em suas clientes, e também muito improvável que não houvesse sinais perceptíveis desses sentimentos. Entretanto, várias de suas clientes vinham de uma comunidade religiosa em que o celibato era a regra. Os sentimentos eróticos eram problemáticos. Durante as sessões de treinamento, ele deu-se conta de que o desconforto com sua própria sexualidade e sentimentos sexuais, reforçado pelo desconforto de suas clientes, fazia com que ele de fato deixasse de perceber seletivamente todas as indicações de sentimentos sexuais — dele e delas. As referências verbais veladas eram ignoradas, e a linguagem corporal nem era registrada. Conforme o analista em treinamento começou a aceitar a "permissão" para experimentar seus próprios sentimentos sexuais na sessão de terapia, descobriu que suas clientes "de repente" estavam mostrando sinais de respostas eróticas.

Explorando as Questões Sexuais

Embora a visão da contratransferência como "obstáculo" possa ter contribuído para nosso desconforto e nossa inibição quanto aos sentimentos sexuais e às questões sexuais, a definição clássica nos impele a um exame mais profundo de nossas próprias questões e do modo como elas podem manifestar-se no processo terapêutico sob a forma de contratransferência. A necessidade de tal consciência é aparente e inquestionável.

Seria benéfico que os terapeutas e os analistas em treinamento passassem por um processo que explorasse em profundidade e em detalhes sua história sexual e todas as questões associadas. Esse processo poderia ser estimulado por perguntas focalizadas nos seguintes tópicos:

Infância — dados do nascimento, cuidados na infância, experiência sexual infantil e resposta sensual, atitudes paternas com relação ao sexo, experiências de abuso, educação sexual:
Adolescência — relacionamento com os pais, atitudes com relação ao corpo e ao sexo, fantasias sexuais e sonhos, atividade auto-erótica, atitudes com relação à homossexualidade, experiência homossexual e heterossexual.
Vida Adulta — autopercepções relativas à sexualidade, atração sexual, atividade sexual, relacionamentos íntimos e de compromisso, comunicação sobre questões sexuais e satisfação sexual.

Outros tópicos a serem explorados: Como os temas da história pessoal reaparecem nos relacionamentos e nas escolhas? Que tipo de mulher e de homem provoca atração e por quê? Que tipo de mulher e de homem provoca aversão e por quê? Assim, ao reunir antigas percepções e dados familiares e focalizá-los desse modo, os terapeutas podem obter *insights* novos e valiosos sobre seu relacionamento com a sexualidade, tanto a sua como a dos outros. É provável que uma avaliação tão linear e completa revele novas questões que precisem ser elaboradas com uma terapia pessoal.

À medida que os terapeutas obtêm maior familiaridade e clareza a respeito das questões referentes à sua própria sexualidade, podem então relacionar essa informação com as respostas de contratransferência. Robertiello e Shoenewolf (1987) sugerem algumas questões pertinentes que devem ser formuladas: Que tipo de contratransferência tenho propensão a ter? (em outras palavras, que tipo de cliente vai tocar em quais pontos?) Existem alguns tipos de cliente que eu não deveria tratar neste ponto de minha vida? Que pistas me dizem que estou experimentando contratransferência (material de meu próprio inconsciente)? O que faço quando percebo a pista? Quais são os aspectos de meu pai, mãe e irmãos de que não gosto ou me trazem problemas?

Pope e colaboradores (1993) nos dão um excelente manual para explorar as respostas sexuais no ambiente terapêutico, sem oferecer soluções e respostas. Diversas situações e cenários são oferecidos para auxiliar o clínico a considerar como ele iria responder.

A importância de dar atenção e preocupar-se com suas próprias questões pessoais é clara. E tal familiaridade e clareza com as questões deveriam facilitar o próximo passo a ser dado pelo terapeuta: utilizar efetivamente seus sentimentos a favor do processo.

Contratransferência como uma Ferramenta: Consciência Amplificada

Um Caso Ilustrativo

Para ilustrar como os sentimentos de contratransferência podem transformar-se num instrumento para entender melhor as necessidades do cliente, trarei um exemplo fracassado de minha própria prática. Escolhi este caso porque ele também ilustra alguns dos problemas discutidos aqui: o desconforto com os sentimentos sexuais e a evitação resultante disso, a falta de consciência de minhas próprias questões sexuais, um entendimento limitado do significado da contratransferência e a incapacidade resultante para utilizá-la a favor do processo. O resultado foi uma mensagem perdida e um processo, abortado. (As circunstâncias foram alteradas para proteger o sigilo.)

Logo no início de minha prática, um jovem produtor na indústria de entretenimento foi encaminhado para mim. Ele tinha subido muito rapidamente até uma posição de poder em sua empresa. Mas ele assistia a seu sucesso com grande desconforto e insegurança. Ele era ao mesmo tempo grandioso e sentia-se como uma fraude sem merecimento que poderia perder tudo num instante.

Mike era fisicamente bastante atraente, charmoso, capaz de raciocínio rápido e sedutor. Também afirmava ser um *wise-ass* (asno esperto) que não conseguia conter seus comentários "espertos". Ele era casado e tinha dois filhos.

Mike tinha visto muitos terapeutas — por pouco tempo. Segundo ele, nenhum tinha sido útil nem "bom". Ele tinha se sentido insultado pelo último, um psicanalista, porque anotava durante as sessões. Ele teve uma resposta positiva a mim e freqüentemente me dizia como eu era muito melhor que todos "esses caras que estão aí fora enganando as pessoas".

Mike reclamava que nunca sentia nada. A exceção era a agressão e a raiva que irrompiam contra outros motoristas quando ele estava na rodovia em seu carro esporte caríssimo. Era sexualmente impotente com sua esposa. Além de encontros sexuais ocasionais com mulheres que conhecia, ele tinha o hábito de seduzir jovens aspirantes a atrizes, atraindo-as para seu escritório para fazer sexo oral com ele. Isto acontecia como rotina. Enfatizava que seu único ponto de integridade era "sempre lhes contar diretamente que isso não lhes vai dar nada". Sentia nojo e desprezo pelas mulheres que sucumbiam, e nojo de si mesmo por estar aprisionado nesta obsessão.

Depois de uns dois meses trabalhando juntos, Mike começou a me dizer que estava bastante atraído por mim. Continuou dizendo que se fosse para a cama comigo ele resolveria seus problemas. Ele insistia, com um tom brincalhão e um jeito de menininho sedutor, que se eu quisesse mesmo ajudá-lo com certeza eu estaria disposta a fazer o que fosse necessário! Em outros momentos me comparava às garotas que tinha. Elas eram vazias, falsas; eu tinha substância, era real.

Isto era bem complicado para uma mulher que naquele momento estava divorciada, sem um relacionamento de compromisso, a qual tinha passado dos quarenta anos! Entretanto, o fato de esse homem definitivamente não ser o "meu tipo" facilitou as coisas para mim. Fui bem clara dizendo que sob *nenhuma* circunstância teria um relacionamento íntimo com ele. Também deixei evidente o fato de que em *qualquer* outra circunstância ele não iria desejar ter um relacionamento sexual comigo; em outras palavras, fui enfática quanto à natureza transferencial de seus sentimentos para comigo. Eu também sabia que não devia levar suas lisonjas a sério (embora, em outro sentido, tenha sido aqui que perdi a oportunidade). Entretanto, eu era afetada pelos elogios. Conscientizei-me de que tomava cuidados extras com minha aparência antes das sessões dele. Certo dia ele me disse, com um sorriso malicioso: "Bem, você realmente acertou hoje! Sabe disso, não é?". Sem dúvida, eu sabia! Fiquei bem desanimada com o modo como estava reagindo. Eu ficava inquieta com a expectativa que sentia antes de sua sessão, e como aumento de animação que eu experimentava.

Apesar de eu ter estabelecido claramente os limites quanto à atuação sexual, ele persistiu em seus apelos sedutores, algumas vezes com humor, outras seriamente. Na verdade, eu não sabia como lidar com isto, e assim busquei a ajuda de um colega. Lembro-me de ter dito ao supervisor que sentia estar sendo afetada pelas lisonjas, mas duvido que tenha falado sobre o aumento de atenção com minha aparência, ou sobre qualquer outro modo sutil como estava sendo seduzida. Também parece provável que meu colega tenha sido apanhado em algumas de suas próprias questões. O resultado foi que não focalizamos muito a contratransferência. Baseado na informação que lhe dei, meu colega pegou a qualidade de "menininho" do cliente e sugeriu que eu assumisse uma atitude de confronto da realidade. Se ele persistir, diga-lhe: "Você não é suficientemente homem para mim". Em algum nível inconsciente de transferência e contratransferência, essa formulação apontava para uma verdade, mas não estava claro exatamente como na transferência ele poderia não ser "suficientemente homem".

Posso dizer a meu favor que essa resposta soou errada para mim. Entretanto, eu estava sem chão e incomodada o bastante para não ser capaz de confiar em meu senso intuitivo ou até mesmo para não estar em contato com ele. Assim, quando recebi a deixa, disse a fala. Logo depois, Mike deixou a terapia simplesmente cancelando sua hora.

Em sua última sessão, Mike tinha sido capaz de contatar pela primeira vez um sentimento profundo. Ele contatou um anseio por contato com seu pai. Na época atribuí a saída precipitada à ansiedade ligada ao aparecimento desses sentimentos. Isso pode ter tido alguma influência. Mas era evidente que a minha intervenção tinha sido um golpe que cortara qualquer possibilidade de conexão entre nós. Mike só teria sido capaz de tolerar a vulnerabilidade de seus sentimentos profundos e autênticos se pudesse ter sido sustentado por uma conexão comigo. Eu destruí essa possibilidade ao dar um golpe em seu ego já muito danificado e ao desconsiderar seu pedido de conexão feito do único modo que ele sabia. Nunca cheguei a entender que aspectos dinâmicos estavam operando.

Agora, muitos anos depois, existem diversas coisas que eu gostaria de ter feito diferente. E se eu tivesse considerado minha resposta como uma oportunidade para aprender mais a respeito de minhas próprias questões? Poderia ter explorado meu desejo de me arrumar e enfeitar, de ser admirada e desejada enquanto permanecia bem fora de alcance. Poderia ter reconhecido a posição humilhante e masoquista em que Mike estava se colocando, pedindo e implorando com uma proposição fria e sedutora, sabendo que eu não estava disponível. Era a mesma posição em que ele punha as atrizes que se ajoelhavam para fazer sexo oral com ele. E um fato bem interessante é que ele recebeu em meu comentário o desprezo que sentia por elas: "Você não é suficientemente homem para mim!". O fato de meu comentário ter desencadeado um anseio intenso pelo pai sugere que ou houve uma replicação da rejeição materna e da procura do pai, ou que na transferência minha "força e substância" representavam traços paternos com os quais não conseguira identificar-se, e isso fazia com que ele se sentisse como um menininho, impotente e passivo.

Uma das áreas mais importantes que eu poderia ter explorado era sua "lisonja". Ele nunca me disse que eu era deslumbrante e glamorosa. Ele falava sobre substância e profundidade, características que não conseguia encontrar em si mesmo e em nenhuma outra pessoa de sua vida. Ansiava por sentir-se real, por ser autêntico. O anseio era real, e descartei sua expressão como lisonja. Se eu tivesse conseguido respeitar esses sentimentos, ver por meio dos significados mais profundos e sutis da transferência, teríamos assumido uma posição bem diferente. Mas eu estava incomodada com *minha* resposta e, assim, não olhei realmente para isso, nem permiti que a contratransferência me ensinasse mais sobre mim mesma e sobre Mike.

Quando o terapeuta experimenta sentimentos eróticos pelo cliente, ele pode estar recebendo uma "mensagem" do inconsciente dessa pessoa: ele ou ela *pode* estar vivenciando os sentimentos do bebê superestimulado ou da criancinha nas mãos de uma mãe sedutora e sem limites, ou de um pai abusador. Será uma pena se o terapeuta, ao confrontar esses sentimentos, ficar tenso e assustado, preocupado com sua própria "resposta inadequada", e perder completamente a mensagem!

Respostas de Contratransferência à Transferência Sexual: *Role Play*

Uma das tarefas mais difíceis para o terapeuta parece ser a resposta de contratransferência à transferência erótica do cliente quando ela aparece pela primeira vez no processo terapêutico. Descobri que o *role playing* é uma técnica efetiva para esclarecer essas questões. Numa situação de treinamento, costumo pedir a duas pessoas que façam o papel do cliente e do terapeuta. É criado um cenário em que o cliente experimenta sentimentos eróticos pelo terapeuta. Periodicamente, conforme o diálogo prossegue, o supervisor pede que o "terapeuta" e o "cliente" explicitem o "subtexto". Cada um responde com o que está *realmente* pensando ou sentindo por trás das palavras que estão sendo ditas. O processo revela uma grande quantidade de informação: o analista em treinamento tem a oportunidade de experimentar como iria responder na presença de situações de transferência erótica, o que acontece com seu corpo e com seus sentimentos, e como suas questões influenciam o processo verbal. O analista em treinamento aprende sobre as respostas internas do cliente às intervenções (não ditas, raramente reveladas) e pode experimentar intervenções alternativas. A gravação em vídeo das sessões de *role play* acrescenta a importante oportunidade de observar a linguagem corporal e suas ramificações.

A seguir, estão dois exemplos de *role play* nos quais dois analistas em treinamento improvisam uma sessão de terapia na qual o cliente expressa sentimentos sexuais pelo terapeuta. O subtexto aparece em letras maiúsculas, o "diálogo" é escrito em letras minúsculas. Os terapeutas nestes exemplos lutam com o desconforto causado por suas respostas interiores aos sentimentos eróticos dos "clientes" e tentam encontrar um modo de aceitar os sentimentos, estabelecer limites e conectar-se com a necessidade real do cliente.

Role Play entre uma cliente e um terapeuta

CLIENTE: Ah, eu me sinto realmente envergonhada por dizer isto, mas você sabe... eu quero dizer, eu realmente amo meu marido, mas tenho ótimos sentimentos bons com relação a você.

TERAPEUTA: Oh? (SUBTEXTO: BONS SENTIMENTOS — EM QUE SENTIDO? ONDE ISTO VAI LEVAR? JÁ SINTO ANSIEDADE DENTRO DE MIM. VOCÊ ESTÁ FALANDO SOBRE ATRAÇÃO?) Fale mais sobre esses sentimentos.

CLIENTE: Isto realmente me deixa envergonhada. Nem sei se posso falar sobre isto. Tive este sonho com você outra noite e foi muito embaraçoso, mas cheio de sentimento. Só senti bastante atração sexual. Foi um sonho tão real, e eu não sei se deveria falar sobre ele aqui.

TERAPEUTA: É assustador falar sobre isto?

CLIENTE: É.

TERAPEUTA: Não é correto? Não parece seguro?

CLIENTE: Bem, não sei.

TERAPEUTA: O que você tem medo que aconteça se falar sobre isso?

CLIENTE: Eu não acho que *possa* falar sobre isso... eu nunca lhe poderia contar os detalhes. Já é ruim demais contar que eu tive o sonho.

TERAPEUTA: Por que ele é embaraçoso? Parece ruim ter sonhos ou sentimentos sexuais com relação a mim?

CLIENTE: É, parece. Quero dizer, foi bem forte. Os sentimentos eram tão fortes que eu simplesmente não podia acreditar. Eu gostaria de nunca ter sonhado isso.

TERAPEUTA: (SUBTEXTO: ESTOU ME SENTINDO ANSIOSO. ESTAMOS AGORA ENTRANDO EM OUTRA DIMENSÃO. ESTOU RECONHECENDO QUE É REALMENTE IMPORTANTE ENTRAR NISSO E FALAR A ESSE RESPEITO. ESTOU SENTINDO SUA ANSIEDADE E QUERO AJUDÁ-LA. MAS SINTO-ME BEM HESITANTE. NÃO QUERO ESTRAGAR TUDO. QUERO QUE VOCÊ SE SINTA SEGURA PARA FALAR SOBRE SEXUALIDADE.)

CLIENTE: Não, eu nunca contaria o sonho. É incômodo. Só contar que eu tive o sonho já é uma grande coisa para mim.

TERAPEUTA: Falar sobre isto dá a sensação de correr um grande risco.

CLIENTE: É. Eu nunca falei sobre isto antes. E não estou certa de querer falar agora.

TERAPEUTA: Você poderia falar-me um pouco sobre seus sentimentos sexuais para com seu pai?

CLIENTE: (Riso) Com meu *pai*? Oh, *não*!

CLIENTE e TERAPEUTA: (SUBTEXTO: AGHHHH!!!)

CLIENTE: (SUBTEXTO: MAL POSSO OUVIR O QUE VOCÊ ESTÁ DIZENDO. FUI EMBORA. ESTOU SENTADA AQUI, MAS NA VERDADE ESTOU ALI ATRÁS. ESTOU MAIS OLHANDO PARA VOCÊ DO QUE O OUVINDO. ESTOU REALMENTE OBSERVANDO E VENDO MUITAS COISAS DIFERENTES PASSANDO POR SEU ROSTO, E CADA VEZ QUE VEJO ALGO HESITANTE MEU CORAÇÃO DÁ UM PULO E SINTO QUE ISTO É REALMENTE PERIGOSO, ASSUSTADOR. EU SÓ PRECISO SENTIR-ME SEGURA.)

TERAPEUTA: (SUBTEXTO: QUERO RETIRAR MINHA PERGUNTA SOBRE O PAI. PERCEBO COMO ELA FOI TOTALMENTE INADEQUADA. QUANDO ESTOU ANSIOSO, INTELECTUALIZO PARA ME AFASTAR DO SENTIMENTO. O QUE PRECISO AQUI É SIMPLESMENTE FAZER COM QUE SEJA SEGURO PARA VOCÊ FALAR SOBRE ISTO. É QUE NÃO ESTOU CERTO DE ONDE ISTO NOS VAI LEVAR.)

CLIENTE: (SUBTEXTO: QUANDO EU TROUXE ISTO PELA PRIMEIRA VEZ, PUDE VER A TENSÃO EM SEU ROSTO. DEPOIS VOCÊ RELA-

XOU E PARECIA MAIS À VONTADE. ACHO QUE ISSO É O QUE EU PRECISAVA MESMO OUVIR — E VER, QUE VOCÊ FICA BEM COM O FATO DE EU FALAR SOBRE ESSES SENTIMENTOS. PORQUE REALMENTE TENHO OUTRAS QUESTÕES QUE GOSTARIA DE FALAR E SÃO REALMENTE IMPORTANTES. ISTO É COMO UM TESTE... VOU JOGAR ESTE SONHO E VER COMO ELE RESPONDE. DEPOIS VOU ARQUIVAR ISTO, E TALVEZ DEPOIS FALEMOS SOBRE ISSO UM POUCO MAIS. PORQUE DE FATO TIVE ESTA PAIXÃO SÚBITA E ARREBATADORA MAS NÃO VOU FALAR SOBRE ISSO AGORA!)

TERAPEUTA: Existem duas coisas que quero dizer aqui. Uma é que está *tudo bem* em ter seus sentimentos e sua sexualidade. Até mesmo em ter sentimentos sexuais por mim. A outra é que posso estar internamente comigo e estar com você aqui. Meu desejo é tornar este lugar seguro para você, de modo que você possa ter qualquer sentimento aqui, e possamos lidar com o que quer que surja para você. É assim que me sinto realmente.

CLIENTE: O que você acabou de dizer me dá uma sensação boa, realmente agradável. (SUBTEXTO: ESTOU FELIZ POR ME PARECER BEM DEIXAR ESTE ASSUNTO DE LADO AGORA. ISTO É TUDO COM QUE POSSO LIDAR NO MOMENTO.)

TERAPEUTA: Estou sentindo muito respeito pela qualidade de seus sentimentos. Isto é algo precioso, delicado e frágil.

CLIENTE: É. Realmente não é fácil.

TERAPEUTA: E ainda assim os sentimentos sexuais são tão importantes, tão centrais. Queremos lidar com eles e entender seu significado. Quando for a hora.

CLIENTE: Eu me sinto bem agora.

Depois do *role play*, o terapeuta comentou que sua ansiedade inicial fez com que ele se desconectasse da cliente, e assim suas intervenções foram feitas mais para que ele ficasse à vontade do que para ajudá-la a sentir-se segura. Aos poucos, ele foi capaz de responder à necessidade dela (de ter certeza de que seus sentimentos eram aceitos).

Role Play de Transferência Erótica entre uma Terapeuta e um Cliente

TERAPEUTA: Como você passou a última semana?

CLIENTE: Um pouco melhor. Estou vendendo muitos carros agora. Ganhando bastante dinheiro.

TERAPEUTA: (acena com a cabeça).

CLIENTE: Acho que isto, entre nós, está funcionando... não está?

TERAPEUTA: (SUBTEXTO: O QUE ESTÁ FUNCIONANDO ENTRE NÓS? JÁ ME SINTO NA DEFENSIVA!)

CLIENTE: (SUBTEXTO: QUERO ENCANTÁ-LO E SEDUZI-LO PARA QUE EU POSSA FICAR NO CONTROLE AQUI.)

TERAPEUTA: (SUBTEXTO: [RINDO] VOCÊ ME PEGOU!)

CLIENTE: (SUBTEXTO: ESTOU BRINCANDO... BRINCANDO E PAQUERANDO.)

TERAPEUTA: Tenho duas respostas: primeira, o seu sucesso deve realmente lhe dar uma sensação boa. Mas também sinto um ar brincalhão em você com relação a isto.

CLIENTE: Sente? Você gosta disso?

TERAPEUTA: Sim, gosto desta característica de brincar em você. Posso ver um menininho em você.

CLIENTE: (SUBTEXTO: ISSO QUE VOCÊ DISSE ME DERRUBOU, "UM MENININHO...". NÃO GOSTO DISSO. AGORA ESTOU COMEÇANDO A ME SENTIR UM POUCO INCOMODADO.)

TERAPEUTA: (SUBTEXTO: [RISO] BOM!)

CLIENTE: (SUBTEXTO: NÃO QUERO QUE VOCÊ FALE SOBRE O MENININHO. QUERO PASSAR PARA OUTRA COISA COM QUE POSSA ME SENTIR MAIS NO CONTROLE.)

TERAPEUTA: (SUBTEXTO: SERÁ QUE ESTRAGUEI TUDO? NÃO QUERO QUE VOCÊ SE SINTA INCOMODADO DEMAIS, MAS AO MESMO TEMPO NÃO QUERO QUE VOCÊ CONTROLE A SESSÃO. VOCÊ NÃO PODE ESTAR NO CONTROLE, SEDUZINDO-ME, PUXANDO-ME PARA DENTRO DISSO, E DEPOIS ESPERAR OBTER ALGO COM A TERAPIA. TUDO FICARIA SEM SENTIDO. ASSIM, NÃO ME IMPORTO DE DEIXAR VOCÊ UM POUCO DESCONFORTÁVEL.) Posso ver um pouco do menininho e gosto desse seu jeito de brincar.

CLIENTE: (SUBTEXTO: OK, BEM ISTO ME PARECE LEGAL.) Como foi seu fim de semana?

TERAPEUTA: Foi bom.

CLIENTE: O que você fez?

TERAPEUTA: (SUBTEXTO: O QUE FIZ? ISSO NÃO É DA SUA CONTA! NÃO VOU LHE CONTAR... MAS ESTOU SENTINDO O IMPULSO DE FALAR SOBRE ISSO... VOCÊ ME PEGOU DE NOVO! ONDE QUER QUE EU VÁ, SINTO-ME TÃO SUSCETÍVEL!)

CLIENTE: (SUBTEXTO: QUERO AFASTAR VOCÊ DE LIDAR COMIGO.)

TERAPEUTA: Por que você perguntou sobre meu fim de semana?

CLIENTE: Estou realmente interessado em saber o que você fez. Você é de fato uma pessoa interessante. Estou mesmo curioso a seu respeito.

TERAPEUTA: Mas esta hora é sua, Norman, não minha.

CLIENTE: Sabe, eu realmente gostaria de passar mais tempo com você.

TERAPEUTA: Você quer passar mais tempo comigo?

CLIENTE: Sim. As coisas estão indo muito bem. Quero dizer, eu e você estamos indo bem. Seria agradável passarmos algum tempo juntos.

TERAPEUTA: Você quer dizer passar algum tempo aqui ou fora da terapia?

CLIENTE: De qualquer jeito. Você gosta de brincar, certo? Você gostaria de ir à praia este fim de semana, tomar um pouco de vinho, ou algo assim, certo?

TERAPEUTA: Entendo o que você quer dizer. Bem, não, porque esta terapia tem realmente de ser sua. Não seria correto termos um relacionamento fora da terapia. (SUBTEXTO: O QUE ESTOU DIZENDO O CONVENCE?)

CLIENTE: (SUBTEXTO: DE FATO, NÃO. VOCÊ SOOU HESITANTE, E ISTO ME ATRAIU. FEZ COM QUE EU DESEJASSE DIZER: "ESTA TERAPIA É REALMENTE UMA BOBAGEM, CARA. VOCÊ SABE, ISTO É A VIDA REAL. ESTAMOS FALANDO SOBRE SEUS E MEUS SENTIMENTOS. VAMOS LÁ. SINTO-ME ATRAÍDO POR VOCÊ. VOCÊ SABE DISTO. VAMOS LIDAR COM ISTO".)

TERAPEUTA: Não existe um modo de termos um relacionamento fora da terapia, Norman. Quero que você entenda isto. Esta terapia é sua — nesta hora, neste momento e neste lugar.

E não há como mantermos um relacionamento fora daqui, em nenhum momento. Nem depois de a terapia ter terminado, nem enquanto a terapia estiver acontecendo. Realmente quero que você escute isto.

CLIENTE: (SUBTEXTO: BEM, AGORA É MAIS FORTE. ESTOU ME SENTINDO DEFENSIVO NOVAMENTE. POSSO IR POR DOIS CAMINHOS: CONTINUAR TENTANDO SEDUZI-LA VOCÊ OU DIZER QUE NA VERDADE NÃO ME SINTO ASSIM. EU ESTAVA APENAS TENTANDO VER COMO VOCÊ SE SENTIA REALMENTE E SE TINHA INTEGRIDADE. POSSO JOGAR A BOLA DE VOLTA PARA VOCÊ.)

TERAPEUTA: Estou interessada no que você está sentindo agora.

CLIENTE: Bem, acho que estamos deixando escapar um ao outro, e um bom relacionamento. Quero dizer, vamos encarar isto. Você sabe, a terapia... não é vida real.

TERAPEUTA: Não, ela não é vida real. Mas ela é importante porque você é importante. A sua vida é importante, e este é o seu momento. Só seu.

CLIENTE: Sim, mas estou interessado em passar mais tempo com você.

TERAPEUTA: Fora da terapia não é possível, Norman. Nem enquanto a terapia estiver acontecendo, nem depois de ela ter terminado. Nunca haverá um momento em que teremos um relacionamento fora da terapia.

CLIENTE: (SUBTEXTO: ISTO É AINDA MAIS FORTE. É DIFÍCIL CONTORNAR ISTO. ESTOU PROCURANDO UM MODO, MAS NÃO CONSIGO ENCONTRÁ-LO AGORA.)

TERAPEUTA: (SUBTEXTO: EU ESTAVA PISANDO EM OVOS ANTES PORQUE NÃO QUERIA ENTRAR NA SEDUÇÃO, MAS TAMBÉM NÃO QUERIA MAGOÁ-LO. OUTRA PARTE DE MEU SUBTEXTO ERA: COMO POSSO DIZER ISTO DE MODO DELICADO EM QUE VOCÊ POSSA OUVIR, MAS NÃO SER FERIDO POR ISSO. CONFORME FUI ME SENTINDO MAIS FORTE, PENSEI, ISTO VAI MAGOÁ-LO, MAS VOCÊ PRECISA OUVIR!)

CLIENTE: (SUBTEXTO: AGORA, COM ESSES PARÂMETROS, FIQUEI PENSANDO, TUDO BEM, SE EU NÃO PUDER CONTROLAR VOCÊ, QUERO PARAR COM A TERAPIA. ALGO TEM DE ME ENVOLVER MAIS, E NÃO SEI O QUE É ISSO.)

TERAPEUTA: Enquanto eu falava sobre os limites, vi uma mudança real acontecer com você. Parecia que sentia algo a esse respeito.

CLIENTE: Sim, me senti desapontado.

TERAPEUTA: Desapontado por não conseguir o que queria.

CLIENTE: Por que você não sairia comigo?

TERAPEUTA: Porque este é seu momento. Ele não tem que ver conosco. Não é um relacionamento social. Você tem muitos relacionamentos no mundo, mas na verdade não tem um momento e um lugar exclusivamente seus.

CLIENTE: Sabe, na verdade, não entendo. Onde você quer chegar?

TERAPEUTA: Este é um lugar onde você pode partilhar o que está acontecendo com você, e realmente estar em contato consigo mesmo.

CLIENTE: Estou em contato comigo.

TERAPEUTA: (SUBTEXTO: ESTOU ATOLADA. SE VOCÊ ESTÁ EM CONTATO CONSIGO MESMO, POR QUE ESTÁ EM TERAPIA?!) Norman, do que você sente que *realmente* precisa aqui?

CLIENTE: Do que preciso? Preciso de amor. Preciso ser amado. Preciso que alguém se importe comigo.

TERAPEUTA: Eu me importo com você.

CLIENTE: Preciso parar de jogar este jogo. Estou realmente cheio e cansado de jogar isto. (SUBTEXTO: DE ALGUM MODO FINALMENTE OUVI QUE OS LIMITES ERAM DEFINIDOS E SEGUROS — VOCÊ NÃO VAI CEDER A MIM — E VOCÊ SE IMPORTA COMIGO. FOI ISSO QUE SE PASSOU. PUDE SENTIR UMA MUDANÇA DENTRO DE MIM. AGORA ME SINTO VULNERÁVEL E UM POUCO TÍMIDO E TRISTE.)

Na discussão que aconteceu depois do *role play*, a "terapeuta" pôde ver melhor como seu desejo de não "magoar" o cliente sabotou sua comunicação sobre a definição absoluta dos limites. O cliente só pôde começar a abrir-se a seus sentimentos reais quando se sentiu seguro de que ela não seria seduzida, mas ao mesmo tempo se importava sinceramente com ele. A terapeuta também conseguiu identificar a fonte de suas respostas contratransferenciais em questões psíquicas específicas, e foi alertada para áreas que precisavam de uma investigação mais profunda em sua terapia pessoal.

Nos dois exemplos, os terapeutas, ao usar cenários hipotéticos, tiveram a oportunidade de se familiarizar com situações que normalmente seriam suprimidas no relacionamento terapêutico por causa de seu próprio incômodo com o material sexual. Eles puderam explorar respostas opcionais e receber um *feedback*, que de outro modo não estaria disponível, com referência à reação do "cliente". Os terapeutas apontaram que se envolver nesses e em outros *role plays* diminuiu consideravelmente sua ansiedade, dando-lhes mais confiança para começar a trabalhar com questões sexuais quando elas emergirem no processo com seus clientes.

Usando a Contratransferência no Relacionamento Terapêutico

Um *Role Play* em Supervisão

A seguir, é relatado um trecho de uma sessão de supervisão durante um seminário de treinamento para a equipe de um centro de tratamento e internação. O caso discutido envolve a transferência erótica, a contratransferência elicitada por esta e uma forma de utilização da resposta do terapeuta no tratamento. Durante o *role play*, os sentimentos de contratransferência foram enfatizados, e os participantes exploram as reações e as respostas do cliente. Os nomes foram mudados e os dados de identificação, retirados.

Felícia, uma psicóloga clínica habilidosa e experiente, tinha pedido ajuda no caso de uma paciente sobre o qual ela dizia: "Não sei como lidar com essa situação". A paciente, Megan, é uma mulher de 27 anos com um diagnóstico de esquizofrenia e uma história de incesto com um irmão mais velho. Ela se considera lésbica, embora nunca tenha atuado seus sentimentos homossexuais. Tem um sistema alucinatório no qual proclama seu amor ardente por Felícia (de modo dramático, constante e barulhento); pretende casar-se com Felícia algum dia e ter filhos. Ela se mostra confusa quanto a sua contribuição para o processo, se com esperma ou óvulo. Megan tem modos masculinos e identifica-se com o lado "masculino" de Felícia, admirando suas características de liderança, força e poder. Ela é vista como muito invasiva, viola os limites físicos das outras pessoas e muitas vezes é inadequada socialmente.

Felícia concordou em fazer um *role play*, e outro membro da equipe interpretou Megan. O supervisor interrompia o diálogo de tempos em tempos para perguntar à pessoa que falava qual era seu subtexto, os pensamentos ou sentimentos por trás das palavras que estavam sendo ditas. A pessoa então verbalizava esses sentimentos. (O subtexto aparece em letras maiúsculas.) Os membros da equipe participaram da discussão.

> PACIENTE: Felícia... (ela começa com uma voz intensa, dramática, sem ar), você é uma terapeuta *tão* excepcional aqui. Sinto você o tempo todo e *sei* o que significamos uma para a outra.
>
> SUPERVISOR (para a TERAPEUTA): Antes de responder a Megan, você pode nos dizer qual é seu subtexto? O que você está sentindo neste momento?
>
> TERAPEUTA: (SUBTEXTO: TENHO REALMENTE DIFICULDADE EM FICAR COM ISTO.)
>
> PACIENTE: Você é a mulher perfeita, a mulher por quem tenho procurado minha vida inteira. E mesmo que você diga que não me quer, sei que você quer... sei.
>
> TERAPEUTA: Parece que existe algo que você precisa de mim que é menos dramático que isto. Gostaria de focalizar o que você gostaria de receber de mim no dia-a-dia.
>
> PACIENTE: Eu queria que você me abraçasse. Quero sentir seus braços a meu redor, me apertando.
>
> SUPERVISOR (para a TERAPEUTA): Fique com seus sentimentos agora. Focalize exatamente o que está acontecendo no seu interior.
>
> TERAPEUTA: (SUBTEXTO: EU ME SINTO INVADIDA.)
>
> SUPERVISOR: Percebo muita ansiedade.
>
> TERAPEUTA: (SUBTEXTO: SIM, A ANSIEDADE APARECE PORQUE QUANDO ELA FALA QUE DESEJA QUE EU A ABRACE, QUASE SINTO QUE ESTOU SENTO VIOLADA... ENTÃO, COMO ME RELA-CIONO COM ELA DE MODO NUTRIDOR, QUANDO NA VERDADE ESTOU COM VONTADE DE DIZER "FIQUE LONGE DE MIM!"? NÃO POSSO TOLERAR O CONTATO FÍSICO COM ELA.)
>
> SUPERVISOR: A última coisa que Megan deseja conscientemente ouvir é: "Fique longe de mim!". Mas esta claramente é a resposta que foi elicitada em Felícia e em todos na sala. Felícia,

vamos voltar e ver se você pode dizer a Megan o que está sentindo.

TERAPEUTA: Megan, estou me sentindo assustada e sobrecarregada pela intensidade da energia que você está colocando nisto. Sinto-me invadida.

PACIENTE: Quero que você me conheça. Acho que você tem medo do que nós temos.

TERAPEUTA: Eu não estou disponível para você de modo sexual. E estou preocupada com a possibilidade de que se eu abraçá-la e tocá-la, você possa distorcer tudo. Então eu gostaria de encontrar um modo por meio do qual possa fazer contato com você, no qual a sua necessidade de contato comigo e os seus sentimentos sexuais não se misturem.

PACIENTE: Você vai me abraçar quando eu a vir?

TERAPEUTA: Muitas vezes quando você quer um abraço sinto que você está excitada.

PACIENTE: É assim que você me faz sentir. Como paro o que estou sentindo com você?

SUPERVISOR: Vamos parar agora por um momento. Felícia nos disse o que ela experimenta, e todos concordamos que enquanto ouvíamos o diálogo entre Felícia e Megan também vivenciamos os mesmos sentimentos de ser sobrecarregado e invadido, e o desejo de fugir. Agora, o que podemos supor que Megan está comunicando a partir de algum nível mais profundo?

MEMBRO DA EQUIPE: Que essa foi a experiência de *Megan*...

SUPERVISOR: Sim! De algum modo Megan, como um bebê ou uma criança muito pequena, pode ter se sentido absolutamente sobrecarregada e invadida. Assim, Felícia, talvez você possa começar a se distanciar um pouco da posição de terapeuta sitiada que tem de lidar com esta paciente problemática, e fica ansiosa com relação a suas próprias respostas. Faça a si mesma esta pergunta: O que meus sentimentos me dizem sobre o que aconteceu com Megan, no início de sua vida, muito antes de ela ter qualquer possibilidade de lidar com sua situação ou até de formar palavras sobre isso. E então, a partir desta percepção, como poderíamos responder quando ela diz essas coisas? Deixe-me demonstrar isso... Dê-me uma ou duas linhas.

PACIENTE (com voz sedutora): Você é uma mulher magnífica. Você dá tudo a todos. Todas as pessoas recebem aquilo de que precisam de você.

SUPERVISOR: Megan, quando você me fala desse jeito às vezes fico com este sentimento de ser absolutamente invadida e sinto em meu corpo este desejo de simplesmente afastá-la de mim. É avassalador... E me faz pensar... pode ser que enquanto era criança *você* tivesse sentimentos parecidos deste mesmo tipo...?

PACIENTE (a voz dela se torna suave e tranqüila): Sim, eu era realmente assustada, assustada mesmo quando era pequena.

SUPERVISOR: Deve ter sido muito pesado para você.

PACIENTE: É, foi.

SUPERVISOR: Talvez você possa falar um pouco mais disso...

FELÍCIA: Quando você fala com Megan e toca em algo que ela sente ser verdadeiro sobre sua infância, ela imediatamente diz "Sim!".

SUPERVISOR: Bem esta é a questão. Acho que quando você observa o que está sentindo em algumas situações, pode dar uma volta e dizer: "Deve ter sido assim com você". Se houver conexão, então de repente você tocou a verdade que a pessoa queria transmitir. Entretanto, ela não conseguiria fazê-lo com suas próprias palavras. A experiência foi muito precoce, incipiente demais, inacessível demais à reflexão. Mas ela *pode* criar sua experiência em você. Quando você coloca em palavras o que *você* experimenta, então você, a terapeuta, lhe deu as palavras para a experiência *dela*. A pessoa finalmente passou a mensagem. E então não existe mais a necessidade de atuar do mesmo modo...

MEMBRO DA EQUIPE: Eu estava pensando, Felícia, se você estivesse falando com Megan e revelasse seus sentimentos que se conectam com o que *ela sentiu*, isso removeria a sensação de isolamento dela — e, portanto, afastaria a necessidade de ela se comportar como faz. "Porque você está fazendo com que eu saiba — mais do que simplesmente entender, você está me transmitindo o que sente que estou sentindo — este inferno em que vivo, independentemente de o chamarmos ou não de sexualidade. Não estou mais sozinha neste estado em que vivo, tentando conseguir alguém que me tire de lá ou me ajude a parar de sentir." Esta revelação forma a ponte para o isolamento dela!

SUPERVISOR: Isto mesmo. Porque você está refletindo não o comportamento atual dela, mas os sentimentos mais profundos que ela não consegue comunicar diretamente. E, mais uma vez, você está dando a ela não só um senso de conexão, mas um modo de começar a entender a própria experiência.

MEMBRO DA EQUIPE: Em situações como esta, você poderia dizer que o comportamente dela na verdade não tem nada a ver com sexo?

SUPERVISOR: Eu diria que tem e não tem a ver com sexo, ao mesmo tempo. Megan deseja uma conexão, mas, mais que isso, ela deseja fundir-se. Seu desejo de ter um bebê parece estar expressando uma necessidade muito precoce de fundir-se. Sem dúvida, ela não teve essa conexão simbiótica enquanto bebê. Então quando chega à fase edipiana e deseja a afeição e o reconhecimento do pai, traz todo o material simbiótico não resolvido para esta fase. Bem, o sexo resolveria tudo, não é? Num nível primitivo, o sexo é percebido como um modo de satisfazer ao mesmo tempo as necessidades de fundir-se com a mãe e as necessidades edipianas referentes ao pai.

MEMBRO DA EQUIPE: Megan sem dúvida foi erotizada pela atividade incestuosa com seu irmão.

SUPERVISOR: Mais uma razão para que ela escolha alguém que não irá violar seus limites. Ela escolhe Felícia porque sente que Felícia não está disponível. Apesar de todos os seus pedidos, em certo nível, a última coisa que ela realmente deseja é ter este tipo de violação por parte de Felícia.

FELÍCIA: E, ainda assim, discute a esse respeito.

SUPERVISOR: Sim. Em outras palavras, essas questões precoces estão "vivendo" num corpo adulto, e quando são ativadas são expressas num modo "adulto", sexual.

MEMBRO DA EQUIPE: Então o modo de trabalhar com Megan seria reconhecer — "tudo bem, você está tendo sentimentos sexuais, mas o que isto nos diz?" — em vez de trabalhar com os sentimentos sexuais por si?

SUPERVISOR: Mais uma vez, sinto que com relação a esta questão o modo mais efetivo de trabalhar é o terapeuta refletir para o paciente os sentimentos que ela evoca; comunicar a ela a resposta contratransferencial — certamente não como uma "confissão", mas como a reflexão possível da experiência inicial da paciente. Em outras palavras, isto é realmente *usar* a contratransferência. E então todas as pequenas tramas, as ilusões, talvez o próprio sistema psicótico possa tornar-se relativamente pouco importante e desnecessário no momento. Como dissemos, quando essa conexão realmente simples foi feita, o paciente não está mais numa posição isolada. E isto permite que Felícia deixe de focar-se na culpa e na confusão sobre a contratransferência, saia do atolamento e traga o foco de volta onde ele deve estar: na experiência do cliente. A partir deste ponto de contato, o terapeuta e o paciente podem começar a trabalhar com a questão mais profunda, que agora foi vivenciada por ambos.

Neste exemplo de supervisão que usa *role play*, uma terapeuta e os membros da equipe reatuaram um dilema real. Por meio do *role play* e da discussão, eles começaram a ver como estavam experimentando as emoções projetadas do paciente enquanto criança mediante suas respostas de contratransferência, conforme indicado por Searles (1979). O supervisor interpretou a transferência erótica como uma expressão das necessidades de fusão provenientes do estágio simbiótico de desenvolvimento. O uso apropriado da contratransferência, ou "perspectiva de escuta" para este estágio, segundo Hedges, é refletir para o paciente o que o terapeuta sente como um modo de conectar-se com a experiência do paciente que não é ou não pode ser verbalizada.

Pode-ser observar que a contratransferência expressa neste caso não incluía sentimentos eróticos. Sua emergência num ponto posterior do processo pode sinalizar outro nível de questões desenvolvimentais e, portanto, exigir um uso diferente da contratransferência.

Conclusões

Inúmeras pessoas com algum grau de disfunção ou insatisfação sexual, além de vítimas de abuso sexual infantil, representam uma grande parte da população cliente na psicoterapia moderna. A maioria dos clientes de psicoterapia, independentemente de seus problemas atuais, terá, portanto, certo grau de disfunção ou insatisfação sexual, ou terá sido vítimas, de abuso ou incesto infantil. Esses clientes estão pedindo consciência e sensibilidade com relação a suas questões sexuais. O evitar essas questões por parte do terapeuta — consciente ou inconscientemente, por causa de inibição, medo, ou treinamento inadequado — poderia ser considerado outra forma de abuso. Pelo menos é um grave fracasso. Para nos resguardar desse fracasso, nós, terapeutas — quer sejamos *trainees*, internos ou clínicos experientes —, precisamos estar plenamente preparados da seguintes maneira: (1) entender a natureza e o poder da transferência do cliente com todas as suas implicações; (2) ficar totalmente à vontade com nossa própria seualidade e sentimentos sexuais, conscientes de nossas próprias questões sexuais e do modo como elas podem invadir o processo terapêutico sob a forma da contratransferência; e (3) aprender a usar os sentimentos de contratransferência, tanto para entender as questões do cliente quanto para intervir a favor dele.

10

O Elogio do
Relacionamento Dual*

Lawrence E. Hedges

Comentários introdutórios: a ascensão e
queda do conceito de "dualidade"

Em 1973, o código de ética da Associação Psicológica Americana (APA), num esforço para restringir a exploração sexual no relacionamento psicoterapêutico, abriu uma caixa de pandora, criando a expressão *relacionamento dual*. Desde então, como as misérias de Pandora que espalharam o mal por todo o mundo, o relacionamento psicoterapêutico tem sido colorido por preocupação, frustração e dúvidas contínuas. A mudança equivocada do foco ético da "exploração prejudicial" para os "relacionamentos duais" causou um mal-entendido geral e um movimento moralizador incessante e ingênuo, que tem sabotado os aspectos espontâneos, criativos e únicos do relacionamento pessoal que é essencial ao processo psicoterapêutico.

A atmosfera na comunidade de psicoterapeutas praticantes criada pelos comitês de ética e conselhos de exercício profissional atinge no momento proporções quase de paranóia histérica. É como se estivesse acontecendo algum tipo de caça às bruxas, e nenhum terapeuta atuante

---

* Este capítulo foi adaptado a partir de um artigo, dividido em três partes, publicado em *The California therapist*, 1994.

tivesse uma consciência limpa quando se trata da culpa com relação aos potenciais sutis do relacionamento dual! A questão básica é que as psicoterapias dinâmicas ou sistêmicas não podem ser realizadas sem diversas formas de relacionamento dual, e todos os terapeutas sabem disso. Mas nos disseram erroneamente que o relacionamento dual não é ético.

A boa notícia é que o pêndulo começou a voltar, e um longo diálogo se estende à nossa frente. A APA Insurance Trust afirma: "Nem todos os papéis múltiplos são relacionamentos duais". Mas a implicação ainda é que a "dualidade" pode não ser ética. O recente código de ética da California Association of Marriage, Family and Child Counselors afirma categoricamente que *nem todos os relacionamentos duais são não-éticos*". E o código de ética revisado da APA (dezembro de 1992) pelo menos nos devolve a sanidade:

> Em muitas comunidades e situações, pode não ser possível ou razoável que os psicólogos evitem contatos sociais ou não-profissionais com pessoas como pacientes, clientes, alunos, supervisionandos, ou participantes de pesquisas. Os psicólogos devem sempre estar atentos para os efeitos potencialmente danosos desses outros contatos sobre seu trabalho e sobre essas pessoas com quem eles lidam... Os psicólogos não exploram pessoas com quem têm autoridade de supervisão, de avaliação ou de outra natureza, tais como alunos, supervisionandos, empregados, participantes de pesquisa, e clientes ou pacientes... Os psicólogos não se envolvem em relacionamentos sexuais com estudantes ou supervisionandos em treinamento sobre os quais tem autoridade direta ou de avaliação, pois tais relacionamentos têm grande probabilidade de distorcer o julgamento ou de provocar exploração... Os psicólogos não se envolvem em intimidades sexuais com pacientes ou clientes atuais... Os psicólogos não aceitam como pacientes ou clientes de terapia pessoas com quem eles se envolveram em intimidades sexuais... [e] não se envolvem em intimidades sexuais com um antigo paciente ou cliente de terapia por pelo menos dois anos depois do fim dos serviços profissionais... O psicólogo que se envolva em tais atividades mais de dois anos após o término do tratamento arca com o ônus de demonstrar que não houve exploração, à luz de todos os fatores relevantes.

Assim, depois de vinte anos de pesar, a expressão *relacionamento dual* foi inteiramente eliminada do código revisado da APA como uma definição ética. O atual foco ético encontra-se em permanecer atento à possibilidade sempre presente de exploração danosa. Mas o conceito maligno de relacionamento dual que a APA tinha apresentado e agora eliminou infestou os comitês de ética, os conselhos de exercício profissional e os processos de erro médico em todos os lugares. Ainda temos uma grande batalha à nossa frente para desfazer o enorme dano que o uso pejorativo do termo causou no relacionamento terapêutico.

O caso dos relacionamentos duais

Enquanto o pêndulo retorna, escritores como Kitchener (1988) e Tomm (1991) argumentam que os relacionamentos duais precisam ser considerados com mais cuidado. Aqui estão os pontos principais que emergiram até o momento. (1) O relacionamento dual é inevitável e oferece muitas possibilidades construtivas. (2) Os relacionamentos duais são apenas um modo como um terapeuta ou um cliente explorador pode tirar vantagem um do outro. (3) As metáforas se misturam quando a dualidade é tratada como uma substância tóxica que "distorce o julgamento". (4) Uma ênfase prioritária no *papel* profissional serve para diminuir a conexão pessoal, e desse modo alimenta a alienação humana e endossa uma hierarquia privilegiada de papéis. (5) A exploração nos relacionamentos é sempre exploração e antiética, independentemente de ocorrer ou não num contexto dual. (6) Conexões múltiplas que atravessam os limites entre terapia, ensino, supervisão, coleguismo e amizade podem ser celebradas como parte das complexidades inevitáveis e potencialmente benéficas da vida humana. (7) O diferencial de poder em qualquer relacionamento pode ser usado para fortalecer o desenvolvimento pessoal e/ou profissional de ambas as partes e também para explorá-las. (8) Um objetivo terapêutico freqüente envolve ajudar os alunos, supervisionandos e clientes a entender e a negociar as camadas múltiplas e mutáveis dos relacionamentos humanos. (9) É preferível humanizar e democratizar o relacionamento terapêutico a dificultá-lo com as amarras desnecessárias da especialização profissional e da autoridade superior. (10) O papel terapêutico pode ser mal utilizado ao se agarrar a atitudes paternalistas, ou superiores ou emocionalmente distantes, e pelos mitos referentes à saúde mental superior dos terapeutas. (11) O problema está nos terapeutas incompetentes e exploradores, não nos relacionamentos duais. (12) O que os terapeutas precisam é da classificação e da discussão dos tipos sutis de exploração que podem ocorrer nos relacionamentos profissionais, não da proibição ingênua dos relacionamentos duais. (13) Proibir categoricamente os relacionamento duais, de um modo reducionista, implica que não existe continuidade ou superposição nos papéis e nos relacionamentos e que a terapia pode ser separada da pessoa do terapeuta. (14) Os relacionamentos duais são inevitáveis, e os clínicos podem conduzi-los de modo consciente e ético, transformando tudo o que acontece em "água para mover o moinho". (15) Os relacionamentos duais representam uma oportunidade de crescimento pessoal e de enriquecimento da conexão humana que beneficiam ambas as pessoas. (16) As conexões humanas evoluem espontaneamente e mudam no decorrer do tempo de modo natural e imprevisível, e a terapia não precisa bloquear esse processo natural. (17) A dualidade proporciona um caminho importante para o *feedback* corretivo e traz o potencial para ampliar a compreensão e aumentar o consenso. (18) A dualidade abre espaço para uma conexão ampliada, maior compartilhação, maior honestidade, mais integridade pessoal, maior responsabilidade, maior integração social e uma interação mais igualitária. (19) O relacionamento dual reduz o espaço para manipulação, ilusão e privilégio especial, dá maior oportunidade para reconhecer o outro como um ser humano comum e reduz a probabilidade de distorções transferenciais e contratransferenciais persistentes. (20) Os limites interpessoais raramente são rígidos e fixos, mas, ao contrário, flutuam e passam por uma redefinição contínua em todos os relacionamentos, inclusive no relacionamento terapêutico, que se foca deliberadamente no desenvolvimento da consciência da flutuação dos limites e na discussão dessas mudanças. E (21) o relacionamento dual representa, no fim das contas, exatamente os tipos de situações interpessoais complexas que nossas habilidades profissionais têm como meta estudar e expandir, de modo a ampliar as possibilidades benéficas das interações e transformações humanas. Esses pontos foram longamente discutidos pelos escritores mencionados. Diversas considerações sobre a dualidade surgiram com o tempo na literatura psicanalítica. A discussão dessas idéias parece relevante para todas as terapias dinâmicas e sistêmicas.

Considerações psicanalíticas a respeito da dualidade

Dualidade: A Essência da Interpretação da Transferência

O coração e a alma da psicoterapia, a transferência e a interpretação da transferência, por definição, sempre constituíram alguma forma de relacionamento dual. As definições iniciais da técnica psicanalítica feitas por Freud (1912 a, b, 1915) giravam ao redor do relacionamento de "amor" que começa a se formar entre o médico e o cliente durante a livre associação psicanalítica. Freud sugere a imagem de um espelho opaco para descrever a atitude neutra que o analista busca alcançar diante do conflito neurótico do paciente. As imagens de Freud deixam clara a impossibilidade final de chegar a alcançar o espelho ou a neutralidade perfeitos. Apesar da tentativa do analista para formar um relacionamento real baseado no espelhar e na neutralidade, as expectativas de relacionamento trazidas do passado do cliente inevitavelmente começarão a fazer sentir sua presença. *O momento decisivo na psicanálise, e em todas as terapias derivadas dela, é aquele em que a dualidade é finalmente reconhecida e interpretada com sucesso pelo psicoterapeuta.* Existe nesse momento o relacionamento "real" que evoluiu ao longo do tempo entre duas pessoas. Mas outra realidade é de repente reconhecida e definida pela interpretação da transferência. Na realidade anterior, o analista tinha um papel de cuidar e curar, e o cliente era obrigado a se relacionar com as necessidades reais do analista incluindo pagamentos, comparecimento às sessões e respeito pelo ambiente, que sustenta e protege a vida pessoal e profissional do analista e também do cliente. Quando, porém, a realidade de transferência pode ser discernida e discutida pelos dois, o terapeuta funciona num relacionamento totalmente diferente para com o cliente — um relacionamento de intérprete profissional da vida emocional do cliente que é trazida para o relacionamento real estabelecido pela situação analítica. No momento da interpretação, o analista entra no papel de uma terceira pessoa observando a interação realista dos dois e comenta uma realidade anteriormente oculta, a transferência — ou a resistência ou a contratransferência.

A Aliança de Trabalho

A natureza desse papel dual do analista tem recebido uma atenção considerável na literatura psicanalítica. Greenson (1965), ao reconhecer o desenvolvimento do relacionamento real, usa a expressão "aliança de trabalho" para se referir à *colaboração realista* e ao respeito mútuo dos dois. As formulações de Greenson se posicionam como uma correção da crença errônea de que as atitudes e fantasias do cliente são principalmente distorções de transferência — quando na verdade um relacionamento real significativo se desenvolve bem separado da tarefa profissional da interpretação da transferência.

"Atuando" as Transformações da Infância

Bollas (1979) esclarece ainda mais a natureza do relacionamento real, indicando que Freud (involuntariamente e de modo perdoável) planejou a situação de escuta psicanalítica para "atuar" com seus pacientes os primeiros papéis de cuidado dos pais, a fim de promover o aspecto de transformação da psicoterapia. O papel de transformação do analista é um papel realista, distintamente diferente daquele de intérprete da transferência. A transformação psicanalítica acontece por meio desse relacionamento dual transformador/intérprete. Segundo a abordagem desenvolvimental de Winnicott (1975) e a noção de "ambiente sustentador" de Modell (1976), Bollas coloca o elemento transformador da psicoterapia menos num contexto de correção interpretativa e mais no contexto de experiência terapêutica como ela realmente se desenvolve na realidade. Ele se refere a esse processo transformador como "psicanálise do conhecido não pensado".

A Experiência da Transferência Surge do Relacionamento Realista

O trabalho esclarecedor de Schwaber (1979, 1983) surge de uma orientação que enfatiza os aspectos subjetivos do eu. As idéias dela se focam no papel que a realidade do analista e do relacionamento analítico tem ao evocar a transferência. Ela, seguindo Kohut (1971, 1977), enfatiza a realidade da natureza contínua do relacionamento que se desenvolve na situação de escuta psicanalítica. A transferência da experiência passada deve ser discernida com base em algo que o analista fez ou não, e da reação emocional que as atividades do analista evocaram. Schwaber enfatiza o relacionamento real baseado no esforço do analista para ouvir e responder tão empática quanto humanamente possível. A transferência é então considerada no contexto das falhas na compreensão empática do analista. Isto é, o analista se envolve ou falha em se envolver na atividade interpessoal real, cujos resultados disruptivos ele não poderia antever. Segundo essa visão, o trabalho com o "eu-objeto" ou transferência narcisística constitui uma nova edição, uma nova realidade interpessoal que o analista e o cliente têm agora de abordar com compreensão e interpretação novas e diferentes. Portanto, a transferência não só é discernível pelos aspectos do relacionamento real discutidos, mas a elaboração dela é vista como uma forma totalmente nova e em evolução do relacionamento pessoal.

A Neurose de Transferência

A noção de cura na teoria psicanalítica gira em torno da definição de *neurose de transferência* feita por Freud. Os conflitos (neuróticos) do passado passam a ser realmente reexperimentados no presente e são vividos pelo cliente como uma situação realista. Segundo Freud, são aspectos complexos do inconsciente e, como tal, nunca plenamente interpretáveis. A impossibilidade final de resolução da neurose de transferência é amplamente mal-entendida pelos que desejam um pôr-de-sol feliz no final da análise. Mas na análise freudiana sempre existem aspectos intermináveis para o trabalho analítico, e a neurose de transferência, sob certos aspectos, continua permanentemente viva (para discussão deste ponto ver Hedges, 1983, Capítulos 3 e 4).

Interpretação Transformadora

Strachey (1934) cita Melanie Klein dizendo que os analistas em geral relutam em dar interpretações transformadoras (as que promovem a mudança) porque desse modo toda a energia instintiva seria dirigida para a pessoa do analista. Essa situação é temida e evitada pelos analistas que falham em interpretar de modo que o pleno poder da transferência entre em foco no aqui-e-agora. Portanto, os dois principais agentes "curativos" na psicanálise, o estabelecimento da neurose de transferência e a interpretação transformadora, funcionam para trazer as experiências emocionais passadas para que sejam suportadas, e para intensificar a realidade do relacionamento interpessoal presente. Essas duas realidades nunca serão resolvidas totalmente. A vida emocional passada de uma pessoa sempre irá colorir seus relacionamentos presentes. Portanto, a doutrina psicanalítica afirma que a dualidade entre o presente realista e o passado transferencial nunca pode, por princípio, ser eliminada dos relacionamentos humanos. A psicanálise serve ao propósito de lançar luz sobre muitos aspectos dessas realidades duais.

A Experiência Emocional Corretiva

Outra linha de pensamento psicanalítico gira em torno da noção de "experiência emocional corretiva" (Alexander, 1961). Diversos procedimentos realistas e ativos podem ser introduzidos no relacionamento com o objetivo de promover ou manter a análise (Eissler, 1953; Ferenczi, 1952, 1955, 1962). Mas a necessidade dessa tranqüilização, sugestão ou gratificação deverá mais tarde ser analisada como transferência. Segundo tal visão, o passado emocional do cliente foi prejudicado, e o terapeuta (realisticamente) será capaz de proporcionar uma experiência emocional melhor (corretiva). O analista, segundo essa visão, pode sair de seu papel usual e "fazer coisas", intervir de modo ativo para ajudar o cliente a se relacionar com o terapeuta e permanecer em terapia.

Os analistas clássicos que se opõem às técnicas ativas afirmam que a recusa do analista em se envolver em intervenções ativas de ajuda (que servem para fortalecer o ego por apoio e sugestão) é o que diferencia a psicanálise de todas as outras técnicas psicoterapêuticas e de aconselhamento "mais sustentadoras". Os analistas que percebem a necessidade de intervenção ativa sob certas circunstâncias reconhecem implicitamente que a ação terapêutica da psicanálise requer diversas formas de dualidade para se tornar efetiva. Essa linha de pensamento afirma que a psicoterapia e o aconselhamento, como distintos da psicanálise clássica, incluem definitiva e inevitavelmente a dualidade que caracteriza as técnicas psicanalíticas mais ativas. Bollas (1979) indicou que mesmo a técnica clássica inclui implicitamente um *setting* no qual as experiências transformadoras da primeira infância são "atuadas" de modo sustentador pelo analista. Os relacionamentos duais, portanto, formam a espinha dorsal de todas as psicoterapias dinamicamente orientadas.

O Desenvolvimento das Funções do Ego

Outra linha de pensamento psicanalítico se relaciona com os modos pelos quais as funções do ego são formadas no desenvolvimento infantil inicial. Foi bem documentado que as capacidades egóicas como percepção, memória, julgamento e ansiedade sinalizadora evoluem em função da presença e do interesse reais do outro inicial, a mãe. Do mesmo modo, o desenvolvimento das funções defeituosas, paralisadas ou com falhas, pode ser facilitado por diversas atividades do analista. Os déficits do ego associados com muitas condições psicológicas, incluindo distúrbios de aprendizagem, só podem ser ativados para o estudo terapêutico e a transformação por meio da emergência de situações reais de aprendizagem, nas quais o terapeuta funciona realisticamente como o ego-auxiliar observador enquanto o déficit de aprendizagem envolvido nas funções limitadas ou paralisadas é resolvido. Se o desenvolvimento inicial das capacidades básicas do ego for favorável, considera-se que estas serão "autônomas" com relação ao conflito neurótico, mas em todas as condições pré-neuróticas as capacidades do ego passaram por diversas influências limitadoras, constritivas ou deformadoras, que são corrigidas pela atenção realista no relacionamento analítico. Winnicott falou naquilo que muitos acreditavam, ou seja, quando estão envolvidas questões do desenvolvimento inicial, o terapeuta não funciona como a mãe, mas de certo modo é realisticamente a mãe, por alguns períodos de tempo, enquanto as funções iniciais do ego são restauradas.

Ausência do Olhar de uma Terceira Pessoa

Um modo europeu de considerar os relacionamentos duais é esclarecido pela noção de "dupla perversa" de Clavreul (1967), que existe quando a estrutura social é cega à natureza mútua de satisfação de necessidades nos relacionamentos íntimos, tal como no relacionamento analítico. O argumento de Clavreul pergunta: "As atividades necessariamente envolvidas no crescimento analítico podem ser realizadas publicamente, diante de um olhar que não seja cego às necessidades pessoais mútuas, isto é, numa atmosfera de dualidade? Ou o esforço terapêutico sempre será manchado por incesto e perversidade ocultos?". O relacionamento de fusão pai-filho é incestuoso, a menos que ocorra em um contexto de três pessoas, isto é, regulação social (relacionamento dual). A implicação é que a dualidade é um aspecto essencial de todas as situações de relacionamento humano nas quais ocorre um desenvolvimento favorável. É a essência da dualidade que alimenta o desenvolvimento criativo. Desse ponto de vista, a ausência da dualidade é considerada incestuosa ou perversa.

Em resumo, a partir das imagens iniciais de Freud que mostravam o analista como um espelho opaco e como um intérprete neutro da transferência, os psicanalistas, por mais de oitenta anos, passaram a reconhecer os múltiplos aspectos do relacionamento dual que são essenciais à tarefa psicanalítica. Os conceitos de aliança de trabalho, o outro transformador, a transferência que emerge do relacionamento realista, a neurose de transferência, a interpretação transformadora, a experiência emocional corretiva, a evolução das capacidades do ego e a função da terceira pessoa formam a base do pensamento e da prática psicanalíticos contemporâneos. Todos esses entendimentos básicos sublinham de diversas maneiras o fato de o relacionamento dual ser o coração e a alma da experiência transformadora e também a essência das interpretações da transferência. Não pode existir psicanálise ou psicoterapia sem o relacionamento dual.

Relacionamento Dual Essencial na Psicoterapia Desenvolvimental

É uma questão discutível se os clientes atuais da psicoterapia são mais primitivos ou perturbados do que no passado, ou se nosso conhecimento terapêutico agora nos possibilita enxergar com mais clareza os aspectos mais regredidos da natureza humana. Qualquer que seja o caso, as pessoas que vêm para a psicoterapia hoje apresentam para a análise várias questões de desenvolvimento muito precoce que vieram a ser chamadas de "*borderline*", "narcisística" e problemas de "caráter".

De modo geral, quanto mais precoce a questão desenvolvimental, maior o senso subjetivo de realidade no relacionamento analítico. Winnicott (1949 a) indica que, quanto mais cedo no desenvolvimento acontecer a influência sobre o senso de "vir a ser" do bebê, menor a extensão do ego — significando o mínimo que pode ser considerado em qualquer momento. Portanto, quando as questões iniciais de desenvolvimento surgem na terapia, existe menos disponibilidade do teste de realidade comum, e só é possível uma imagem muito estreita do mundo e da relação analítica. Na psicoterapia atual, são ativadas várias questões de desenvolvimento inicial. Conseqüentemente, uma experiência subjetiva concreta e estreita pode muito bem superar um senso de realidade plenamente formado, quando na verdade apenas um pequeno segmento do contexto da realidade geral está sendo considerado.

No nível organizador primário ou psicótico da personalidade humana existe o risco de um colapso completo do senso de realidades complexas compartilhadas quando a "psicose de transferência" emerge no relacionamento terapêutico para ser estudada (Little, 1981, 1990). Todas as pessoas têm camadas profundas de ansiedade psicótica que podem precisar ser ativadas em algum ponto na terapia. Isto significa que um núcleo psicótico pode emergir na análise, por períodos de tempo breves ou extensos, durante os quais as capacidades usuais do cliente para testar a realidade e abstrair da experiência geral podem estar diminuídas, de modo que o analista possa tornar-se parte de uma experiência de transferência delirante — possivelmente uma que possa ameaçar emocional e realmente o terapeuta.

No extremo oposto do espectro desenvolvimental, os psicanalistas logo aprenderam que a interpretação simbólica (nível edipiano, quatro a sete anos de idade) funciona na neurose para permitir um retorno do reprimido, que é reconhecido como o próprio eu que foi declarado não existente por tanto tempo. Nas questões neuróticas, a capacidade de teste de realidade e de abstração de alto nível e de simbolização fazem com que seja mais fácil pensar sobre o trabalho, e com que este seja mais seguro para as duas pessoas.

No nível do eu-objeto (narcisístico, três anos de idade), o analista é perenemente responsável, e muitas vezes responsabilizado pelas falhas reais de empatia. Tecnicamente, o analista assume a responsabilidade pelas atividades em questão, no momento em que a pessoa sob análise em geral pode ser auxiliada a distinguir entre as realidades interpessoais conforme aconteceram realmente e a emergência da transferência eu-objeto. Kohut (1977, 1984) diz claramente que o entendimento real, realista e ressonante é o principal aspecto terapêutico neste nível. As verbalizações interpretativas ("reflexões sumarizadoras") vêm depois da compreensão interacional realista. Os conceitos de transferência do eu-objeto de Kohut (1971, 1977) demonstram que a falta de nitidez dos limites do eu e dos outros é um pré-requisito para ser capaz de analisar as transferências narcisísticas baseadas nas falhas eu-outro na primeira infância, que provocaram defeitos estruturais no eu.

No nível das questões simbióticas (*borderline*, quatro a 24 meses de idade), as realidades duais são mais difíceis de revelar. São necessários um tempo considerável e uma relação real para estabelecer os cenários simbióticos interpessoais, conforme visíveis nas transferências que de algum modo se tornam replicadas no relacionamento terapêutico. Em meu trabalho, lidei extensamente com as seqüências interacionais complicadas e com os dilemas que os terapeutas encontram ao responder às transferências simbióticas (*borderline*) (Hedges, 1983, 1992). A interpretação da contratransferência se torna um aspecto crítico ao responder às muitas identificações projetivas encontradas neste trabalho.

Portanto, em cada um dos quatro níveis principais do relacionamento eu-outro, o mecanismo de relacionamento dual é necessário para a psicoterapia, embora o modo de operação da dualidade seja diferente em cada nível de desenvolvimento.

A Interpenetração Necessária dos Límites

O teórico que atualmente provoca o maior interesse nos círculos clínicos é Winnicott (1958, 1965, 1971), que em seus estudos do relacionamento inicial mãe-filho demonstrou o modo como os limites entre os dois se misturam e fundem, e como essa mistura e fusão deve ser reproduzida ao estudar as questões do desenvolvimento inicial no relacionamento de tranferência e de contratransferência. A pesquisa com bebês (Stern, 1985) enfatiza ainda mais essa mistura dos limites nos níveis iniciais de desenvolvimento. O relato profundamente tocante feito por Littles (1990) sobre seu próprio trabalho analítico, que levou a um colapso psicótico total, em sua análise com Winnicott, demonstra isso muito bem. Ninguém deixa mais claro que Winnicott a importância da realidade do terapeuta e do *setting*. O trabalho dele demonstra que o terapeuta precisa estar realisticamente disponível para o cliente por longos períodos enquanto áreas restritas da personalidade têm oportunidade de se expandir. Ao focar as questões iniciais de desenvolvimento, ele demonstra que a interpretação só pode seguir o envolvimento e a melhoria reais. Esse tipo de dualidade é essencial para a transformação de todos os estados mentais primitivos.

Perda do Teste de Realidade na "Reação Terapêutica Negativa"

Quando os aspectos do nível organizador (psicótico, esquizóide) se tornam ativados, a pessoa em análise muitas vezes desenvolve a convicção de um entendimento especial e privilegiado com relação à realidade do intercâmbio terapêutico. A realidade não é mais uma questão para discussão mútua, para consideração segundo diversos padrões de consenso social, ou para pontos de vista contraditórios ou diversificados. "Isto é real, não diga nenhuma bobagem, você está me atingindo com raios cósmicos secretos disparados de trás de sua cadeira para mim." "Isto é incesto, você me prejudicou irreparavelmente ao permitir que me sentisse próxima a você." "Como você saiu de seu papel neutro e me deu conselhos, opiniões, sugestão ou ajuda, você está num relacionamento dual comigo. Não posso buscar uma consulta com uma terceira pessoa como você pediu porque eu ficaria envergonhada pelo modo como o seduzi para realmente me ajudar a crescer. Você é o culpado porque tem o poder e deveria saber que revelar aspectos de si mesmo e me alcançar de modos realísticos e úteis seria experimentado por mim (na transferência) como incestuoso e abusivo. Sua 'boa natureza' e 'disponibilidade para me ajudar a crescer' são coisas ardilosas que você faz para auto-engrandecer-se, para fazer com que seu ego infle com orgulho. Você me explorou por causa de seu próprio ego, de seu narcisismo. Você me prejudicou ao se envolver demais em meu crescimento terapêutico. Exijo uma recompensa pelas violações que você se permitiu e pelo dano que causou. Você me seduziu (ou me deixou seduzi-lo). Agora vai pagar." Nenhuma quantidade de *feedback* objetivo, nem tentativas de discussão racional ou de ponderar as considerações são possíveis num momento tão chocante, e pode não haver outro momento em que essas convicções de transferência psicóticas possam ser discutidas antes de uma queixa ética ou de um processo legal.

No momento da reação terapêutica negativa, a fala e o discurso simbólicos são substituídos pela concretização destrutiva. A raiva ou a luxúria são mobilizadas, e com elas uma clareza de entendimento sobre a realidade que é experimentada subjetivamente como certa, boa, monolítica, absoluta e fora de disputa ou discussão. Está acontecendo uma cruzada moral caracterizada por vingança e senso de indignação justificada. O terapeuta é o inimigo, o perpetrador de crimes, o explorador. São reunidas evidências, de um modo semelhante àquele em que se reúnem evidências para sustentar uma pseudocomunidade paranóide, para sustentar e apoiar sua visão contra o suposto comportamento errôneo do terapeuta. Se não houver uma moderação ou mediação que suavize a posição antes de um acidente, veremos suicidas, mutilação destrutiva ou homicídios, e também reclamações éticas ou legais contra o profissional, como resultado de uma boa mobilização terapêutica dos afetos inconscientes organizadores. A ativação terapêutica foi bem-sucedida. Mas a cura fracassou e o terapeuta corre um perigo real. Nosso foco para o futuro deve ser como entender e prevenir esses perigos.

Freud (1918, 1923, 1933) formulou que o fracasso em desidealizar o analista leva com o tempo a uma "reação terapêutica negativa". O relacionamento dual se transforma não num relacionamento em que as realidades da transferência e da contratransferência podem ser seguras e discutidas como uma realidade especial que os dois compartilham como algo diferente ou resultante de outros aspectos do relacionamento real, mas como a realidade que a pessoa em análise tem o privilégio de conhecer, uma realidade na qual se acredita que a maldade e o interesse pessoal do (pai) terapeuta estão fora de controle.

Conforme nossa experiência com a emergência da transferência psicótica (mesmo em personalidades bem desenvolvidas) se expande, torna-se cada vez mais clara a necessidade da presença de algum tipo de monitor de caso, que segue o curso do tratamento, de modo que quando o cliente perde o controle da realidade na transferência psicótica uma terceira pessoa que conhece o curso do tratamento e tem algum relacionamento com o cliente pode intervir para impedir a ocorrência dessa reação terapêutica negativa perigosa e destrutiva.

Como todas as pessoas experimentaram um período no desenvolvimento inicial (organizador ou psicótico) com limites e pressões constritores, elas estão sujeitas a ansiedades e transferências psicóticas — isto quer dizer que a princípio o terapeuta nunca está a salvo da emergência destrutiva de uma transferência psicótica abusiva que é vivenciada como muito real pelo cliente e voltada para a pessoa do terapeuta. Nenhuma quantidade de julgamento correto antecipado constitui uma proteção à prova de falhas contra esse desastre em potencial. Sob essa perspectiva, é sempre um erro confiar na boa vontade, boa natureza e nas características de busca da verdade do cliente pois estas podem ser repentinamente revertidas num episódio psicótico.

O analista está sempre em perigo de se tornar o alvo das ansiedades psicóticas que não podem ser superadas. Se o paciente foi alvo de abuso quando era bebê ou uma criança pequena, esse abuso provavelmente irá emergir como forma de identificação primária na transferência psicótica. A experiência subjetiva é tão real que não pode ser interpretada com sucesso, e o terapeuta se transforma na vítima. Os profissionais que enfrentam acusações de conduta errônea com freqüência dizem que "nunca iriam sonhar que a terapia pudesse provocar um desastre desses. Ela (a cliente) parecia uma pessoa confiável, de boa vontade e caráter moral excepcional. Estava tão envolvida na terapia, tinha tanto respeito por seu parceiro analítico. Como podem tanta vingança e ódio ser dirigidos contra mim, a que provavelmente fez mais por ela, em termos de abertura para si mesma, do que qualquer outra pessoa que ela tenha conhecido"? Este é o problema. O trabalho terapêutico foi bem-sucedido em soltar as defesas moralizadoras e idealizadas e facilitou a flexibilização da rigidez da estrutura de caráter simbiótico. Sem dúvida, o eu (*self*) real traumatizado e aniquilado começou a emergir com todo seu poder infantil, bruto, luxúria e raiva, mas enquanto ainda estava identificado com seu agres-

275

sor de modo muito primitivo. A interpretação da transferência não só foi bem-sucedida, mas quando o terapeuta (segundo o *script* da transferência) fracassou, a estrutura se abriu à fúria psicótica assassina da primeira infância. A tendência idealizadora, que tinha criado um eu angélico e a idealização inquebrantável do analista, entrou repentinamente em colapso, e da forma como as coisas vão, o analista terá muitos problemas se de algum modo confiou na boa natureza do paciente e realizou diversas medidas de interação ativa que podem ser consideradas como falha em evitar um relacionamento dual antiético por uma terceira pessoa.

Os Riscos para os Terapeutas Aumentam Descontroladamente

À medida que melhoram nossos instrumentos terapêuticos para trazer à tona os traumas precoces, os psicoterapeutas atuantes vão na direção de problemas cada vez mais profundos. A natureza dual da psicoterapia não pode ser negada ou minimizada, e o papel ativo do terapeuta requerido para trabalhar com as camadas de desenvolvimento inicial da personalidade leva o psicoterapeuta dinâmico inexoravelmente na direção de um destino ruim. A consciência social vem cada vez mais responsabilizando o professor, o sacerdote, o médico e o psicoterapeuta por suas atividades. Os psicoterapeutas bem-intencionados, que realizam um trabalho sério, confrontam o perigo de que seus melhores esforços, concebidos do melhor modo possível para ajudar o cliente, sejam considerados intrusões violentas ou incestuosas que eles deveriam ter percebido antecipadamente e contra as quais deveriam ter se prevenido.

Talvez fosse necessário perguntarmos onde a frase *deveriam ter percebido* aparece em um único trabalho de pesquisa terapêutica responsável ou mesmo num único tratado teórico sobre a natureza da psicoterapia. Uma afirmação dessas é completamente insustentável e intolerável. A literatura referente à previsão de violência e suicídio tem demonstrado várias vezes como nossos especialistas mais treinados têm um fraco desempenho ao prever até mesmo as variáveis mais fortes. Ninguém que trabalhe seriamente com a psicologia profunda usará essa frase "deveriam ter percebido". Nunca se sabe de antemão como a transferência psicótica pode evoluir. Quem são aqueles que nos dizem o que deveríamos ou não ter percebido? Depois do fato, como os zagueiros nas manhãs de segunda-feira, eles se sentam em suas poltronas dizendo o que deveríamos ter percebido ou feito; enquanto isso, configurações transferenciais estranhas ou idiossincráticas manifestam-se a cada hora em nossos consultórios.

O foco deslocado dos conselhos de exercício profissional e comitês de ética colocado sobre os relacionamentos duais, quando a exploração danosa é o problema, significou que os terapeutas não podem mais simplesmente considerar o que acontecimentos como ir ao casamento de um cliente, assistir a uma palestra ou ir a um evento social no qual o cliente esteja presente, oferecer um livro útil ou uma fita gravada, dar ou receber lembrancinhas ou toques, ou enviar um cartão de aniversário ou de bons votos poderiam significar para um cliente no contexto da terapia. Ao contrário, a caça às bruxas do relacionamento dual passou a significar que precisamos nos preocupar com as precauções que tomamos de modo que nunca surjam questões éticas ou legais. O único instrumento que temos à nossa disposição na psicoterapia — nossa própria espontaneidade — foi manchado e corre o risco de ser seriamente danificado.

Por causa da situação absurda que prevalece hoje, a orientação que está sendo exigida dos terapeutas que pensam desenvolvimentalmente e trabalham de forma dinâmica (a) começa com a percepção de que a psicoterapia profunda sempre depende da evolução bem-sucedida de um relacionamento dual; (b) percebe que no passado as questões de significado e interpretação tiveram um papel primordial em nossa atuação; e (c) conclui que agora (considerando o pânico diante do relacionamento dual) precisamos reorientar nosso pensamento para nos proteger de acusações que poderiam ser feitas perigosamente contra nós por fazermos exatamente o que temos como meta — explorar o potencial do relacionamento dual com o objetivo de estudar a natureza humana e libertar nossos clientes da escravidão do passado. Que bela confusão!

Felizmente, o pêndulo começou a voltar para uma posição em que podemos novamente nos basear em considerações clínicas em vez de numa moralidade ingênua e em regras de comportamento absurdas para guiar nossa terapia. Mas no presente estamos entalados e temos de diluir o que fazemos por medo de sermos censurados pelos comitês de ética e pelos conselhos de exercício profissional. Estamos no meio de uma grande crise na prática de nossa disciplina. Nossa habilidade crescente para elucidar os aspectos mais profundos, primitivos e loucos de nossos clientes e de nós mesmos está se expandindo no mesmo momento em que a dimensão terapêutica na qual mais nos apoiamos — o relacionamento dual — passou a receber censura social, legal e ética. Não está nem um pouco claro como iremos conciliar essas e muitas outras questões.

Os conselhos de exercício profissional e os comitês de ética em sua ânsia por proporcionar regras para a prática da psicoterapia moveram-se rapidamente para posições que, se o permitirmos, ameaçam ocultar a essência do trabalho clínico que se baseia no relacionamento dual. Desse ponto de vista, nosso medo dos conselhos, e portanto nosso apoio tácito a suas tendências, registra uma resistência por parte dos terapeutas em entrar num novo terreno de relacionamento terapêutico mais rico.

A Dualidade Inevitável

A dualidade essencial envolvida na psicoterapia pode ser considerada de muitos ângulos. As visões de dualidade apresentadas aqui servem para contrastar (a) o aspecto real, de momento a momento, espontâneo e de satisfação mútua de necessidades do relacionamento contratual que se desenvolve com o tempo entre duas pessoas, com (b) o relacionamento simbólico, interpretativo no qual as duas pessoas gradualmente começam de certo modo a se separar de seu relacionamento real, espontâneo, e falam de um modo tal que caracteriza, de um terceiro ponto de vista, o estilo e a qualidade de seu relacionamento. As duas pessoas criam imagens e histórias que descrevem (como se de um ponto de vista exterior ou objetivo) o que está acontecendo entre eles e por quê. Este terceiro ponto de vista, de relacionamento simbólico que é compartilhado pelas duas pessoas, possibilita que cada um fale de suas reações subjetivas, provenientes do relacionamento real, de tal modo que considere a carga emocional (deixada dos relacionamentos emocionais passados) que cada um pode estar acrescentando à sua apreciação contínua do outro e do relacionamento.

A essência da arte interpretativa no nível simbiótico, *borderline*, de caráter é uma confrontação da recusa da pessoa em ter um relacionamento dual com o terapeuta e, portanto, com todos os outros emocionalmente significativos (Hedges, 1983, 1992). O senso de fusão que está na raiz de virtualmente todas as síndromes clínicas hoje em tratamento resiste ao tratamento ao relegar a realidade do terapeuta e do funcionamento da personalidade dele a uma posição de pouca importância relativa. Essa resistência opera para impedir a realização da dualidade simbólica que torna possível o desenvolvimento humano. O movimento interpretativo decisivo com as questões simbióticas (*borderline*) acontece quando o terapeuta pode dizer: "Mas eu não sou você nem sou seu outro desejado (ou temido). Sou uma pessoa real que está se relacionando com você. Sou único, diferente de todos os que você já conheceu. Mostrei a você que posso me relacionar mais ou menos do modo como você desejaria. Mas, por mim mesmo, não penso ou reajo do modo como você esperaria ou desejaria. Não é necessário que você fique desiludido, enfurecido, ou magoado como ficou quando estava a ponto de descobrir que sua mãe era uma pessoa separada. A diferença é algo que pode ser comemorado. É possível que você aprenda a se relacionar comigo e com os outros de modos diferentes dos que experimentou no passado. Você é perfeitamente capaz de ver nós dois conforme nos relacionamos realisticamente um com o outro e de formar idéias e sentimentos a nosso respeito e de nossas maneiras de nos relacionarmos".

A Subjetividade Necessária

Não acreditamos mais que exista um analista objetivo (Natterson, 1991). Ninguém sabe com antecedência como a transferência e a contratransferência irão manifestar-se, e portanto os sentimentos inconscientes de transferência e contratransferência não podem ser limitados e regulados antecipadamente. Isto é especialmente verdadeiro no caso da contratransferência evolutiva que é projetada no terapeuta no nível da interação espontânea que recapitula o relacionamento inicial simbiótico (*borderline*) mãe-filho. O que se desenvolve como um relacionamento secundário àquele baseado sobre o contrato consciente é um relacionamento de fantasia conjunta para cuja criação ambos colaboram (Spence, 1982).

O texto de Natterson ilustra como o paciente e o analista chegam por meio da comunicação a uma unidade e a uma fusão intensas, como os aspectos subjetivos do passado do analista entram em jogo na contratransferência, e como ao mesmo tempo cada um é capaz de se individuar e diferenciar mais completamente a partir dessa experiência do que cada um podia fazer antes de trabalhar juntos. Natterson abala o mito do valor neutro do terapeuta, expondo-o como uma suposição fictícia:

> Todas as transações humanas entre duas pessoas compartilham um significado fundamental: *cada uma tenta influenciar a outra* com sua visão do universo, persuadir o outro da correção de seu ponto de vista... Esse poder de orientação básico dos relacionamento em díade torna natural que influências morais sejam componentes invariavelmente importantes na atividade do terapeuta. [pp. 21ss. itálicos meus]

A interação das crenças básicas do paciente e do terapeuta é inseparável das fantasias e dos anseios humanos de cada um. Natterson vê o encontro psicanalítico como uma influência da díade na qual cada pessoa influencia a outra. *"Então os respectivos desejos e fantasias, valores e metas, estão envolvidos numa luta contínua, por meio da qual as duas pessoas estão mudando continuamente... Essa experiência intersubjetiva deveria ser vista como a précondição básica para qualquer compreensão teórica dos processos psicanalíticos"* (p. 23). O trabalho brilhante de Natterson enfatiza a dualidade entre o relacionamento real e a emergência do relacionamento de transferência e contratransferência.

A natureza da transferência, contratransferência, resistência e interpretação como as entendemos na verdade se apóia na existência de um relacionamento dual. Cabe-nos lembrar que todos os efeitos benéficos da psicoterapia surgem em conseqüência do relacionamento dual.

Um *Insight* Antropológico no Modo como a Psicoterapia se "Engendra" por meio dos Relacionamentos Duais

O antropólogo francês Claude Levi-Strauss (1949) conseguiu uma definição penetrante da tarefa psicanalítica, revelando a partir do ponto de vista antropológico e sociológico a natureza necessariamente dual do processo psicoterapêutico. Levi-Strauss reviu o primeiro texto "mágico-religioso" disponível na América do Sul, um encantamento de 18 páginas recebido pelo índio cubano, Guillermo Haya, de um ancião informante de sua tribo (fonte original: Holmer e Wassen, 1947). O objetivo da canção é facilitar partos incomumente difíceis. Seu uso é raro, pois as nativas das Américas Central e do Sul têm partos mais fáceis que as mulheres das sociedades ocidentais. A intervenção do xamã é, portanto, rara e só ocorre em casos extremos de dificuldade em parir e a pedido da parteira.

A canção começa com a confusão da parteira sobre a dificuldade da mulher grávida em dar à luz e descreve sua visita ao xamã e a chegada posterior deste à cabana da mulher em trabalho de parto, com suas fumigações de pedaços queimados de cacau, suas invocações e a realização de *nuchu*, figuras sagradas ou imagens esculpidas de diversos tipos prescritos de madeira que lhes emprestam sua eficácia. O *nuchu* esculpido representa os espíritos protetores que se tornam assistentes do xamã. Ele leva o *nuchu* à morada de *Muu* (dentro do corpo da mulher). *Muu* é a deusa da fertilidade e a responsável pela formação do feto. Os partos difíceis acontecem quando *Muu* exagerou suas funções e capturou a *purba* ou alma da mãe. O encantamento então expressa uma busca pela alma perdida da mãe que será recuperada depois da superação de muitos obstáculos. A saga do xamã levará a mulher à vitória sobre animais selvagens e finalmente ao longo de uma grande disputa liderada pelo xamã e seus espíritos protetores contra *Muu* e suas filhas. Depois de *Muu* ter sido derrotada, o paradeiro da alma da mulher pode ser encontrado e ela é liberada de modo que o parto possa acontecer. A canção termina com precauções que devem ser tomadas para que *Muu* não persiga os que a venceram (o que resultaria em infertilidade). A luta não visa à própria *Muu*, pois ela é indispensável à procriação, mas contra seus abusos de poder. Depois da saga épica, *Muu* diz ao xamã: "*Amigo nele, quando você acha que virá visitar-me novamente?"* (p. 187), indicando a natureza perene do conflito psíquico que poderá vir a interferir com o parto.

Levi-Strauss comenta que, para desempenhar sua função, o xamã recebe, segundo a crença cultural, o poder sobrenatural de ver a causa da doença, de conhecer o paradeiro das forças vitais e de usar os espíritos *nuchu* que possuem poderes excepcionais para se movimentar de modo clarividente sem ser percebidos, a serviço dos humanos.

Essa canção parece bem comum entre as curas xamânicas. A mulher doente sofre porque perdeu seu duplo espiritual, que constitui sua força vital. O xamã realiza a cura ao viajar para o mundo supernatural, ajudado pelos assistentes no resgate do duplo da mulher que foi aprisionado por um espírito malevolente, e ao devolvê-lo à sua dona. O aspecto excepcional dessa canção, que a torna de interesse para os antropólogos e para os psicanalistas, é que o *"'caminho de 'Muu' e a morada de Muu não são, para a mente nativa, apenas um itinerário mítico e um local. Eles representam, literalmente, a vagina e o útero da mulher grávida, que devem ser explorados pelo xamã e pelo nuchu, e em cujas profundezas irão travar seu combate vitorioso"* (p. 188). Nessa busca para capturar a alma da mulher, o xamã também captura outros espíritos, que governam a vitalidade de outras partes de seu corpo (coração, ossos, dentes, cabelos, unhas e pés). Isto não é diferente da atenção invasiva do psicanalista, na qual nenhuma parte do corpo deixa de receber atenção.

Muu, como instigadora da perturbação, capturou as "almas" especiais de diversos órgãos, destruindo assim a cooperação e a integridade da alma principal, o duplo da mulher que deve ser libertado. *"Num parto difícil a 'alma' do útero capturou todas as 'almas' que pertencem a outras partes do corpo. Uma vez que tenham sido liberadas, a alma do útero pode e deve retomar sua cooperação"* (p. 190). Fica claro que a canção busca delinear o conteúdo emocional da perturbação fisiológica para a mente da mulher doente. Para alcançar *Muu*, o xamã e seus assistentes precisam encontrar o "caminho de *Muu*". No momento culminante, quando o xamã terminou sua escultura, os espíritos são evocados pela exortação do xamã:

A mulher (doente) está na rede à sua frente.

Os tecidos brancos dela estão em seu colo, seus tecidos brancos se movem suavemente.

O corpo da mulher (doente) está fraco.

Quando eles se alinham (no) caminho de Muu, ele se esvai como secreções e como sangue.

As secreções dela pingam embaixo da rede como sangue, completamente vermelhas.

O tecido branco interior se estende até o âmago da terra. Pelo meio do tecido branco da mulher, desce um ser humano. [Holmer e Wassen, citado em Levi-Strauss, p. 190]

O "caminho de *Muu*", escuro e coberto de sangue, é sem dúvida a vagina, e o lugar escuro em redemoinho é o útero onde *Muu* habita. Levi-Strauss comenta que esse texto merece um lugar especial entre as curas xamânicas. Um tipo-padrão de cura envolve um órgão que é manipulado ou sugado até que apareça um espinho, um cristal ou uma pena, uma representação da remoção da força malévola. Outro tipo de cura gira em torno de uma batalha simulada que é travada numa cabana e depois fora dela, contra os espíritos malignos. Nessas curas temos de entender exatamente como o aspecto psicológico se "engancha" com o fisiológico. Mas a canção presente constitui um tratamento puramente psicológico. Pois o xamã não toca o corpo nem administra nenhum remédio. *"Entretanto, ela envolve, direta e explicitamente, a condição patológica e o local onde esta ocorre. Em nossa opinião, a canção constitui uma manipulação psicológica do órgão doente, e é precisamente a partir dessa manipulação que se espera que a cura aconteça"* (p. 192).

Levi-Strauss observa que a situação é planejada para induzir dor numa mulher doente mediante o desenvolvimento de uma percepção psicológica dos mínimos detalhes de todos os seus tecidos internos. Usando imagens mitológicas, a situação que induz dor se transforma no cenário simbólico para a experiência do conflito. *"Então é feita uma transição da realidade mais prosaica para o mito, do universo físico para o universo psicológico, do mundo exterior para o interior do corpo*" (p. 193). A saga mitológica que é reatuada no corpo atinge uma clareza sensorial e alucinatória por meio dos numerosos elementos do ritual — cheiro, som, estimulação táctil, ritmo e repetição.

Com rimas e num ritmo de tirar o fôlego (hipnótico), seguem-se oscilações cada vez mais rápidas entre temas míticos e fisiológicos "*como que para abolir na mente da mulher doente a distinção que os separa, e tornar impossível diferenciar seus respectivos atributos*" (p. 193). Os espíritos e os acontecimentos seguem-se conforme o foco total da mulher se fixa no aparato do nascimento e na batalha cósmica que é travada por meio da invasão do xamã e seus auxiliares espirituais que trazem a "luz da iluminação" ao canal do parto. A presença de animais selvagens aumenta as dores, que são assim personificadas e descritas para a mulher. O tio crocodilo se movimenta com olhos salientes, rastejando e agitando sua cauda de um lado para o outro. Ele mexe suas patas brilhantes que agarram tudo. O polvo chega com tentáculos viscosos que se abrem e fecham alternadamente, contraindo e expandindo a passagem. O tigre negro, o animal vermelho, os dois animais coloridos são totalmente presos com uma corrente de ferro que faz um ruído estridente e retinem contra tudo. Suas línguas estão penduradas, a saliva pinga e espuma, suas caudas e garras vigorosas rasgam tudo.

Segundo Levi-Strauss, a cura consiste em deixar explícita a situação que existe originalmente num nível emocional, e fazer com que a mente aceite as dores que de outro modo o corpo se recusa a tolerar. O xamã, com a ajuda deste mito, incentiva a mulher a aceitar as dores incoerentes e arbitrárias, reintegrando-as num todo em que tudo é coordenado e tem significado. Ele ressalta que nossos médicos nos contam uma história semelhante, não em termos de monstros e espíritos, mas do que acreditamos, como germes, micróbios e assim por diante. "*O xamã dá à mulher doente uma* linguagem, *pela qual estados psíquicos não expressos, e inexprimíveis de outro modo, podem ser imediatamente expressos*" (p. 198). A transição para o sistema verbal possibilita passar de uma forma ordenada e inteligível por uma experiência que de outro modo seria caótica e inexprimível. O mito e seu poder hipnótico permitem à mulher liberar e reorganizar os processos fisiológicos que foram perturbados em sua doença.

A Cura do Relacionamento Dual

Levi-Strauss contextualiza explicitamente essa cura xamânica como de natureza psicanalítica. O objetivo é trazer ao nível consciente os conflitos e a resistência que permaneceram inconscientes e resultaram na formação de sintomas. Os conflitos e as resistências são resolvidos não por causa do conhecimento, real ou suposto,

> mas por este conhecimento tornar possível uma experiência específica, durante a qual os conflitos se materializam numa ordem e num nível que permitem que eles evoluam livremente e cheguem à sua resolução. Na psicanálise, esta experiência vital é chamada *ab-reação*. Sabemos que sua precondição é a intervenção não provocada do analista, que aparece nos conflitos do cliente *por um mecanismo de transferência dupla* como (1) um protagonista em carne e osso e (2) em relação a quem o cliente pode recuperar e esclarecer uma situação inicial (histórica) que permaneceu não expressa ou não formulada...
>
> O xamã *tem o mesmo papel dual que o psicanalista*. Um papel pré-requisito — aquele do ouvinte para o psicanalista e do orador para o xamã — *estabelece um relacionamento direto com o consciente do paciente e um relacionamento indireto com seu inconsciente*. Esta é a função da fórmula do encantamento. Mas o xamã faz mais do que proferir um encantamento; *é um herói, pois é ele que, liderando um batalhão supernatural de espíritos, penetra nos órgãos em perigo e liberta a alma cativa.* [pp. 198-9]

O xamã, do mesmo modo que o psicanalista, pode assim, por meio do relacionamento dual, tornar-se (a) o objeto da transferência induzida vividamente na mente do paciente; e (b) o protagonista real do conflito que é experimentado pelo paciente como a fronteira entre o mundo físico e o psíquico. Nessa situação dual, na qual a dor é infligida deliberadamente pelo terapeuta, o cliente psicanalítico elimina mitos individuais ao encarar a realidade da pessoa do analista. E a mulher nativa supera um distúrbio orgânico ao se identificar com um xamã "miticamente transmutado".

Levi-Strauss observa que a cura xamânica é uma contraparte da cura psicanalítica. As duas induzem uma experiência por meio do apelo ao mito. O paciente psicanalítico constrói um mito com elementos extraídos de seu passado pessoal. O paciente xamânico recebe do exterior um mito social. Nos dois casos, a pessoa que dirige o tratamento evoca a emergência de uma história que cura ao dar uma linguagem à experiência. A eficácia dos símbolos garante o desenvolvimento paralelo no processo do mito e na ação.

Levi-Strauss nos dá um argumento fascinante que alinha o xamanismo das eras passadas com as atividades modernas da psicanálise e da psicoterapia. Seus argumentos vão consideravelmente além de Freud e chegam a áreas que hoje estão sendo exploradas na psicanálise e na psicoterapia, nas quais uma propriedade indutiva dos símbolos permite que a relação profunda entre estruturas anteriormente homólogas, construídas por materiais diferentes em níveis diferentes da vida — processos organizacionais, agência inconsciente e pensamento racional —, seja compreendida. Levi-Strauss indica que o vocabulário individual da cura só é significativo à medida que o inconsciente o estruture segundo suas leis e assim o transforme em linguagem. Não importa se o mito é uma recriação pessoal ou é emprestado da tradição: a estrutura essencial da linguagem e o inconsciente são a origem do poder do símbolo. Qualquer mito representa uma busca de recordação das coisas passadas e dos modos como essas recordações são estruturadas no inconsciente. *"A versão moderna da técnica xamânica chamada psicanálise deriva portanto suas características específicas do fato de que na civilização industrial não existe mais espaço para um tempo mítico, exceto dentro do próprio homem"* (pp. 203-4).

O objetivo de rever essa análise antropológica da psicanálise e da psicoterapia como conhecimento da função simbólica herdada do xamanismo é enfatizar o relacionamento inerentemente *dual* envolvido na cura psicológica. O xamã/analista está, antes de qualquer coisa, envolvido com a pessoa de modo consciente e inconsciente para evocar um relacionamento de segunda ordem, a transferência mítica na qual o xamã/analista se transforma no herói, protagonista num drama interior, num conflito, numa busca pela posse da alma. O drama se desenrola ao colocar a experiência particular em símbolos que têm o poder de transformar o inexplicável, o ininteligível, o vago e o irremediável numa série de narrativas épicas que os dois podem compartilhar. É apenas quando o xamã/analista obtém sucesso no estabelecimento de um relacionamento real que a jornada épica em busca da alma por meio da transferência mítica, resistência e contratransferência se torna possível.

Se um advogado aparecesse na cabana no meio desse processo de cura da mulher, trazendo papéis para que ela assinasse, sem dúvida ela teria um natimorto ou morreria de parto por causa da incapacidade de permanecer no simbólico. Ele estaria à mão para processar o xamã por negligência. Um juiz e um júri, sem possibilidade de entender o poder do simbólico ou as operações sutis da transferência, não conseguiriam demonstrar muita compaixão pelo pobre xamã, que ficaria apenas com os encantamentos ensinados a ele pelos sábios da tribo, alguns bonecos esculpidos a mão e incenso de cacau. Talvez suas canções, a fumaça e o *hocus pocus* fossem vistos como inofensivos. Mas ele tinha formado um relacionamento dual com a mulher. Por causa de seu papel social ele tinha se transformado numa personagem importante na vida dela e ainda estava realmente envolvido com a família dela e a parteira, e portanto estava (sem sombra de dúvida) explorando a vítima indefesa para o engrandecimento pessoal de suas necessidades narcisísticas, e isso poderia claramente ser levado em conta pelos juízes administrativos para considerá-lo responsável pelo natimorto, pelo parto fracassado.

Ou se essa mulher por acaso tivesse freqüentado um grupo de sobreviventes de incesto ou de Filhos Adultos de Alcoólicos (ACA) em meio à passagem para o simbólico, ela poderia vir a reconhecer o senso muito real de penetração que sente em seu xamã/analista e começar a reviver os traumas do passado que foram revistos por esse relacionamento terapêutico penetrante do presente. O relacionamento terapêutico pode tornar-se tão aterrorizadoramente real que ela desenvolve uma reação terapêutica negativa diante do xamã anteriormente idealizado. Ela logo é incentivada pelos bem-intencionados membros do grupo a apresentar uma queixa contra ele por ter fracassado em manter seus limites, ao comparecer a seu casamento, ao cheirar incenso de cacau com ela, ao fracassar em impedi-la de ler seus artigos publicados e ao não impedi-la de assistir a suas aulas na universidade local. O xamã é julgado como negligente porque "deveria saber" que os relacionamentos duais são danosos. Ele deveria saber que a longo prazo ela se mostraria insuficientemente motivada, e dotada para o processo, ou seria facilmente desencaminhada por influências externas de modo a ser incapaz de passar para o nível do simbólico necessário para a cura. A tragédia: o relacionamento dual, que é o veículo primário necessário para a realização da cura, havia sido evocado de modo seguro, mas a constituição da paciente, sua concentração ou motivação para realizar uma transição para o simbólico transferencial mostrou-se insuficiente. Os instigadores externos se sintonizaram empaticamente com os sentimentos de transferência psicótica negativa dela com relação ao xamã, e incentivaram-na a apresentar uma queixa para vingar-se — por um abuso na infância, que agora é atribuído ao xamã, pela transferência.

Os que conhecem pouco ou nada das sutilezas da cura psicológica só podem apontar para o que permanece dos processos abortados e tirar conclusões apressadas. Como podemos nós, encarregados da função sagrada de utilizar o poder da transferência simbólica em benefício das pessoas que sofrem, nos proteger dos administradores tribais que têm pouco ou nenhum conhecimento de nossa função e nenhuma consciência de que nossa arte envolve manusear os símbolos dos deuses em relacionamentos *reais*, para que a pessoa esqueça a diferença entre a realidade comum e a mítica e possa lidar com o poder, a função e a eficácia do símbolo com o objetivo de aliviar o sofrimento psicológico e fisiológico? Nós bem podemos parecer tolos negligentes, se formos pegos no meio, quando apenas o aspecto da realidade está em jogo, ou parados antes do fim porque falta a disponibilidade ou a capacidade de entrar no simbólico! Se, porém, desistirmos do relacionamento dual, estaremos abandonando a sabedoria de eras! Então ficamos reduzidos ao mesmo senso de impotência dos que buscam afirmar suas auto-identificações e seu poder sentando-se para julgar as pessoas e processos que não têm esperança de entender.

Opinião Pessoal

Por mais de 20 anos, minha principal ocupação tem sido supervisionar terapeutas e analistas com trabalhos clínicos difíceis. Tenho testemunhado uma onda crescente de horror e de medo entre os profissionais conforme circulam as histórias das atrocidades perpetradas pelos conselhos governamentais sob o nome de "justiça administrativa" e das ações dos comitês de ética que parecem estar operando como tribunais ilegais. Se mesmo uma pequena parte dos rumores que chegam até mim for precisa (e creio que é), todos estamos numa posição precária.

As descobertas chocantes do movimento de consciência social com relação aos abusos reais dos terapeutas nos pegaram de surpresa. Nossas organizações profissionais reagiram o mais rápido possível para reconhecer os casos de relacionamentos duais exploradores e prejudiciais e para tomar medidas que retificassem os enganos e impedissem abusos futuros. Só agora está começando a haver sinais de que os conselhos e comitês de ética estão passando a considerar as sutilezas extremas e as complexidades da questão dos relacionamentos duais.

Espero que este capítulo tenha chamado a atenção da comunidade de terapeutas para a posição central da dualidade em nosso trabalho e provoque mais reflexão para que os futuros esforços de regulamentação possam levar em conta o embaçamento inevitável dos limites que é causado pela interpretação da transferência e da contratransferência.

Sugiro que os pontos a seguir sejam considerados no desenvolvimento de proteção contra abuso, ao mesmo tempo respeitando o relacionamento dual inerente à prática da psicoterapia.

1. Quando houver qualquer contato direto ou indireto fora do ambiente terapêutico formal entre o terapeuta e o cliente, deve existir uma supervisão regular (com intervalos de dois a seis meses) para avaliar e comentar o desenrolar da terapia. Isso é especialmente importante em programas de treinamento em que a pessoa provavelmente verá ou ouvirá coisas que necessariamente irão colorir o relacionamento terapêutico. Isso também me parece crítico em pequenas comunidades onde são inevitáveis diversas formas de contato externo.

2. Qualquer papel que seja inevitável fora do relacionamento terapêutico formal precisa ser mantido, de algum modo, sob "os olhos do público". Deve existir algum modo de revisão periódica com uma terceira pessoa, para uma avaliação do desenvolvimento da terapia.

3. Para proteger a privacidade e o sigilo, toda *aparência* de relacionamento dual que poderia potencialmente ser vista por outras pessoas, e levada a conselhos e a comitês para investigação, deveria ser evitada. Desse modo, um trabalho "puro" é preferível a um trabalho "complicado", mas entende-se que o trabalho com várias influências e complicações externas (maridos e esposas, empresas de seguro, empregadores, agências governamentais...) tende a ser a regra e não a exceção. As complicações não podem ser vistas sempre como explorações danosas. Os papéis múltiplos não constituem relacionamentos antiéticos exploradores e danosos. Mas evitar as aparências e a consulta a outras pessoas pode ajudar a manter mais clara a distinção e operar de modo a evitar a quebra do sigilo por meio da investigação.

4. Especialistas qualificados deveriam opinar nos órgãos regulamentadores. Hoje a maior parte das pessoas que trabalham nos conselhos de regulamentação profissional e nos comitês de ética, até onde eu saiba, não possuem treinamento avançado e especializado que as qualifique a emitir julgamentos sobre as sutilezas do relacionamento dual necessariamente envolvido no trabalho com a transferência profunda e a contratransferência, sem a consulta a especialistas. Se isso é verdade, então essas pessoas estão operando de modo não-profissional e antiético. Na maioria dos casos, as pessoas que trabalham nos conselhos de regulamentação e nos comitês éticos não precisam possuir uma especialização avançada na natureza dual do trabalho com a transferência e a contratransferência para poder identificar os abusos cometidos pelos terapeutas no relacionamento profissional. Mas quando estão envolvidas sutilezas, quando os terapeutas têm razões sofisticadas e informadas para as diversas intervenções baseadas na natureza dual do trabalho de transferência, ou quando a reputação profissional e a vida pessoal de um terapeuta são profundamente afetadas por queixas que eles não consideram válidas, não podemos permitir, como profissionais, que pessoas sem treinamento avançado ou especialização profissional julguem questões que não estejam qualificadas para entender.

Um modo de corrigir a ameaça presente sob a qual vivem os terapeutas como resultado das queixas e acusações de relacionamento dual antiético seria criar um painel de consultores especializados que possam demonstrar um entendimento avançado das complexidades dos relacionamentos de transferência e contratransferência. Painéis formados por três especialistas poderiam ser chamados para avaliar os aspectos das investigações nos quais estejam em jogo aspectos sutis do relacionamento dual e emitir opinião especializada para conselhos regulamentadores e comitês de ética.

5. Uma alternativa ao modelo do consultor especialista seria que o terapeuta que necessitasse de proteção tivesse algum recurso para levar a disputa ao tribunal civil, onde se garante a investigação e o devido processo — o que não ocorre sob um regulamento administrativo. Todos sabemos que com muita freqüência os comitês de ética e os conselhos de exercício profissional sofrem fortes pressões políticas e diversos conceitos preestabelecidos, de modo que um terapeuta que aja de boa-fé e com senso de avaliação sólido pode não receber um tratamento justo. Os conselhos de regulamentação estão sem dúvida numa posição de relacionamento dual! Os interesses dos consumidores e o medo da publicidade que teria efeitos políticos adversos têm demasiada probabilidade de colorir os julgamentos contra os terapeutas quando estão envolvidas as sutilezas do trabalho sério. Embora um juiz e um júri certamente não constituam colegas e pares, em termos de profundidade de entendimento, pelo menos existe alguma esperança de julgamento não-distorcido, não-político e justo. Quer o queixoso seja o cliente ou o governo, o terapeuta perde de fato os direitos divis garantidos pela Constituição dos Estados Unidos. Na presente situação, não temos direitos civis nem recurso a um processo devido. Somos presas em potencial das pressões políticas e vítimas das hierarquias governamentais sem recurso a uma defesa adequada.

6. Alguns terapeutas indicaram que um júri não representa a opinião dos pares, e assim painéis de arbitração que incluam pessoas educadas nos aspectos da terapia profunda seriam preferíveis aos tribunais civis.

Definindo Especialistas Qualificados

Há muitos tipos de transferência, contratransferência e resistência que operam silenciosamente no tratamento psicológico. A própria cura depende do discernimento e da utilização de variáveis de relacionamento dual. Não existe, em nenhuma lei atual de licenciamento profissional, alguma cláusula que assegure que o treinamento ou o licenciamento como psicoterapeuta envolva especialização na compreensão e interpretação do fenômeno da transferência e da contratransferência. Entretanto, a California Research Psychoanalyst Law[1] especifica a concordância com um conjunto de padrões nacional e internacionalmente aceitos para esse treinamento. Conforme expresso nessa lei, considera-se que a especialização na análise da transferência, contratransferência e resistência é alcançada ao ser exposto a (a) um treinamento didático extenso (cinco anos) *além* dos requisitos comuns para obter a licença; (b) um mínimo de 400 horas de análise de transferência didática pessoal; e (c) um mínimo de três casos de treinamento como estagiário com pelo menos 50 horas de supervisão em cada um, para obter um total de 200 horas de supervisão pós-licenciamento, estudando os fenômenos de transferência, contratransferência e resistência, e o modo como eles operam em três casos específicos, e dois anos de supervisão de caso em grupo. Quando uma pessoa se tornou certificada nesse nível, e atendeu analiticamente por mais cinco anos, obtém o *status* de analista didático, e só então é um especialista plenamente qualificado com experiência suficiente para ensinar, supervisionar e analisar outros, usando os refinados aspectos da interpretação da transferência. Este é o nível de treinamento e de experiência reconhecidos pelos psicanalistas de todo o mundo como formadores de uma especialização na análise da transferência e da contratransferência.

As outras escolas de psicoterapia ainda precisam codificar na lei que nível comparável de experiência poderia qualificar uma pessoa como um especialista para emitir julgamentos nesta área de conhecimento altamente técnico. Podemos nomear um único membro de

---

1. Código de Negócios e de Profissões, *Research Psychoanalysts*, Capítulo 5.1 (acrescentado por Stats 1977, cap. 1191), Seção 2529-2529.5.

conselho ou de comitê de ética com dez anos de treinamento avançado e prática comparável (como especificado na lei) que pudesse eticamente se qualificar para emitir as opiniões profissionais que estão sendo agora expressas nesta área? Os juízes administrativos não têm nenhum treinamento e, ainda assim, arrogantemente cancelam licenças, com base em sua avaliação de sutilezas que exigem cerca de 15 anos de treinamento avançado para que um profissional seja considerado um avaliador qualificado. Uma pessoa certamente não tem de ser um psicanalista registrado para ter passado por um treinamento e prática intensivos na compreensão do poder e das sutilezas da transferência e da contratransferência, mas até hoje esta lei permanece sendo o único reconhecimento público de como seria tal especialização, ou de como uma pessoa qualificada poderia ser identificada legal e eticamente.

Conclusão

Espero que o espírito deste capítulo não seja mal-entendido como tendo um tom ou uma natureza de acusação. A culpa quase nunca é apropriada no nível da revisão dos colegas ou da regulamentação profissional. Fomos inundados rapidamente por uma onda de novas e importantes questões de consciência social. Já tenho sugerido que talvez nossa própria relutância em entrar num envolvimento terapêutico mais profundo, do qual tantos de nossos clientes precisam tão desesperadamente, seja responsável por nosso medo atual.

Espero que meus pensamentos sobre a inevitabilidade do relacionamento dual na cura psicológica soem como uma observação prudente, num assunto em que isto é tão necessário. Estou pedindo que haja um exame mais cuidadoso da natureza da dualidade, não apenas para proteção dos terapeutas, mas, ainda mais importante, para focar nossa atenção na natureza dual de nosso trabalho, de modo que possamos desenvolver ainda mais sua importância e potência em benefício dos que buscam nossas habilidades profissionais.

11

Contratransferência: Uma Perspectiva Energética e Caracterológica

Robert Hilton

Na passagem citada no Capítulo 7, Alice Miller (1981) se refere à essência da contratransferência *subjetiva*. O terapeuta tenta receber do paciente o alimento narcisístico que lhe foi negado por seus pais. A contratransferência *objetiva* acontece quando o terapeuta, depois de ter trabalhado essas necessidades narcisísticas em sua própria terapia, consegue experimentar em seu corpo como é ser igual ao paciente. Com este conhecimento somático do paciente, ele é mais capaz de construir uma ponte para o contato empático com o cliente, e desse modo mover-se no sentido da resolução do relacionamento de transferência.

Neste capítulo esboço o que creio ser a base energética dessas duas formas de transferência. Este capítulo é uma semente. Contém a destilação de meus pensamentos sobre esses dois assuntos. As aplicações práticas dessas idéias não são abordadas especificamente; entretanto, delineio as bases teóricas e energéticas desses conceitos.

A perspectiva energética

A Figura 11-1 demonstra a base energética do desenvolvimento do caráter e também as bases para a transferência e a contratransferência. Este diagrama é minha versão do conceito original exposto por Reich sobre a unidade e a diversidade da energia vital que é vista na dualidade mente-corpo e na unidade. Nomeei os aspectos diversificados dessa energia vital de *self* adaptativo, contraído, negativo e primal (Tabela 11-1). Uso a expressão *self* caracterológico para me referir à *gestalt* unificada desses diversos *selves*.

O *self* primal é a auto-expressão básica da psique/soma no mundo. Quando ele encontra uma negatividade repetida no ambiente, parte da energia de afirmação vital se volta para si mesma em forma de contração muscular. A energia que sustenta essa contração é a raiva não liberada por ser constantemente frustrado pelo ambiente na tentativa de satisfazer as necessidades básicas psíquico-organísmicas. Essa contração forma a base do *self* contraído.

O *self* contraído inibe a força vital do *self* primal e dificulta sua expressão direta para o ambiente, para reduzir a dor física e psíquica que acompanham a rejeição contínua. Essa contração expressa o desejo de morrer em vez de permanecer numa constante frustração. A forma física que o *self* contraído assume no corpo depende do momento em que a frustração aconteceu na seqüência de desenvolvimento da pessoa e da quantidade de energia disponível para o organismo naquele momento.

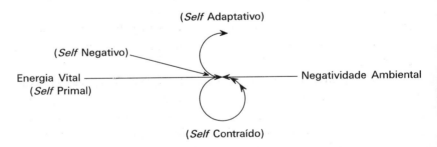

Figura 11-1. A base energética do desenvolvimento do caráter.

Assim como parte da sobrevivência do organismo depende da contração, sua sobrevivência também depende do desenvolvimento de um *self* adaptativo. Por mais fortemente que o desejo de morrer seja investido no *self* contraído, a vontade de viver continua no *self* adaptativo. A pessoa não é mais capaz de obter a satisfação de suas necessidades por meio da auto-expressão organísmica direta e então

Tabela 11-1. Formulações do *Self*

Self primal	*Self* caracterológico	*Self* adaptativo	*Self* contraído	*Self* negativo	*Self* real	*Self* realizado
ser/ necessidade	compreende	interpreta	retrai-se	aniquila	medo	excitação/ movimento
necessidade/ dependência	amor	incorpora	deprime	abandona	anseio	desejo/ conexão
dependência/ autonomia	orientação	manipula	desconecta	humilha	inadequação	vulnerabilidade/ separação
autonomia/ liberdade	apoio	alivia	colapsa	esmaga	culpa-vergonha	agressão/ posse
liberdade/ sexualidade	compromisso	confronta	controla	rejeita	coração ferido	amor/ sexualidade

se adapta aos métodos usados contra ela para conseguir que suas necessidades sejam satisfeitas indiretamente. Ela passa a ter como lema: "Se você não pode vencê-los, junte-se a eles". Entretanto, como a recepção do organismo está fisicamente bloqueada pelo *self* contraído, os esforços vitoriosos do *self* adaptativo não o nutrem. Quando a inutilidade desses esforços de contração e de adaptação é reconhecida, a energia investida no *self* adaptativo e contraído encontra expressão no *self* negativo. Nesse momento a pessoa afirma mais uma vez seus direitos à vida no ambiente. Quando essa expressão é liberada, ela surge no mundo como raivosa e sádica, pois foi presa por fortes paredes musculares e por inibição psíquica. A pessoa responde como se não tivesse nada a perder. A tentativa de parar a dor e agir a seu "próprio modo" não funcionou, e agora o *self* negativo expressa a vida do organismo com a mesma intensidade agressiva-negativa que em outro momento ele conteve. O ambiente normalmente responde com um aumento da negatividade ou com o afastamento, e a pessoa responde com culpa ou vergonha, retraindo-se de volta na fortaleza da expressão bloqueada.

O *self* caracterológico geral funciona de tal modo que mantém um equilíbrio energético entre esses vários aspectos da personalidade. Ele auxilia a pessoa a equilibrar-se entre a forte impulsividade organísmica do *self* primal e a negatividade ambiental com relação à auto-expressão. É a forma que cada pessoa criou para a própria sobrevivência e a prisão em que vivemos. Serve para conter a ansiedade da pessoa. Essa ansiedade surge se demasiada energia for evocada no bloqueio corporal, pedindo por expressão, ou se o ambiente pressionar de modo excessivo, ameaçando as defesas. Um dos resultados dessa organização de energia é apresentar ao mundo uma imagem que é expressa sob a forma do papel que a pessoa desempenha, um personagem, por assim dizer, no drama da vida. A pessoa que interpreta essa personagem tenta oferecer o que ela nunca recebeu e, assim, espera reparar sua própria ferida narcisística, transformando-se no pai idealizado para outras pessoas.

Essa frustração da expansão e essa contração entre os diversos *selves* continuam ao longo da vida, até que seja criado um ambiente suficientemente seguro, em que a pessoa possa receber suporte para o *self* primal e para o *self* negativo, junto com uma análise empática dos *selves* adaptativo e contraído. Em geral, acontece um rompimento desse ciclo quando o *self* negativo é reconhecido pela pessoa e pelo ambiente. O que acontece energeticamente é que, pela expressão da negatividade, a "cola" que tinha mantido o bloqueio original cede e o *self* primal recebe uma nova chance de retornar ao ambiente. Dessa vez o *self* primal tem mais energia e ajuda para confrontar o ambiente, e possui mais flexibilidade para responder à frustração.

À medida que os esforços do *self* primal são reconhecidos e apoiados, forma-se um *self* real (Figura 11-2) que substitui o *self* caracterológico. Este irá retornar sob estresse, como um papel que foi desempenhado vários anos. Entretanto, ele se tornará ego distônico e não será atuado inconscientemente. Do mesmo modo, cada um dos *selves* funcionará de vez em quando em seus antigos papéis. A diferença agora reside na consciência de sua função de defesa da sobrevivência e na capacidade de afirmar mais diretamente as necessidades do *self* real.

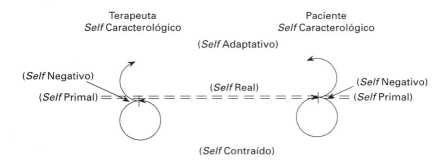

Figura 11-2. A perspectiva caracterológica: contratransferência subjetiva.

Self caracterológico

No início, o paciente é atraído consciente ou inconscientemente pelo *self* caracterológico do terapeuta e responde a ele. Como mencionamos, este *self* foi criado pelo terapeuta como um meio de sobreviver em sua própria família, e agora funciona como uma forma de garantir a obtenção do alimento narcisístico que ele não recebeu de seus pais. O paciente, feito qualquer criança ferida narcisisticamente, sente a ferida no terapeuta e também a maneira como o terapeuta a esconde e idealiza a si mesmo como um curador. O paciente, assim como fez com sua família, aprende a encontrar consolo para seu próprio *self* ferido ao pedir ajuda ao terapeuta sem ameaçar o investimento narcisístico do terapeuta para "ajudar o paciente" a seu próprio modo, que, é claro, é o "correto".

Essa combinação narcisística do paciente e do terapeuta continua até que o *self* primal do paciente afete o equilíbrio energético cuidadosamente organizado do terapeuta. Isso acontece quando o paciente precisa mais do que o terapeuta pode dar ou deixa de recompensar o terapeuta do modo usual. O terapeuta vivencia isso como a retirada do valioso alimento narcisístico e começa a reagir a essa retirada do contato da mesma forma como reagiu quando criança. A diferença agora é que ele tem alguém que precisa dele e variadas técnicas com as quais se reconectar com o paciente e retomar o controle sobre este. A utilização dessas técnicas em benefício das próprias necessidades do terapeuta exige que ele ative seu *self* adaptativo.

Self adaptativo

O instrumento principal que o terapeuta tem para trazer de volta o paciente e desse modo seus próprios alimentos narcisísticos, e retomar o controle sobre estes, é o funcionamento do *self* adaptativo. Existe uma função especializada do *self* adaptativo para cada *self* caracterológico. O terapeuta agora parece dar mais do que o paciente a princípio desejava do terapeuta, mas este "dar" está sob a direção do ego do terapeuta e encontra-se voltado para o terapeuta, não para o paciente. Este último ponto precisa ser habilmente disfarçado para que o paciente não sinta que está sendo usado para satisfazer as necessidades do terapeuta. Essa mesma precaução foi vivida pelo terapeuta em sua própria família. Como o pai do terapeuta não estava disponível para satisfazer as necessidades do terapeuta, este teve de fingir estar presente para os pais assim como eles fingiam estar presentes para seu filho. A função do fingimento era proteger-se da ansiedade causada pelo isolamento ou pela desconexão. Esse fingimento agora é realizado com o paciente. Se isso funcionar e o paciente retornar com uma apreciação adequada, a ansiedade do terapeuta será reduzida e a terapia continuará como antes, até que surja outra crise. Entretanto, se a utilização do *self* adaptativo não funcionar, o terapeuta vivenciará o *self* contraído.

Self contraído

Neste estado, cada terapeuta começa a manipular seu envolvimento energético com o paciente. Essa manipulação é muito semelhante ao que aconteceu ao terapeuta quando ele era criança e não gratificava seus próprios pais da forma como eles o desejavam. Esse tipo de contração é percebido como uma ameaça inconsciente ao paciente. Ele tem a sensação de estar correndo o risco de não ter mais o terapeuta disponível para si como já teve outrora e de que, de algum modo do qual ele não tem consciência, a súbita mudança no investimento pessoal por parte do terapeuta é culpa sua.

Se essa ação do terapeuta funcionar, e o paciente, sentindo inconscientemente o perigo, mudar outra vez suas necessidades para suprir as do terapeuta, tudo estará bem. Entretanto, se o paciente continuar a insistir em seu próprio modo ou desafiar o terapeuta por causa de seu novo comportamento, o terapeuta poderá passar a expressar a energia que estava por trás do bloqueio, que é o *self* negativo.

Self negativo

A essência do *self* negativo é a liberação da agressão diante do paciente, do mesmo modo como o terapeuta vivenciou a reação de seus pais diante de si quando ele insistiu em seus "direitos" como criança. Nesse momento é evidente que o terapeuta está fora de controle e que a resposta do paciente varia de uma grande satisfação ao terror. Como todos os pacientes esperam que o ambiente lhes responda com negatividade quando eles afirmam suas necessidades, essa forma de contratransferência muitas vezes é aceita pelo paciente e justificada pelo terapeuta como uma resposta de realidade do ambiente ante o movimento do paciente. Este, acreditando que ele "magicamente" mudou o *self* caracterológico do terapeuta para este *self* negativo, ao persistir na expressão da oposição ou por não dar o que o terapeuta desejava, em geral se retrai com vergonha ou culpa e assim restaura o contrato original. Se isso não funcionar e o paciente suportar a negatividade do terapeuta, ou contra-atacar com agressão, o terapeuta corre o risco de desabar e de expor seu *self* primal ao paciente.

Self primal

O *self* primal consiste na necessidade original que o terapeuta teve com seus próprios pais. A incapacidade de obter a satisfação dessa necessidade deixou-o com um profundo ferimento no *self* primal. As várias outras formas do *self* foram construídas depois na tentativa de lidar com tal perda. Entretanto, cada pessoa nutre a esperança de que as defesas não funcionem e de que o trauma original possa ser reexperimentado com um novo final. Infelizmente para o terapeuta, neste caso o *self* primal é exposto a alguém, o paciente, que, embora se sinta gratificado com o poder incomum de deixar o pai idealizado de joelhos, não está em posição de acolher ou aceitar essa necessidade primal do terapeuta. Assim o destino parece ser que o trauma original seja revisitado, e o paciente, como o pai original, responda com raiva por ter sido traído e por suas próprias necessidades não terem sido satisfeitas, e expresse rejeição ou mesmo aversão. Essa resposta do paciente reforça a rejeição original que o terapeuta experimentou quando criança, e portanto intensifica a necessidade que o terapeuta sente de reforçar suas defesas sob a forma do *self* caracterológico. O paciente fica com a vitória duvidosa de ter feito ao pai idealizado o que foi feito a si mesmo, e o terapeuta é deixado com a possibilidade de procurar supervisão e ajuda para quebrar este ciclo. Ao fazer isso, o terapeuta constrói o alicerce para o *self* real.

Self real

O terapeuta em sua supervisão e em sua terapia pessoal reconhece sua incapacidade de dar ao paciente o que seu *self* caracterológico prometeu consciente ou inconscientemente. O que o terapeuta prometeu é o que ele desejava de seus próprios pais, cuja ausência causou tal dor no terapeuta que ele desenvolveu o *self* caracterológico na tentativa de impedir que isso acontecesse de novo. Agora ele é confrontado pelo reviver desse trauma inicial. Dessa vez, com o apoio adequado, será capaz de reconhecer o fracasso do *self* caracterológico em suas tentativas de corrigir sua posição infantil. Com esse reconhecimento do fracasso vêm ainda o luto pela perda original e a força para encarar que o paciente também precisará lamentar a mesma perda, com sua ajuda. Com essa nova percepção e embasamento na realidade surge também a possibilidade de ouvir o paciente sob uma nova luz. E o paciente, não mais conseguindo usar o terapeuta como uma solução para sua ferida narcisística, perde seu poder sobre o terapeuta e ganha uma pessoa real que será capaz de ajudá-lo a lamentar sua perda e recobrar sua verdadeira dignidade. Isso prepara o terapeuta para a experiência da contratransferência objetiva.

A perspectiva caracterológica: a contratransferência objetiva

A base da contratransferência objetiva é a capacidade do terapeuta para ser um canal de contato aberto com relação ao paciente. Isso significa que o terapeuta é capaz tanto de experimentar os sentimentos criados nele pelo paciente, quanto de permitir que estes estejam presentes sem desencadear os mecanismos de sua própria sobrevivência. Para fazer isso o terapeuta precisa permanecer ancorado em sua realidade feito um ser humano comum e assim atuar como um modelo para o paciente. Nesse lugar aberto o terapeuta começará a vivenciar, primeiro, como foi para o paciente ser uma criança em sua própria família; segundo, qual a sensação dos pais do paciente.

O paciente, relacionando-se com o terapeuta a partir da posição de seu *self* adaptativo, irá demonstrar como sobreviveu em sua família. A partir da posição do *self* negativo, o paciente rejeitará o terapeuta do mesmo modo como foi rejeitado. Isso permite ao terapeuta sentir-se tal qual o paciente enquanto criança. Quando o paciente se relaciona a partir do *self* contraído, está obrigando o terapeuta a experimentar a sensação dos pais do paciente. Isto é, ele irá contrair-se e deixar o terapeuta impotente. Também pode tentar fazer com que o terapeuta o rejeite da mesma forma como seus pais o fizeram.

Assim, o terapeuta pode usar seu corpo como um instrumento ressonante no qual é tocada a "música" do paciente. Essa ressonância é o que o paciente não teve em sua própria família, e agora isso se transforma na base da cura da ferida narcisística. O terapeuta é então capaz de confiar em sua resposta intuitiva e tem menor probabilidade de cair nas armadilhas narcisísticas armadas por ele mesmo e pelo paciente. Quando essa ressonância está presente, o terapeuta é muito mais livre para ser confrontador sem ser sádico, e para ser amoroso sem ser sentimental. Tudo isso depende de o terapeuta ter experimentado esse mesmo tipo de ressonância por si mesmo e, portanto, ter consciência de seus efeitos curativos. Tendo essa base, o paciente irá sentir-se mais seguro para arriscar-se a expor seu *self* real. Como o *self* caracterológico do terapeuta agora é mais ego distônico, ele será capaz de ajudar o paciente a entender aquelas características pelas quais foi atraído e como elas se encaixam na história inicial de sua família. Desse modo, o terapeuta é capaz de usar seu *self* caracterológico como outro instrumento poderoso no processo de transferência e contratransferência.

O processo de contratransferência pelo qual o terapeuta precisa passar para chegar à sua própria cura é exatamente igual ao processo de transferência para o paciente. O paciente criança está num processo constante de curar o terapeuta-pai para que ele próprio possa ser curado. Como afirmei no final do Capítulo 7, "seus clientes e filhos irão curar você, se você lhes der uma oportunidade".

Parte **III**

Considerações Legais e Éticas

12

Documentação:
A Proteção do Terapeuta

O. Brandt Caudill, Jr.

A documentação tornou-se importante para os terapeutas

Existe uma percepção equivocada e constante por parte dos terapeutas quanto a fazer ou não anotações durante a terapia. Embora o grau de documentação possa ser deixado a critério de cada terapeuta, em alguma medida o padrão de cuidados e diversas leis e regulamentos exigem que sejam feitas anotações e mantidos registros. Portanto, o terapeuta que não faz anotações em virtude de uma concepção filosófica contra os registros está agindo por sua própria conta e de um modo que pode resultar em conseqüências adversas e significativas.

Para os membros da Associação Psicológica Americana, a questão está fechada pelo artigo 2.3.3 do "Specialty Guidelines for the Delivery of Services by Clinical Psychologists", que exige explicitamente que sejam feitas anotações apropriadas. O "Specialty Guidelines for Counseling Psychologists" faz uma exigência semelhante, e diretrizes similares foram desenvolvidas por outros grupos de terapeutas. Como a maioria dos conselhos estaduais de exercício profissional segue os princípios éticos da APA ou princípios semelhantes desenvolvidos por outros grupos profissionais como base para as ações disciplinares, uma falha em manter anotações pode sujeitar um terapeuta tanto a queixas éticas perante sua própria organização profissional quanto a ações disciplinares perante o conselho estadual de exercício profissional.

Manutenção de anotações apropriadas da terapia

O *California Healhan Safity Code Section 1795 et sec.* (Código de Segurança e Saúde da Califórnia, Seção 1795) exige que os profissionais de saúde mental tornem os registros disponíveis se o paciente solicitá-los na seção de código. Códigos semelhantes existem em outras jurisdições. Obviamente, ao afirmar que os registros devem estar disponíveis para os pacientes, esta seção de código supõe que existam tais registros. Esse mesmo código exige que os registros sejam mantidos por um mínimo de sete anos depois da alta de um paciente (exceto no caso de menores, no qual os registros devem ser mantidos pelo menos por um ano após o menor completar 18 anos, mas nunca por menos de sete anos). O código permite ainda que os terapeutas dêem ao paciente um resumo dos registros em vez de uma cópia integral, de acordo com certas condições. A seção do código define o que deve constar desse resumo. Essa lista de itens é um bom ponto de partida para determinar que informação deve constar no arquivo de um paciente:

1. a queixa ou queixas principais;
2. os dados de qualquer outra consulta ou indicação a outros profissionais de saúde;
3. o diagnóstico, se tiver sido determinado algum;
4. o plano de tratamento;
5. o progresso do tratamento;
6. o prognóstico, incluindo qualquer problema importante e constante;
7. o relato de qualquer procedimento de diagnóstico e todos os resumos de alta; e
8. qualquer dado objetivo encontrado num exame físico, mesmo que este não seja realizado pelo terapeuta.

Documentação e padrão de cuidados

A experiência também diz que algumas informações devem constar das anotações sobre um paciente para cumprir o padrão de cuidados e proteger de modo adequado os interesses tanto do paciente quanto do terapeuta. Inicialmente, um formulário impresso deveria ser preenchido pelo paciente a respeito de seu *background* e de sua história. Embora muitos terapeutas aceitem uma história do modo como ela é contada, nossa experiência mostrou que um formulário, preenchido pelo paciente, pode ser bastante significativo se mais tarde se descobrir que alguma informação-chave foi deixada de lado ou falseada. Um formulário inicial deve conter no mínimo as seguintes informações:

1. história familiar de depressão, suicídio, abuso de álcool ou de drogas, ou outras doenças mentais importantes;
2. história de tratamento psicológico do paciente;
3. principais problemas físicos que o paciente apresente;
4. nome e endereço do médico do paciente e de quaisquer psicoterapeutas anteriores;
5. principal razão pela qual o paciente está procurando tratamento; e
6. história anterior de testagem psicológica.

Se o paciente identificar algum tratamento psicológico anterior, então a jurisprudência sugere que o terapeuta tente obter esses registros psicológicos anteriores (*Jablonski by Pahls versus United States*, 1983). Portanto, será necessário pelo menos documentar o pedido de que o paciente providencie uma autorização para obtenção dos registros do profissional de saúde mental anteriormente consultado. Uma razão muito prática para conseguir tais registros é que, se o paciente tem uma personalidade *borderline* ou outro tipo significativo de personalidade ou de distúrbio, o terapeuta geralmente descobrirá que os registros do tratamento anterior contêm informações bastante valiosas que podem ajudá-lo a evitar algumas armadilhas. Não é incomum descobrir que os registros da terapia anterior contêm informações que são inconsistentes com as afirmações atuais do paciente.

Anotação de idéias sexuais, violentas e suicidas

Não existe um conjunto de diretrizes quanto ao que deve estar incluído nas anotações das sessões individuais. Entretanto, se o paciente mencionar que sente atração sexual pelo terapeuta, é necessário que se anote um comentário tão literal quanto possível. Além disso, o terapeuta deveria anotar o que foi feito com relação ao comentário. Não é suficiente dizer: "O paciente expressou transferência". As palavras do paciente *precisam* ser registradas. Será difícil lembrar depois a que se referia especificamente uma anotação ambígua a respeito de transferência. Caso o paciente comece a expressar fantasias e sonhos sexuais com o terapeuta, isto também tem de ser anotado. Se houver qualquer conversa sobre as questões de contratransferência, essa discussão deve ser explicitada nas anotações. Caso o paciente expresse qualquer pensamento a respeito de violência contra si mesmo ou contra os outros, as anotações precisam refletir esses comentários e também o que o terapeuta fez para avaliar a seriedade da questão. Alguns pacientes especialmente manipuladores fazem esse tipo de comentários com tanta freqüência que muitos terapeutas não os anotam em seus registros. Entretanto, esse é um grande risco. Em geral, aquela vez em que a anotação não foi feita é exatamente quando o paciente segue adiante com a expressão dos pensamentos suicidas ou homicida.

Qualquer conversa sobre contratransferência também deve ser anotada. Novamente, é ambíguo demais dizer apenas "conversa sobre contratransferência", e isso não será útil no futuro para determinar o que de fato foi dito. As anotações não precisam ser particularmente detalhadas, mas têm de refletir se o paciente possui um plano, os meios para concretizá-lo e o nível de seriedade com que o terapeuta avalia a condição do paciente. Se for necessário apelar para uma terceira pessoa, então uma cópia escrita da indicação (como é exigido, por exemplo, pelo Código Civil da Califórnia, Seção 43.92) deve ser incluída no arquivo. Essas cartas de indicação têm de ser registradas e enviadas pelos Correios, com retorno e recebimento registrados, ou entregues em mãos por um serviço de entregas, de modo que possa haver um comprovante.

Outras áreas que devem ser documentadas

É de extrema importância que qualquer documento de autoria do paciente e entregue ao terapeuta seja conservado e mantido nos arquivos. É particularmente trágico quando um terapeuta afirma que o paciente que o está processando tinha enviado uma série de cartas elogiando as habilidades do terapeuta, mas estas foram jogadas fora. Qualquer correspondência, cartões, poemas, páginas de diários ou outra documentação escrita entregue pelo paciente tem de ser mantida nos arquivos. E devem ser feitas cópias de todos os documentos devolvidos ao paciente. Todas as mensagens telefônicas, quer anotadas pelo terapeuta ou pela secretária, também precisam ser conservadas no arquivo.

Quando a terapia termina, deve existir uma anotação das circunstâncias que envolveram o término e dos passos dados pelo terapeuta a esse respeito (por exemplo, indicando o paciente para outros terapeutas, recomendando que ele continue em terapia com outra pessoa etc.).

A Califórnia tem uma nova exigência, que deveria ser seguida em todos os lugares: sempre que os serviços forem realizados por um assistente psicológico (interno, estudante etc.), o supervisor deve dar ao paciente um aviso por escrito de que o assistente ou estudante em treinamento ainda não é licenciado e está sob a direção e supervisão do supervisor, como um empregado (*California Code of Regulations*, Título 16, Seção 1391.6). Uma cópia do aviso escrito entregue ao paciente tem de ser arquivada, sempre que uma pessoa não licenciada esteja atendendo.

Além disso, deve haver um contrato escrito com o paciente que explicite, entre outas coisas, as limitações do sigilo e a obrigação de que o paciente pague pelos serviços prestados (abordando sobretudo o preço específico da hora e a política de cancelamento).

Práticas de cobrança e seguro

Outra área que causa inúmeros problemas é a correlação entre os registros de cobrança e as anotações do terapeuta. É preciso haver pelo menos alguma correlação entre as datas nas quais as anotações foram feitas e aquelas pelas quais o paciente está sendo cobrado. Além disso, não é aceitável cobrar de terceiros por sessões em que o paciente não foi realmente visto; em geral, a razão para isso é que havia uma supervisão administrativa ou que a sessão durou duas horas em vez de uma, e assim havia sentido em cobrar duas sessões separadas em vez de uma sessão de duas horas. Entretanto, é provável que isso seja visto como fraude, mesmo que o número total de horas de serviço seja preciso.

Além disso, a lei não reconhece a prática comum de usar um diagnóstico para propósitos de seguro e outro para diferentes propósitos. Qualquer que seja o diagnóstico usado com a companhia de seguro, este deve ser preciso e ser o instrumento de trabalho para o tratamento. Embora possa existir alguma validade terapêutica no conceito de que um diagnóstico menos restrito é benéfico para o paciente, essa prática pode ser caracterizada como uma fraude de seguros e criar problemas bastante difíceis caso haja um litígio.

Protegendo a si mesmo e ao paciente

Os critérios aqui expressos facilitarão aos terapeutas prestar cuidados de qualidade aos pacientes e proteger-se nesse processo. O tempo e a energia adicionais necessários para manter arquivos documentados com todo o cuidado do início ao fim do tratamento provavelmente valerão a pena não apenas ao ampliar a reflexão do terapeuta sobre o paciente, mas ao proporcionar um ambiente seguro que proteja a ambos, terapeuta e paciente, de um litígio caro e desnecessário.

13

Os Terapeutas Podem Ser Indiretamente Responsabilizados pela Má Conduta Sexual de Outras Pessoas?

O. Brandt Caudill, Jr.

Em 9 e 10 de outubro de 1992, a Segunda Conferência Nacional sobre Má Conduta Sexual para Religiosos, Psicoterapeutas e Profissionais de Saúde foi realizada em Minneapolis, Minnesota. Essa conferência teve apresentações que sugeriam que os terapeutas não envolvidos em má conduta sexual poderiam transformar-se em alvo de processos civis quando as pessoas pelas quais eles eram presumivelmente responsáveis tivessem se envolvido em má conduta sexual. Essas sugestões na verdade foram seguidas, e os processos litigiosos solidários se transformaram numa área importante dos litígios sobre más condutas sexuais. A onda original de litígios a respeito de relacionamentos sexuais com pacientes em geral se focava na pessoa do terapeuta acusado de interação sexual com o paciente[1]. Como reação a essa onda de litígios, as companhias de seguros estabeleceram fortes políticas de exclusão, limitando ou negando a cobertura de seguros à pessoa acusada de tal conduta. Isso criou uma situação em que

---

1. Além dos casos discutidos aqui, alguns outros em que houve alegação de relacionamentos sexuais entre terapeutas e pacientes incluem *Speiss v. Johnson* 748 P. 2d 1020 (Ore.App. 1988); *Roy v. Hartogs* 81 Misc. 2d 350, 366 N.Y.S. 2d 297 (N. Y. 1985); *DiLeo v. Nugent* 592 A.2d 1126 (1990); *Mazza v. Huffaker* 61 N.C.App. 170, 300 S.E.2d 833 (1983); *Horak v. Biris* Ill. App.3d 140, 474 N.E.2d 13 (1985); *Richard H. v. Larry D.* 198 Cal.App.3d 591, 243 *Cap. Rptr.* 807 (1988).

um paciente que alegue uma queixa dessas tem um interesse econômico em atacar uma cobertura de seguros que não está sujeita à limitação[2].

Quando um terapeuta se envolve num relacionamento sexual com um paciente, é possível que seu supervisor, seus sócios e empregados se transformem em alvo de litígio. Existem dois tipos de responsabilidade: direta e indireta ou solidária. Responsabilidade direta é a obrigação de uma pessoa responder por seus próprios atos ou omissões, enquanto a indireta ou solidária acontece quando um indivíduo é responsabilizado pelos atos de outras pessoas por causa de seu relacionamento. A maioria dos estados adotou o *Uniform Partnership Act*, ou tem uma legislação equivalente, que faz com que cada sócio conjunta e separadamente (isto é, individualmente) seja responsabilizado pelos atos de todos os outros sócios, dentro do alcance de atuação da sociedade. Entretanto, os atos de um sócio num contexto puramente pessoal, como uma disputa doméstica, não dariam margem à responsabilidade conjunta e separada. Em alguns casos essas teorias podem superpor-se, como na alegação de que um sócio tinha uma obrigação de impedir que outro agisse de modo específico. Pelo mesmo motivo, tradicionalmente um empregador pode ser responsabilizado pelos atos negligentes de um empregado quando este estiver agindo dentro do alcance e sob a autoridade do empregador. Esta doutrina é chamada de *respondeat superior*.

A maioria dos terapeutas ainda está totalmente inconsciente de que pode correr o risco de ser responsabilizada pela má conduta sexual de seus sócios, supervisionandos e empregados. Portanto, a maior parte deles não está investigando adequadamente o passado de empregados ou sócios em potencial. Para limitar a responsabilidade solidária, um terapeuta deve realizar uma investigação abrangente do passado da pessoa, concentrando-se em pesquisar se esse indivíduo

---

2. Ver "Therapist-patient sexual exploitation and insurance liability", de Jorgensen *et al.*, *Tort & Insurance Journal,* vol. 27, n° 3, primavera de 1992.

esteve envolvido em má conduta sexual ou se hoje está em risco de praticá-la[3].

A maioria dos terapeutas supõe que um relacionamento sexual com um cliente esteja fora do alcance da atuação profissional normal e, portanto, não poderia levar à responsabilização de sócios, supervisores e empregados. Entretanto, uma revisão dos casos indica um conflito de autoridade. Essa questão foi considerada especificamente por um Tribunal de Nova York em *Noto versus St. Vincent's Hospital* (1988), no qual uma paciente que havia sido hospitalizada por causa de depressão e dependência de drogas e álcool desenvolveu um relacionamento sexual com um residente da psiquiatria, depois de ter recebido alta. A queixosa buscou responsabilizar o hospital com base na doutrina da responsabilidade solidária. O tribunal concluiu que as ações do residente claramente excediam qualquer autoridade assegurada pelo hospital e não representavam um incidente natural em suas obrigações de empregado. O tribunal determinou que a queixosa não podia processar o hospital. Entretanto, em *Simmons versus United States* (1986) surgiu a questão de se o governo americano poderia ser responsabilizado pelo relacionamento sexual entre um conselheiro de saúde mental e uma paciente. Era crítico decidir se a questão do relacionamento sexual estaria dentro do alcance e da atuação profissional antes de aceitar a queixa contra os Estados Unidos. Após rever a lei de Washington, o Nono Tribunal de Apelação concluiu que o conselheiro de saúde mental, sr. Kammers, estava agindo dentro do alcance de seu trabalho ao proporcionar aconselhamento em saúde mental para a sra. Simmons, e que seu relacionamento sexual com ela era uma conduta não-profissional enquanto prestava serviços dentro do alcance de seu emprego. O tribunal observou que, embora o conselheiro não fosse autorizado pelo governo a se envolver sexualmente com os clientes, o contato sexual tinha acontecido junto com suas atividades legítimas de aconselhamento e, portanto, dentro do alcance de seu emprego. O tribunal fez também analogias com uma

---

3. Uma discussão extensa sobre este assunto e uma *check list* podem ser encontradas no Capítulo 36, pp. 453 a 461 do livro *Psychotherapists' sexual involvement with clients: intervention and prevention,* de Schoener *et al.,* Walk in Counseling Center, 1989.

série de casos em que os tribunais de apelação determinaram que os relacionamentos sexuais entre terapeutas e pacientes encontram-se dentro do alcance das políticas de erro profissional, ainda que tal conduta seja considerada antiética e não-profissional[4]. O Nono Tribunal concluiu que um abuso da transferência, praticado pelo terapeuta, sr. Kammers, estava dentro do alcance de seu trabalho. Isto foi considerado verdadeiro, muito embora a maioria dos atos de má conduta sexual tenha ocorrido em viagens fora da cidade, e não durante as sessões de terapia no consultório. Nesse caso, o tribunal concluiu que existia uma base para considerar que ocorrera negligência da supervisão, pois o relacionamento continuou por mais de um ano depois de o supervisor do sr. Kammers ficar ciente da situação.

Em *Marston versus Minneapolis Clinic of Psychiatry and Neurology* (1983), o Supremo Tribunal de Minneapolis considerou que era uma questão de fato, que devia ser decidida por um júri, se a conduta de um terapeuta ao manter relações sexuais com um paciente estava relacionada o suficiente com seu emprego para tornar uma clínica solidariamente responsável. O tribunal rejeitou o argumento que a queixosa também tinha estabelecido de que o empregado estava agindo em benefício dos interesses do empregador antes que uma responsabilidade pudesse ser imposta sobre a clínica. O tribunal observou que havia testemunho de que as relações sexuais entre um terapeuta e uma paciente era uma possibilidade bem conhecida, e portanto era em certa medida um risco previsível pelo empregador. Isso também foi considerado em *Trotter versus Okawa* (1994).

O Supremo Tribunal da Califórnia considerou essa questão no contexto das queixas de duas mães contra uma clínica por infligir perturbação emocional por meio de negligência, queixas essas dirigi-

---

4. *Vigilant Insurance Co v. Employers Insurance of Wausau* 626 F.Supp. 262 (S.D.N.Y. 1986); *Zipkin v. Freeman* 436 S.W. 2d 753 (Mo. 1968); *L. L. v. Medical Protective Co.* 362 N.W.2d 174 (1984); *Cranford v. Allwest Insurance Co.* 645 F.Supp. 1440 (N.D. Cal. 1986); *Aetna Casualty Co. v. McCabe* 556 F.Supp. 1342 (E.D. Pa. 1983).

das contra um psicoterapeuta que havia molestado seus filhos enquanto estes estavam em tratamento (*Marlene F. versus Affiliated Psychiatric Medical Clinic, Inc.* (1989). Nesse caso, o tribunal citou os casos de *Simmons* e de *Marston* mencionados, e concluiu que a viabilidade das queixas contra a clínica por responsabilidade pelos atos de abuso sexual cometidos pelo terapeuta era uma questão em aberto na Califórnia. O tribunal observou que uma das queixas, por negligência ao contratar e supervisionar o psicoterapeuta, baseava-se no fato de existirem alegações de ele ter molestado outras crianças e buscava impor uma responsabilidade solidária por *respondeat superior*, *supra*, na nota de rodapé 3, 48 Cal.3d 588.

Em *Evan F. versus Houghson United Methodist Church* (1992), um tribunal de apelação da Califórnia observou que havia uma polêmica nacional quanto ao fato de um empregador poder ser ou não responsabilizado perante uma terceira pessoa por ter sido negligente ao contratar um empregado, especialmente quando os atos do empregado causassem uma acusação de envolvimento em má conduta sexual ou em atos ilícitos intencionais. Na Califórnia, e em diversas outras jurisdições, um empregador pode ser responsabilizado perante uma terceira pessoa por ter sido negligente ao contratar um empregado incompetente ou inadequado.

Considerando as leis atuais, parece claro que os terapeutas precisam supor que podem ser processados se um sócio, empregado ou supervisionando se envolver num relacionamento sexual com um paciente, porque parece que os tribunais estão passando a assumir a posição de que um relacionamento sexual entre um terapeuta e um paciente é um risco reconhecível do trabalho que estaria dentro do alcance do relacionamento empregador-empregado. Com relação aos supervisionandos, o potencial de responsabilização do terapeuta é ainda maior, pois aqueles não podem atuar sem a necessária supervisão. Portanto, é provável que a responsabilidade de um terapeuta pelos atos de um supervisionando seja similar à de um sócio, embora o relacionamento seja substancialmente diferente.

A responsabilidade das escolas de treinamento foi levantada em diversos processos civis nos quais representei terapeutas individuais que tinham se graduado nessas escolas. A opinião geral é que as escolas profissionais têm feito um trabalho bastante deficitário ao treinar os terapeutas para lidar com as questões de relacionamento sexual com os pacientes, bem como sobre o que fazer quando sentem atração por um paciente[5]. Entretanto, embora as instituições de treinamento possam, no fim das contas, precisar defender seus programas, a preocupação mais imediata é a responsabilização potencial do terapeuta individual que está empregando, supervisionando ou é sócio de outros psicoterapeutas.

Existem várias maneiras de limitar a exposição potencial apresentada por esta situação. Uma delas é investigar em detalhes todos os empregados, supervisionandos e sócios em potencial para se assegurar de que tenham qualidade de treinamento e caráter para evitar tais situações. Entretanto, mesmo a melhor pessoa, a mais brilhante e investigada pode se ver envolvida num relacionamento sexual, e assim uma investigação minuciosa não irá impedir a responsabilização potencial. Os empregados, supervisionandos e sócios têm de ser incentivados a discutir livremente os sentimentos para que estes não sejam atuados. Isso pode assumir a forma de sessões de supervisão, apresentações ou discussões informais. Deveria também ficar claro para todos os empregados, sócios, supervisionandos e pacientes que os relacionamentos sexuais não são éticos nem serão tolerados. No caso dos pacientes, deve haver uma afirmação nesse sentido no contrato do paciente, e deve ser colocado um aviso na sala de espera dizendo que os relacionamentos sexuais são antiéticos. Embora essa posição possa parecer extrema, uma afirmação inequívoca dificultará que no futuro haja uma acusação de responsabilidade solidária contra o empregador, supervisor ou sócio. Além disso, os contratos com cada empregado, supervisionando e qualquer contrato de sociedade precisa afirmar clara e explicitamente que a má conduta sexual está além do alcance do trabalho, é antiética e inaceitável, e levará ao rompimento imediato do emprego ou da sociedade. Finalmente, os terapeutas deveriam pensar em fazer com que suas associações profissionais promulgassem legislações que impeçam esses tipos de processo.

---

5. Ver Pope, Tabachnick e Keith-Spiegal, "Ethics of practice: the beliefs and behaviors of psychologists as therapists". *American Psychologist*, vol. 43, pp. 993-1006.

14

O Negócio da Mente

O. Brandt Caudill, Jr.

Tenho representado psicoterapeutas há vários anos, e uma das coisas mais evidentes para mim é que muitos dos melhores terapeutas são péssimos administradores de seus negócios e não fazem o que podem para proteger-se de possíveis litígios. Em nossa época, cada vez mais litigiosa, os terapeutas precisam conhecer as áreas em que encaram a possibilidade de litígios e os métodos para diminuir ao máximo esses riscos. Um ponto-chave para diminuir os riscos é ter formas e contratos adequados para reger os diversos relacionamentos em que um terapeuta se envolverá no contexto de seu trabalho. Os relacionamentos contratuais mais importantes são os que acontecem com os pacientes, empregados, *trainees*, supervisionandos e com outras pessoas ligadas ao atendimento terapêutico. Abordarei os pontos cruciais de cada um desses tipos de contrato. Embora os contratos de *managed care* também sejam muito importantes, as questões ligadas a eles merecem uma atenção separada e serão abordadas brevemente aqui.

Contratos com pacientes

A exigência de que um terapeuta mantenha um contrato com um paciente é ignorada por grande número dos terapeutas atuantes. O propósito do contrato é esclarecer os relacionamentos e a compensação. Certamente os Princípios Éticos da APA e o ponto de vista da maioria dos conselhos estaduais de exercício profissional consideram que a responsabilidade do terapeuta, no início do relacionamento, consiste em garantir que o acordo quanto aos preços esteja claro para o paciente. Qualquer dúvida com relação a isso será interpretada contra o terapeuta, podendo até atingir o nível de uma violação ética, dependendo da magnitude da discrepância.

Todos os contratos discutidos neste capítulo precisam ser feitos por escrito. O preço que deve ser pago por sessão precisa estar claramente estabelecido, além da medida em que o terapeuta aceitará o pagamento por meio do seguro médico. Quando uma empresa de seguros paga uma parte do preço da sessão, é importante enfatizar que o paciente deverá realmente pagar o restante. Algumas companhias de seguro admitem que o terapeuta em geral abre mão do restante de seu preço, que o preço real é a quantia que o terapeuta recebe da companhia de seguros, e uma porcentagem desse preço é, portanto, descontada para refletir a falta da complementação.

O contrato com o paciente tem ainda de mencionar se haverá juros e sob quais circunstâncias a conta pode ser levada a uma agência de cobrança. Em geral, aconselhamos enfaticamente a não usar essas agências e a não permitir que a quantia total chegue a tal ponto que indique o uso de uma agência de cobrança. Se uma dívida é entregue a uma agência de cobrança e é aberto um processo, normalmente o paciente retribui com uma queixa de erro profissional. Então a questão tem de ser levada à companhia de seguros do terapeuta e acaba custando bem mais que a quantia devida inicialmente. O modo de evitar esse sistema é não permitir que os pacientes acumulem saldos muito elevados.

Embora possam ser cobrados juros, os terapeutas precisam saber que não podem cobrar taxas de juros semelhantes às dos cartões de crédito sem se enquadrar nas leis de usura. O melhor é usar a taxa de juros estabelecida por lei para os tribunais.

O contrato também deve explicitar se sessões canceladas com 24, 48 ou 72 horas de antecedência serão cobradas. O terapeuta não pode supor que o paciente entenda que as sessões a que faltar serão cobradas. A ausência desse tipo de cláusula provocou diversos problemas com os clientes no passado.

As limitações do sigilo precisam estar claras no contrato com o paciente (ver o Princípio Ético da APA 5.01, 5.02). Embora seja possível supor que o paciente deva conhecer as limitações, o fato é que o número das diversas exceções de sigilo aumentou bastante, e os pacientes podem não ter consciência da situação. No mínimo, o contrato deveria incluir referências às seguintes situações em que o sigilo pode ser quebrado:

1. relato de abuso contra crianças;
2. relato de abuso contra idosos;
3. uma ameaça de violência feita pelo paciente contra uma terceira pessoa que desencadeie a obrigação de alertar esta pessoa (ver a Seção 43.92 do Código Civil da Califórnia);
4. o/a paciente recorreu a litígio civil e reivindicou ou comprovou sua condição emocional.

Uma cláusula que pode ser acrescentada é que o privilégio psicoterapeuta/paciente não pode ser usado para ocultar o planejamento de um crime ou de um ato ilícito (como previsto na Seção 1018 do *California Evidence Code* [Código de Evidência da Califórnia). Embora esta possa parecer uma inclusão desnecessária, algumas das questões levantadas no julgamento criminal dos irmãos Menendez sugerem que talvez seja prudente usá-la. Com relação a isto, existe uma clara distinção entre uma discussão de um crime passado com o paciente, que está protegida pelo sigilo, e a discussão com o paciente a respeito de um crime futuro, que não está protegida pelo privilégio psicoterapeuta/paciente (ou pelo privilégio advogado/cliente, em circunstâncias semelhantes).

Com a proliferação de processos legais contra terapeutas com base na responsabilidade solidária pela má conduta sexual de seus empregados, todos os contratos com pacientes deveriam conter uma afirmação expressa de que as relações sexuais com um psicoterapeuta estão fora da lei e fora da política do psicoterapeuta ou da clínica. Isto é necessário para que, caso um empregado se envolva em atos de má conduta sexual com um paciente, o empregador possa argumentar que tais atos estavam além do alcance do trabalho, e o paciente havia sido avisado especificamente a respeito da natureza antiética de tais atos.

Existem duas cláusulas que historicamente não têm sido usadas em contratos entre terapeutas e pacientes e podem ser incorporadas aos contratos nos próximos anos, na tentativa de limitar a exposição a litígios. Refiro-me a cláusulas de arbitragem e de limitação de responsabilidade. Muitos contratos de hospitais e de *HMO* incluem cláusulas obrigatórias de arbitração. Não há razão pela qual um terapeuta não possa utilizar esse procedimento, desde que seja estabelecido no início do relacionamento. A questão referente ao cumprimento das cláusulas de arbitragem está no fato de ter havido ou não uma negociação correta. No início de um relacionamento psicoterapêutico existe claramente um nível de interação diferente porque o relacionamento de confiança essencial para a terapia ainda não se desenvolveu. A tentativa de introduzir a linguagem de uma cláusula de arbitragem ou de limitação de responsabilidade em um relacionamento terapêutico provavelmente não seria mantida num tribunal. Entretanto, a jurisprudência sugere que uma cláusula de arbitragem aceita no início do relacionamento seria mantida. A razão é simplesmente que o sistema jurídico está tão sobrecarregado que se dá grande preferência à arbitragem. Se um contrato tem uma cláusula obrigatória de arbitragem, uma simples petição ao Tribunal Superior em geral levará ao cumprimento dessa cláusula. A arbitragem oferece uma economia considerável de custos em comparação aos processos legais num Tribunal Superior. Além disso, com a arbitragem podem-se escolher o árbitro e as regras que serão aplicadas na tomada de decisão. No Tribunal Superior as partes normalmente têm de aceitar o juiz que lhes é designado, a menos que tenham base para comprovar a falta de neutralidade.

As cláusulas de limitação de responsabilidade são muito comuns no campo da construção e não têm sido historicamente aplicadas aos terapeutas ou a outros profissionais de saúde mental. Entretanto, não existe nenhum motivo conceitual para que essas cláusulas não possam ser usadas num contrato de terapia. Um caso recente do Tribunal de Apelação da Califórnia chamado *Markbourough California Inc. versus Superior Court* (1991) manteve a cláusula de limitação de responsabilidade de um arquiteto que afirmava que em caso de litígio o cliente poderia recuperar no máximo 50 mil dólares ou os honorários pagos ao arquiteto, o que fosse mais elevado. O litígio prosseguiu com o cliente tentando processar o arquiteto para obter uma indenização de um milhão de dólares. O tribunal determinou que a cláusula de limitação de responsabilidade era legal e limitava o pedido de indenização do cliente a 50 mil ou aos honorários pagos, o que fosse maior. Uma cláusula semelhante poderia ser utilizada nos contratos entre terapeuta e paciente. Embora possa levar alguns anos antes que esse tipo de cláusula seja testado e cumprido, o caso *Markbourough* oferece uma base legal sólida para estabelecê-la como uma cláusula viável. A presença dessa cláusula num contrato pode levar o advogado do queixoso a aconselhar o paciente a não abrir um processo legal por causa da quantia limitada a ser recuperada.

É menos seguro afirmar em que medida uma cláusula de limitação de responsabilidade diminuiria a exposição por má conduta intencional, tal como relações sexuais com um paciente, ao contrário de erros profissionais mais comuns, como erro de diagnóstico e de tratamento adequado, quebra de sigilo e assim por diante. Entretanto, acredito que neste ponto do processo os terapeutas precisam ser criativos para tentar conter a enchente de litígios.

Assim como que acontece com os outros contratos discutidos a seguir, é importante perceber que qualquer contrato com um paciente precisa ter certa linguagem-padrão para minimizar as disputas sobre seu significado. Primeiro, deve haver o que se chama cláusula de integração. Ela afirma que todas as negociações entre as partes estão refletidas nos documentos escritos e não existem outros contratos, exceto aqueles contidos nos documentos. Isto é bastante efetivo para evitar que alguém argumente que o terapeuta concordou em prestar outros serviços, ou serviços sob outras circunstâncias do que as registradas. O contrato deve especificar que nenhuma modificação pode ser feita, a não ser por escrito e assinada pelas duas partes. Isto evita que alguém argumente que ele foi modificado verbalmente. Este tipo de cláusula algumas vezes é chamado de cláusula de dignidades iguais, porque exige que qualquer mudança no contrato tenha o mesmo nível de formalidade do próprio contrato original. Também deve estar especificado se os honorários advocatícios são ou não recuperáveis numa ação para cumprimento do contrato. A maioria dos terapeutas pensa nas cláusulas de honorários advocatícios apenas no contexto de seus próprios honorários se tiverem de iniciar uma ação de cobrança para receber um pagamento. Entretanto, para que uma cláusula de honorários advocatícios seja mantida, ela deve afirmar que a parte que ganhar um litígio recuperará os honorários advocatícios, não só o terapeuta. Portanto, a cláusula de honorários advocatícios pode ser uma faca de dois gumes se o terapeuta for processado. Geralmente, como é mais provável que o litígio seja iniciado pelo paciente, aconselhamos a não manter uma cláusula de honorários advocatícios, a menos que ela esteja vinculada à parte ganhadora numa arbitragem obrigatória, e neste caso seria possível incluí-la.

Contratos com empregados e subordinados

Do ponto de vista do terapeuta, o próximo contrato importante é o contrato com empregados ou subordinados profissionais, tais como *trainees*, internos e assistentes psicológicos. Por vários anos, uma prática comum era chamar os relacionamentos com assistentes e internos de *contratos de prestação de serviços*, embora esse rótulo não seja legalmente correto por causa da exigência de supervisão contínua. Hoje, tanto a prática regular quanto alguns conselhos regulamentadores estaduais exigem que os contratos com indivíduos que não possuam licença sejam contratos de trabalho com pagamentos de salários *W-2*. Os regulamentos do Conselho de Psicologia da Califórnia (16 CCR, Seção 1391.10) requerem especificamente que seja providenciada todo ano uma evidência escrita de emprego de um assistente psicológico. Esse regulamento refere-se especificamente a um contrato de emprego ou a uma carta de acordo como tal documentação.

Com exceção das cláusulas de pagamento e da exigência de supervisão, as diferenças entre os contratos de trabalho e o *contrato de prestação de serviços* são pequenas. Os dois tipos de contrato exigem cláusulas de *equal dignities* e de integração. Os dois tipos de contrato especificam os serviços a serem prestados, a remuneração a ser paga e as áreas em que o empregado profissional ou o *profissional autônomo* deve trabalhar. A principal diferença é que este pode escolher seus métodos e a forma de desempenhar suas funções, e não é supervisionado. É extremamente importante incluir uma declaração expressa de que a má conduta sexual com pacientes é uma base para o rompimento do contrato e está além do alcance do trabalho (ver, por exemplo, *Noto versus St. Vincent's Hospital* (1988). Do mesmo modo, o contrato deve afirmar que os relacionamentos sociais ou de negócios com pacientes estão além do relacionamento terapêutico e consistem a base para rompimento do contrato. Novamente, embora possa parecer óbvio, a realidade é que muitos empregadores de psicoterapeutas têm sido processados por responsabilidade solidária pela má conduta sexual de seus empregados e *profissionais autônomos*, como aconteceu por exemplo em *Marston versus Minneapolis Clinic of Psychiatry and Neurology* (1983), *Noto versus St. Vincent's Hospital* (1988), *Simmons versus United States* (1986) e *Trotter v. Okawa* (1994).

O contrato deve especificar que o empregado ou *profissional autônomo* deve fazer e manter um seguro, e entregar ao psicólogo um certificado do seguro; a quantia de seguro exigido tem de ser especificada. Também deve ser especificado se o psicólogo vai cobrir os internos ou assistentes psicológicos em sua apólice. Caso o psicólogo não vá cobrir esses indivíduos em sua apólice, isso deverá ser expresso no contrato.

O contrato deve afirmar que o empregado ou *profissional autônomo* está informando ter a educação e o treinamento necessários, bem como a licença ou certificado exigido para prestar os serviços especificados.

O contrato deve declarar que os internos e os assistentes psicológicos não têm permissão para receber dinheiro diretamente ou para prestar serviços fora do local de trabalho, o que dará margem ao rompimento do contrato.

O contrato deve ainda especificar que o interno, o assistente psicológico ou o terapeuta licenciado devem cumprir os padrões éticos de sua profissão específica, tais como os Princípios Éticos da Associação Psicológica Americana, ou quaisquer outros códigos que sejam aplicáveis.

Além disso, é importante que o empregado afirme no contrato que toda a informação prestada sobre suas qualificações é verdadeira e precisa; do contrário, o contrato pode ser rompido.

Os contratos também devem conter uma cláusula que ateste que as obrigações ali contidas não são transferíveis sem o consentimento por escrito do empregador.

Contratos com sócios

Outra forma importante de contrato é firmada entre os co-proprietários de um negócio. Este contrato pode assumir variadas formas, dependendo de o negócio ser uma sociedade ou uma *cooperativa*. Geralmente os serviços de saúde mental funcionam como profissionais individuais, *cooperativas* ou sociedades. As vantagens de cada forma de negócio precisam ser discutidas com um advogado ou consultor tributário competente. Ao longo da história existiram incentivos fiscais para uma *cooperativa* que foram limitados pelos regulamentos da Receita Federal. Em geral, os sócios são responsáveis conjuntos pelos atos um do outro, enquanto os co-proprietários de uma *corporation* não seriam responsabilizados solidária e separadamente. Muitos psicólogos não têm consciência de que as *cooperativas* não oferecem o mesmo nível de proteção diante de processos que as empresas gerais. De modo geral, as *cooperativas* podem oferecer aos psicólogos a oportunidade de limitar a responsabilidade por queixas referentes a atos ilícitos gerais, como um escorregão e uma queda nas instalações do consultório. Entretanto, uma *cooperativa* não limitará a exposição de um psicólogo a queixas referentes à imperícia profissional.

Contudo, tanto na hipótese de sociedade quanto de corporação, a proteção contra litígios dessa natureza é obtida mediante a adoção de cláusulas que contemplem a contratação de apólices de seguros referentes à responsabilidade geral. Cada forma de negócio tem suas próprias vantagens e desvantagens. Entretanto, em qualquer uma das formas precisa haver um contrato escrito entre os co-proprietários do empreendimento, especificando o modo como a participação nos negócios pode ser comprada e vendida, e restringindo a possibilidade individual para usar a participação no negócio como garantia para um empréstimo. Além disso, deve estar expresso no contrato inicial se existe alguma diferença na participação nos lucros baseada no fato de que uma pessoa pode trazer mais clientes e fontes para o negócio, enquanto outra pode trazer mais dinheiro. Os contratos entre os co-proprietários de também precisam indicar especificamente qual o alcance do negócio, de modo que eles só sejam responsabilizáveis dentro do alcance do negócio conjunto. Por exemplo, se dois psicólogos são sócios e um deles também opera um serviço de cópias, o contrato de sociedade deveria especificar claramente que o negócio de cópias de um dos sócios está fora do alcance do projeto em sociedade. Entretanto, os sócios podem desejar evitar negócios externos que criem problemas de imagem para o atendimento terapêutico, como a propriedade de um bar que apresente dançarinas nuas. Além disso, onde existirem interesses externos, o contrato de sociedade deve especificar que parcela do tempo de cada sócio deve ser dedicada ao negócio comum.

Os sócios são fiduciários entre si e têm todas as obrigações um para com o outro que os acionistas das empresas não têm.

Contratos de compra e venda também abordam o que acontece no caso de divórcio, morte, falência ou incapacidade mental. É particularmente irônico que os terapeutas que lidam em seu dia-a-dia com a instabilidade e a incapacidade mental raramente abordem os efeitos de tal condição em seus co-proprietários de negócios. Não é incomum que o seguro feito por co-proprietários seja usado para consolidar a aquisição de ações em caso de morte, dissolução ou transferência.

Uma providência prática é limitar a capacidade de qualquer sócio individual comprometer ou gastar mais que certa quantia sem o consentimento expresso dos outros proprietários.

Tanto nos contratos de locação quanto de *managed care* (e às vezes nos contratos de sociedade ou de compra e venda), surge a questão das cláusulas de indenização. A indenização é um conceito legal de mudança da responsabilidade. Essencialmente, uma cláusula de indenização permite que a pessoa que tem de pagar determinada soma, ou se tornou obrigada por lei a pagar certa quantia, passe essa obrigação para a pessoa que realmente é culpada.

Existem dois tipos principais de indenização: a contratualmente expressa e a implícita. A primeira ocorre em um relacionamento contratual que preveja a indenização. A vantagem dessa cláusula é que ela pode permitir que a pessoa beneficiada pela indenização recupere os honorários advocatícios que de outro modo não seria possível. Pode também ser um pouco mais fácil de ser cumprida porque os direitos das partes à indenização estão explícitos claramente e não dependem da decisão dos tribunais. A indenização implícita tem uma natureza eqüitativa e não surge de um relacionamento contratual, mas da culpa relativa das partes. Se um psicólogo, por exemplo, fosse processado por um paciente por um ferimento causado em decorrência de defeito das instalações que na verdade foi provocado pela negligência do proprietário do imóvel, ele poderia processar o proprietário pedindo uma indenização pela quantia que teve de pagar ou assumiu a obrigação de pagar. Em geral, uma pessoa não pode concordar em ser indenizada contra sua própria negligência porque isso é contra a política pública. Entretanto, os diversos estados têm limitações para a indenização, e as leis de cada estado com relação aos indivíduos precisam ser consultadas antes de se concordar com cláusulas *subscritas*.

Em vários casos, os contratos-padrão de aluguel contêm cláusulas que exigem que um psicólogo ou outro locatário indenizem o proprietário. Embora seu poder de negociação nessa circunstância não seja muito real, vale a pena tentar eliminar as cláusulas de indenização do contrato. Pelo mesmo motivo, muitos contratos de *managed care* contêm cláusulas de indenização, e seria sábio eliminá-las, se possível. Entretanto, se as cláusulas contratuais não forem passíveis de negociação e forem apresentadas ao psicólogo numa base de pegar ou largar, então pode-se argumentar contra o cumprimento da cláusula de indenização com base no fato de este ser um contrato de adesão. Sob o Código Civil da Califórnia, Seção 1670.5, um tribunal pode recusar-se a cumprir um contrato em sua totalidade, negar-se a cumprir parte dele, ou limitar a parte do contrato que seja injusta. A maioria dos estados tem estatutos semelhantes. Resumindo, a lei reconhece que em algumas circunstâncias o poder real de negociação de um psicólogo ou de outro empresário é bem pequeno. Na verdade, um exemplo bastante citado é a linguagem real das apólices de seguro, que é ditada pela companhia de seguros e não está sujeita à negociação pelo terapeuta individual que se inscreve para obter um seguro. Na prática, indenização é algo que os psicólogos sempre deveriam evitar pagar, mas sempre deveriam buscar receber. Não é de surpreender que os advogados das outras partes lhes dêem as mesmas instruções, de modo que não é incomum ter cláusulas de indenização conflitantes e aplicáveis. Entretanto, a realidade é que uma cláusula de indenização pode ser valiosa num litígio porque pode permitir que o custo da defesa seja repassado à outra parte; isso também pode acontecer com um julgamento definitivo.

Conclusão

Deveria estar claro que, ao abordar os negócios da mente, os psicoterapeutas precisam estar conscientes dos diversos modos como os contratos lhes são impostos, e pelos quais podem protegê-los ou colocá-los em desvantagem. Falando de modo mais simples, a ausência de um contrato adequadamente redigido, que aborde os diversos pontos indicados, pode colocar um psicoterapeuta numa posição em que seu meio de ganhar a vida seja ameaçado, quando tal ocorrência pode ser facilmente evitada.

Parte IV

Terapeutas em Risco

15

Acusações Falsas contra os Terapeutas: De Onde Elas Vêm, Por Que Estão Aumentando, Quando Irão Parar?*

Lawrence E. Hedges

Nos últimos cinco anos revisei mais de quarenta casos de psicoterapia nos quais os clientes fizeram acusações graves contra seus terapeutas. Como na maioria deles os terapeutas procuraram supervisão depois que o desastre tinha acontecido, eu só podia empatizar com eles, oferecer algumas explicações possíveis para o que tinha saído errado e desejar-lhes sorte em sua luta contínua para sobreviver à devastação danosa do processo acusatório.

A maioria desses terapeutas já tinha tido suas licenças revogadas ou suspensas quando os encontrei, e muitos haviam passado por um litígio longo e caro. Outros estavam lidando com a perda de emprego e posição profissional e também de suas casas e investimentos pessoais. Os seguros de erro médico, que os terapeutas contratam, não cobrem os enormes custos envolvidos em lutar contra uma acusação no nível de um conselho de exercício profissional, um tribunal administrativo estadual, um comitê de ética, ou um caso civil no qual haja uma acusação de má conduta sexual.

A maioria dos terapeutas que encontrei estava procurando obter algum esclarecimento quanto ao que tinha acontecido com eles.

---

* Este capítulo foi publicado pela primeira vez em *The California therapist*, 1995, e é reimpresso com permissão.

Muito tinham lido "Em louvor do relacionamento dual"[1] (Hedges, 1993), em que escrevi a respeito da emergência da psicose de transferência na qual o cliente perde a capacidade de diferenciar de modo confiável o perpetrador do passado infantil e a pessoa presente do terapeuta. Depois da publicação desse artigo, 22 terapeutas de cinco estados me contaram experiências desastrosas que tinham caído sobre eles e perguntaram se eu poderia esclarecer o que saíra errado. Muitos terapeutas acusados expressaram a esperança de que eu contaria suas histórias a outros analistas, aconselhando-os sobre os sérios perigos que enfrentamos hoje. Publiquei recentemente uma série dessas histórias assustadoras num livro dirigido a terapeutas, sobre a questão das memórias recuperadas em psicoterapia, *Remembering, repeating and working through childhood trauma* (Hedges, 1994b).

"Não pode acontecer comigo"

Por vários anos, minha principal ocupação tem sido trabalhar com terapeutas de muitas orientações diferentes. Grande parte de meu tempo é passada ouvindo casos difíceis nos quais ocorreram problemas de transferência e de contratransferência. Está claro para mim que a maioria dos terapeutas está vivendo na negação dos graves riscos que os rodeiam no mercado da psicoterapia atual. Muitas vezes, quando expresso uma palavra de cautela com relação aos perigos em potencial da emergência de uma reação psicótica oculta e de sua direção para o terapeuta, ouço: "Não estou nem um pouco preocupado com a possibilidade de ser processado por essa pessoa, estamos nisto há um bom tempo e temos realmente um bom relacionamento". Considero essa atitude totalmente ingênua e perigosa. Ninguém sabe como prever a natureza e o curso de uma reação psicótica emergente nem pode dizer com segurança que não será o alvo.

Todos os terapeutas que me contaram sobre um desastre em seu consultório fizeram um grande esforço para falar sobre o relacionamento essencialmente bom que conseguiram formar com o cliente.

---

1. O Capítulo 10 contém as idéias principais do artigo publicado em três partes.

Ouvi várias vezes como, em circunstâncias realmente difíceis, o terapeuta havia "feito um esforço a mais" com o cliente, tinha feito coisas incomuns para ser-lhe útil. Ouvi com freqüência como um terapeuta fizera concessões especiais porque o cliente tinha "precisado" de alguma variação ou adaptação "para permanecer em terapia". Em quase todos os casos que ouvi, essa tinha sido a primeira vez em que o cliente conseguira formar um relacionamento viável com outro ser humano, o terapeuta. Invariavelmente, os terapeutas me diziam como, bem no momento de ampliação do contato interpessoal ou quando o relacionamento estava realmente decolando, "algo aconteceu" e "sem explicação o cliente se voltou contra mim". Ou, "uma influência externa acidental interveio, e o relacionamento terapêutico foi destruído", resultando numa acusação séria dirigida ao terapeuta. Existe um padrão nessas acusações aparentemente falsas aos terapeutas? Se existe, qual é e como podemos aprender com ele?

O problema de considerar falsas as acusações

Falar de "acusações falsas" é assumir um ponto de vista aparentemente arbitrário com relação a algo que está ocorrendo entre duas pessoas. Uma pessoa aponta o dedo e diz: "Confiei em você, em seu papel profissional de terapeuta, e você abusou dessa confiança para me explorar e prejudicar". O acusado pode ser capaz de reconhecer que aconteceram tais e tais fatos, mas não concordar com os significados deles ou que haja exploração e prejuízo envolvidos. Se tivermos um modo neutro ou objetivo de observar os fatos em questão e os supostos resultados prejudiciais, poderemos ver sem dúvida uma pessoa prejudicada. Mas será que seríamos capazes de concordar, sem sombra de dúvida, que o prejuízo observável é um resultado direto da exploração do acusado?

No tipo de alegação que estou definindo como "acusação falsa", não é possível estabelecer um vínculo causal direto entre as ações do terapeuta e o prejuízo reclamado pelo cliente. Também não é possível estabelecer, sem sombra de dúvida, que as atividades do terapeuta em seu papel profissional foram de exploração. Estou consciente de que essa definição pode provocar a questão do que deve ser considerado "falso" quando estão sendo analisados pontos de vista diferentes. Mas também acredito que acusações tão sérias quanto a de má conduta profissional carregam um pesado ônus de prova, de modo que a questão de verdadeiro ou falso exige que seja estabelecido um padrão de evidência satisfatório — um padrão que freqüentemente parece faltar nas acusações contra os terapeutas. Minha posição, assumida a partir de uma experiência impressionante, é que hoje muitos terapeutas estão sendo acusados por danos pelos quais não são responsáveis. Assim, qual é a natureza do dano que está sendo apontado e de onde ele veio?

Concepção filosófica ou um ponto cego pessoal?

Muitos terapeutas, por diversas razões, desenvolveram uma concepção pessoal ou filosófica em seu trabalho contra considerar sistematicamente os conceitos de transferência, resistência e contra-transferência. Ao optar por desconsiderar essas preocupações complexas tradicionais, e vincular-se a noções terapêuticas populares mais facilmente apreendidas, um analista pode sem querer estar desencadeando sua própria desgraça. Todas as escolas de psicoterapia reconhecem, de um modo ou de outro, a transferência de questões de relacionamento das experiências passadas para os relacionamentos atuais. A resistência a formar um reconhecimento vivo da influência e do poder dos fenômenos da transferência é também amplamente compreendida. E as reações de contratransferência ao cliente e ao material da terapia são universalmente reconhecidas. A escolha pessoal envolvida em não observar e não estudar o que possa estar acontecendo nessas dimensões da conexão terapêutica não faz com que isso deixe de existir. Significa apenas que se está usando a negação pessoal ou a racionalização para manter a cabeça enterrada na areia e não enxergar os perigos que podem estar se aproximando conforme o relacionamento se aprofunda.

O contexto mais amplo: memórias de abuso e psicoterapia

O problema das acusações falsas contra os psicoterapeutas talvez seja mais bem compreendido quando considerado em um contexto mais amplo das acusações falsas que surgem das memórias "recuperadas" durante a psicoterapia. Em outro lugar escrevi sobre a importância de se levarem a sério as memórias recuperadas e revisei um século de pesquisa e estudo sobre o problema (Hedges, 1994b, d). Algumas idéias-chave serão incluídas na discussão a seguir.

As acusações contra os terapeutas em geral são feitas em ambientes confidenciais — audiências administrativas, comitês de ética e casos civis realizados em sigilo —, de modo que o processo e o resultado dessas acusações ainda são em grande parte uma questão de segredo, e como resultado disso os analistas ainda não percebem de onde vem o perigo e qual a sua natureza. Foi iniciado um movimento estadual e nacional, em larga escala, com o objetivo de trazer à luz muitos enganos da justiça para com os terapeutas.

Existem claramente muitas questões a serem abordadas na crise de acusações vindas de memórias recuperadas antes que possamos retomar nossa sanidade individual e coletiva com relação a esse assunto. Em *Remembering, repeating, and working through childhood trauma*, revi a pesquisa sobre o fenômeno das memórias recuperadas em terapia, concluindo que se essas memórias não forem levadas a sério no contexto em que emergem, certamente teremos um desastre em nossas mãos.

Ansiedades psicóticas e memórias recuperadas

Relaciono uma ampla categoria de memórias recuperadas às ansiedades primitivas ou "psicóticas" que suponho estar operando em maior ou menor grau em todas as pessoas. Minha tese básica é de que, embora estejamos conscientes de abusos muito mais reais do que jamais foi reconhecido antes, esta categoria amplamente relatada de memórias que vêm agora à tona na psicoterapia não é nova. A psicoterapia começou há mais de um século baseada no estudo das memórias recuperadas de incesto. Claramente o cliente tinha experimentado algumas invasões aterrorizadoras e traumáticas — muitas vezes nos primeiros meses de vida, talvez até sem que ninguém percebesse de fato que o bebê estava sofrendo sutilmente de formas distorcidas de uma cadeia de trauma acumulativo. As memórias dessa época não podem ser guardadas em imagens, palavras e histórias; em vez disso, o próprio tecido corporal ou o sistema de resposta emocional caracterológico retém um *imprint* do trauma. A psicoterapia proporciona um lugar onde palavras, imagens e experiências somáticas podem ser geradas criativamente e elaboradas com o objetivo de expressar, por meio de metáforas expressivas, os aspectos do trauma inicial que de outra forma não seria passível de lembrança.

A pesquisa psicanalítica desde 1914 (Freud) tem mostrado como as memórias "projetadas" ou "telescópicas" condensam diversas preocupações emocionais num modo semelhante ao do sonho. A "verdade narrativa" que permite que uma miríade de preocupações emocionais seja condensada criativamente em histórias, imagens, sensações somáticas e arquétipos culturais tem sido bem estudada (Schafer, 1976; Spence, 1982) e é entendida como o modo pelo qual as pessoas conseguem apresentar sob uma forma compreensível as memórias infantis que de outro modo não poderiam ser processadas na terapia. Os psicanalistas conhecem há muito tempo todos esses diversos tipos de memória construída. Elas funcionam com metáforas expressivas para profundas preocupações emocionais que de outro modo não seriam passíveis de expressão.

As memórias recuperadas durante a terapia precisam ser levadas a sério — os terapeutas precisam considerá-las e trabalhar com elas de modo responsável e cuidadoso, não apenas acreditando nelas e atuando sobre elas. Afirmo que um analista que assume uma atitude de recuperação simplista de "lembrar o abuso, ser validada ao ter alguém que acredite e depois confrontar o abusador" não está só envolvido num relacionamento dual destrutivo e distorcido, mas está ativamente cooperando com a resistência ante a emergência da transferência das experiências iniciais de desenvolvimento e de sua lembrança com o terapeuta.

Lembrança da transferência

A forma mais poderosa e útil de memória para trazer à luz essas experiências primordiais é reexperimentar os padrões traumáticos da experiência inicial, no contexto de um relacionamento íntimo e emocionalmente importante com o psicoterapeuta. Denomino o nível mais inicial de experiência da transferência com o analista de "transferência organizadora" (Hedges, 1983, 1992, 1994a, c, d) porque os traumas ocorreram no período da vida em que o bebê está ativamente engajado em organizar e estabelecer canais e conexões físicos e psicológicos com seu ambiente humano. Outros pesquisadores psicanalíticos falam de "transferência psicótica" ou de "psicose de transferência", que costuma aparecer na terapia de pessoas que são basicamente não-psicóticas.

Dada a intensidade da transferência organizadora primitiva ou psicótica que é trazida para a situação de psicoterapia para análise, e considerando os perigos que esse tipo de trabalho traz para o terapeuta, não é difícil entender (1) por que muitos conselheiros e terapeutas sem treinamento ou experiência na análise da transferência e da resistência procuram afastar de si mesmos a intensa sensação de culpa e dirigi-la para outras pessoas do passado do cliente; (2) por que tantos processos terapêuticos terminam precocemente quando a raiva e o desapontamento da transferência emergem e as ansiedades psicóticas são mobilizadas; e (3) como os terapeutas podem transformar-se tão facilmente em alvo para acusações de abuso baseadas na transferência. Se o cliente não puder assumir a responsabilidade pessoal pelos processos interiores contínuos, e por sua elaboração, então a culpa se externalizará para figuras do passado ou para o terapeuta do presente. A externalização contínua da responsabilidade por se sentir vítima e/ou não cuidado adequadamente é a marca do fracasso terapêutico.

Quatro tipos de lembrança e de "esquecimento"

Os psicanalistas e os psicólogos não têm teorias viáveis a respeito do esquecimento; eles têm apenas um conjunto de teorias sobre como as diversas categorias de fatos emocionais são lembradas ou barradas da memória ativa. *"Quase sempre, esquecer impressões, cenas, ou experiências se reduz a deixá-las de lado. Quando o paciente fala sobre essas coisas 'esquecidas', raramente deixa de acrescentar: 'Na verdade eu sempre soube disso; só não pensava nisso'"* (Freud, 1914, p. 148). É claro que existem muitas coisas a nossa volta que não notamos e, portanto, não lembramos. Além disso, grande parte de nossa experiência de vida é conhecida, mas nunca pensamos a esse respeito. Grande parte do que é "conhecido mas não pensado"

(Bollas, 1987) pode ser representado em histórias, imagens e arquétipos do diálogo terapêutico, e entendido pelo cliente e pelo terapeuta. Mesmo que às vezes "um charuto seja apenas um charuto", o estudo psicanalítico nunca retratou a psique humana como algo tão passivo que esteja sujeito a um simples esquecimento. Como então os analistas consideram o que parece ter sido "esquecido"? Com base na consideração do desenvolvimento do potencial de relacionamento humano, os psicanalistas desenvolveram quatro modos viáveis para analisar a estrutura de personalidade e para entender os diversos tipos de memória associados a cada estrutura.

Quatro perspectivas de escuta baseadas no desenvolvimento

Para discutir a natureza dos processos mentais primitivos em ação nas acusações falsas, preciso estabelecer um contexto, revendo brevemente as quatro perspectivas de escuta baseadas no desenvolvimento que evoluíram na psicanálise para entender os quatro tipos distintamente diferentes de transferências, resistências e contratransferências (Hedges, 1983). Essas perspectivas de escuta são mais freqüentemente chamadas de quatro níveis de desenvolvimento, quatro estágios ou estilos de organização da personalidade, embora compreendamos que todas as pessoas bem desenvolvidas podem ser ouvidas com todas as quatro perspectivas em momentos diferentes no processo terapêutico. Esses estágios são descritos no Capítulo 2. Quando consideramos as acusações falsas contra os terapeutas, nossa atenção será atraída para a quarta forma de desenvolvimento, a inicial, da lembrança de transferência.

No nível da organização neurótica da personalidade, a *repressão secundária* é desencadeada por uma auto-instrução contra pensamentos e atividade internos e impulsionados pelos instintos socialmente indesejáveis. Observe que a definição de repressão não inclui o trauma gerado externamente, mas só se aplica à estimulação excessiva que surge de *dentro* do corpo.

No nível narcisístico, a *dissociação* opera, e por meio dela setores inteiros da experiência psíquica interna são (defensivamente) murados da percepção consciente da personalidade principal porque não podem ser integrados na amplitude geral desta. Os aspectos dissociados das experiências do eu não são esquecidos nem considerados inconscientes. Em vez disso, sua presença na ação imediata e na consciência depende da situação interpessoal presente no momento. No nível simbiótico ou *borderline* funciona a *cisão ego-afeto*, na qual estados afetivos mutuamente contraditórios fazem surgir memórias de resistência e de transferência, eu e outros, que são contrastantes e muitas vezes contraditórias, estão presentes e não dependem do contexto interpessoal. O modelo de cisão afetiva da memória inicial usado para entender a organização da personalidade postula a presença na personalidade de estados afetivos do ego contraditórios e mutuamente negados, que representam paradigmas de transferência específicos baseados em relações de objetos internalizados (Kernberg, 1975). A presença ou não de um estado cindido de ego na consciência depende do modo como a pessoa vivencia a presente situação de relacionamento interpessoal. Isto significa que o que é lembrado e a forma como é lembrado dependem muito de aspectos facilitadores específicos do relacionamento no qual a memória está sendo lembrada, expressa ou representada. Como tal, as memórias de resistência e de transferência representadas nos estados cindidos ego-afetos são sempre completas e sujeitas a distorções em virtude da falta de integração na estrutura geral da personalidade.

No nível de desenvolvimento organizador, a repressão primária (*condicionada neurologicamente*) (Freud, 1895) age para fechar a possibilidade de novo envolvimento em atividades antes experimentadas como excessivamente estimuladoras, traumáticas ou fisicamente dolorosas. É o nível organizador de transferências, resistências e contratransferências que em geral faz surgir as falsas acusações.

A repressão primária, característica do período de organização do desenvolvimento humano, é um fato somático baseado no evitar experiências percebidas como potencialmente dolorosas (Freud, 1895). McDougall (1989) afirma: *"Como os bebês não podem usar palavras com as quais pensar, eles respondem à dor emocional apenas psicossomaticamente... As primeiras estruturas psíquicas do bebê são construídas sobre 'significantes' não-verbais nas funções corporais, e as zonas erógenas têm um papel muito importante nisso"* (pp. 9-10). Seu extenso estudo psicanalítico com condições psicossomáticas mostra como, por meio da análise cuidadosa das manifestações na transfe-

341

rência e na resistência, os primeiros significantes somáticos aprendidos podem ser trazidos do *soma* e representados na psique por meio de palavras, imagens e histórias. McDougall ilustra como as memórias corporais podem ser expressas nas linguagens interpessoais de transferência, resistência e contratransferência. A análise bioenergética (Lowen 1971, 1975, 1988) demonstra várias vezes o processo de trazer as memórias guardadas somaticamente para o aqui-e-agora da transferência e da resistência no relacionamento terapêutico. Ao trazê-las para fora do corpo e lhes dar expressão e/ou representação psíquica, por meio de uma técnica psicanalítica ou bioenergética, muita dor física é necessariamente experimentada. Em geral, pensa-se na dor física intensa que é sentida como resultado do "rompimento" terapêutico de barreiras aversivas estabelecidas há muito tempo para impedir diversos tipos de experiência física que anteriomente se mostraram assustadores e foram então deixados de lado. Isto é, o limiar para uma experiência somática mais flexível é guardado por sensações dolorosas construídas para impedir o futuro acesso a lugares que foram vivenciados como dolorosos pelo bebê ou pela criança em desenvolvimento. O terapeuta que me diz: "Essas memórias têm de ser verdadeiras por causa do contexto físico" (por exemplo, vômito, tremor, convulsão) parece não perceber que as próprias manifestações físicas é que *são* a memória da infância — não as imagens ou histórias que o cliente gera para expressar metaforicamente ou representar como foi o trauma para o seu eu infantil.

Quatro formas de memória determinadas pelo desenvolvimento

As memórias da infância recuperadas na situação psicanalítica caem em quatro categorias gerais que correspondem aos quatro tipos de organização da personalidade que acabamos de discutir (Hedges, 1994b, d):

1. *Lembranças* de desejos e medos do relacionamento edipiano (triangular, dos quatro aos sete anos), que assumem a forma de palavras, imagens e histórias;

2. *Percepções* de ressonâncias do eu-para-o-objeto (três anos), que assumem a forma de envolvimentos narcisísticos (espelhamento, formação de par e idealização) com o terapeuta;
3. *Representações* de cenários do eu e do outro (dos quatro aos 24 meses), com replicações tanto ativas quanto passivas, que assumem a forma de replicações reais de envolvimentos emocionais mútuos com o terapeuta;
4. *Expressões* da busca e da ruptura de canais ou vínculos potenciais com os outros (quatro meses antes e depois do nascimento), que assumem a forma de conexões ou desconexões emocionais. Esta é a classe de memórias que nos interessa ao considerarmos o problema das acusações falsas contra os terapeutas.

A ruptura das conexões com o outro

As primeiras memórias de transferência e resistência provêm do período "organizador" do desenvolvimento da capacidade de se relacionar (Hedges, 1983, 1992, 1994a, b, c, d). No útero e nos primeiros meses de vida, o feto e o recém-nascido têm a tarefa de organizar os canais para o corpo e a mente maternos para obter nutrição, evacuação, alívio, conforto e estimulação. A pesquisa com bebês (Tronick e Cohn, 1988) sugere que apenas 30% do tempo os esforços realizados pelo bebê e pela mãe são bem-sucedidos em estabelecer esse "ritmo de segurança" (Tustin, 1986) necessário para que os dois se sintam conectados de forma satisfatória. Os diversos modos como um bebê fracassa em garantir o contato necessário com sua mãe/outro tornam-se internalizados como transferência para a mãe que falhou. Esses modos de desconexão transferencial são atuados no relacionamento com o terapeuta.

Como o ser biológico do bebê sabe (assim como todos os mamíferos) que irá morrer se não puder encontrar o corpo materno, qualquer influência séria no senso de continuidade da vida do bebê, no senso de "vir a ser" (Winnicott, 1965) será vivenciada como traumática. Uma resposta internalizada de terror marca os canais de conexão que já falharam com um sinal que diz: "Nunca mais vá por este caminho". Essas memórias traumáticas de transferência do nível organizador não são apenas pré-simbólicas, mas pré-verbais e somáticas. A resistência a vir a experimentar um novo rompimento das possibilidades de vinculação, que ameaça a vida e é tão traumático, é *expressa* por terror e dor somáticos, que marcam "onde a mãe já esteve e onde nunca devo ir novamente".

Winnicott (1965) aponta que as influências iniciais sobre o senso de continuidade de vida do bebê o obrigam a reagir ao fracasso ambiental antes que esteja plenamente preparado para começar a reagir e a pensar. O resultado da influência prematura é a formação de um modo de pensamento persecutório primário que forma a base dos processos de pensamento subseqüentes. Isto é, a influência traumática sobre o senso infantil (onipotente) de "vir a ser" garante que a primeira memória que está destinada a colorir todas as memórias posteriores é "o mundo me persegue invadindo meu espaço mental e me estimulando demais (me traumatizando). Sempre estarei na defensiva contra as coisas que venham a mim e ameacem destruir meu senso de estar no controle do que acontece comigo". Como uma impressão duradoura, esta memória inicial é em sua essência psicótica ou irreal, pois o mundo oferece muitos tipos de influência. E a busca incansável no ambiente pelo tipo específico de intrusão emocional primária que outrora obrigou o bebê a responder de certo modo não só cria acasos paranóides perenes em que pode não existir nenhum, como faz com que a pessoa deixe de perceber outros perigos reais que não estão sendo examinados por causa dessa preocupação sensorial anterior. Uma pessoa que viva em estados organizadores o fará sem seu senso usual de julgamento, percepção ou habilidades de teste de realidade, de forma que os medos e as preocupações interiores não podem ser distinguidos de modo confiável das características ou forças exteriores. Portanto, a pessoa pode estar vivendo temporária ou perenemente num quadro mental que em sua essência tem uma natureza psicótica, embora isso possa não ser óbvio para os outros.

Medo do colapso

Winnicott (1974) mostrou que quando as pessoas, na análise, falam seriamente do medo de um colapso ou do medo da morte, estão projetando no futuro o que já foi vivenciado no passado infantil.

Só se pode verdadeiramente temer o que se conhece por experiência. Medos aterrorizantes e muitas vezes incapacitantes, de colapso e de morte, são modos claros de lembrar as experiências traumáticas que aconteceram na infância da pessoa. O que é temido como um acontecimento futuro potencialmente catastrófico é a necessidade de experimentar, por meio da memória da transferência psicanalítica em evolução, o colapso horrível, regressivo, que anteriormente ameaçou a vida e a pessoa vivenciou num estado dependente da infância.

O medo do colapso (do ponto de vista do bebê) se manifesta de variadas formas como resistência a reexperimentar na transferência o terror, a impotência, a fúria, a dependência e a perda de controle que já foram sentidas na infância. Os terapeutas e os clientes temem igualmente os colapsos desorganizadores durante o processo terapêutico, de forma que existem muitos modos na resistência e na contraresistência em que os dois podem colaborar para impedir a experiência curativa da lembrança ao reviver a experiência do colapso com o terapeuta. Uma forma de o analista poder colaborar com a resistência ao progresso terapêutico é focar-se nos perpetradores externos ou em traumas muito antigos para evitar ter de viver por meio das recriações perturbadoras e assustadoras do colapso, junto com o cliente, no relacionamento terapêutico do aqui-e-agora.

O medo do colapso que uma pessoa sentiu quando bebê vive como um base somática de todo o contato emocional subseqüente, mas não pode ser lembrado porque (a) não é recordada nenhuma memória da experiência *per se* — apenas um terror inominável de reexperimentar os perigos da dependência e do colapso infantis; (b) a memória da experiência do próprio colapso é guardada com dor intensa, terror somático e todos os tipos de sintoma físico; (c) o trauma aconteceu antes que fosse possível registrar imagens, palavras, histórias, e assim não pode ser relembrado de modos comuns, mas apenas em termos de terror corporal diante do colapso e da morte iminentes. Mas o colapso maciço do funcionamento não é o único tipo de trauma que sabemos ocorrer na infância. O conceito de *trauma acumulativo*, formulado por Masud Khan (1963) e discutido no Capítulo 2, acrescenta um novo conjunto de possibilidades às que já foram discutidas. A pessoa com vulnerabilidades que ficaram da cadeia de trauma acumulativo infantil *"pode, em outro momento da vida, ter um colapso em resultado de um estresse agudo ou de uma crise*" (p. 56). Muitos sintomas e/ou colapsos da vida posterior, causados por condições de estresse agudo, têm suas origens na primeira infância. A experiência adulta de acreditar que a pessoa sofreu de um trauma inicial vago, indefinível e/ou esquecido pode ser atribuída aos efeitos acumulativos da cadeia de trauma na primeira infância, provocados pelo fracasso ambiental em proporcionar uma barreira efetiva aos estímulos no período de dependência infantil. Naquele momento pode não ter sido possível saber que tipos de estímulo estavam causando uma pressão indevida sobre o bebê porque não eram maciços e estavam operando de um modo mais ou menos silencioso e invisível.

Os modos traumáticos iniciais em que o outro nutridor rompeu ou fracassou em manter o contato se expressam na busca e no rompimento (*repressão primária*) da possibilidade de contato com o outro e permanecem vivos como memórias de resistência e de transferência que interferem com as tentativas subseqüentes de realizar um contato humano que conduziria a um vínculo emocional pleno. A memória de transferência organizadora (ou psicótica) envolve a busca da conexão *versus* uma compulsão pela descontinuidade, separação e ruptura das conexões. A memória de resistência existe como relutância automática ou inadvertida da pessoa em estabelecer e/ou sustentar uma conexão consistente e confiável com o outro (que poderia servir para tornar possível um vínculo interpessoal que inclua essas experiências somáticas).

Exemplo de caso: alternância de personalidades

Eu e meus colegas clínicos temos pesquisado e escrito extensamente sobre essa experiência organizadora e sobre a relutância a permitir ou a manter a experiência da conexão no aqui-e-agora. Um exemplo breve de como se parece uma desconexão no nível organizador da transferência numa situação clínica sugere uma linha de pensamento.

Uma terapeuta que está trabalhando com uma personalidade múltipla apresenta seu trabalho a um consultor. Depois de uma visão geral do caso, ele pede à terapeuta que apresente suas "anotações do processo" (fato por fato) de uma sessão recente para que sejam revistas. A terapeuta começa a ler suas anotações, dizendo como seu cliente, Victor, começou a sessão e como ele gradualmente zerou uma questão emocional específica. Ela ouve as preocupações e com muito cuidado empatiza com os pensamentos e sentimentos do cliente. De repente, a "pequena Victoria de quatro anos" aparece na sala. A "alternância" é significativa, e a terapeuta agora ouve o que Victoria tem a dizer. O consultor pergunta como a terapeuta compreende o que acabou de acontecer. A resposta é que Victor se sentiu muito compreendido na conversa anterior, e assim foi possível o aparecimento de um eu mais regredido (Victoria) na segurança da presença da terapeuta compreensiva. Esse tipo de acontecimento é onipresente no tratamento das experiências organizadoras — uma conexão empática é alcançada pelo terapeuta e existe uma passagem aparentemente suave e confortável para outro assunto, para uma memória em *flashback*, ou para outra personalidade. O terapeuta teve de trabalhar duro para alcançar essa conexão e sente-se gratificado por seu trabalho interpretativo ter sido bem-sucedido. O terapeuta sente um brilho caloroso de prazer narcisístico que é imediatamente reforçado pelo fato de o cliente poder passar para a preocupação seguinte.

Errado! A conexão empática interpessoal é o que é mais temido em relação à transferência e à resistência, quando as questões organizadoras ou psicóticas são trazidas para a análise. Isto acontece porque na situação infantil o contato com a mãe/outro foi aterrorizante de algum modo. Uma forma mais viável de ver essa interação é perceber que *a conexão empática bem-sucedida foi imediata, suave e quase imperceptivelmente rompida com a alternância!* A terapeuta não conseguiu ver o que aconteceu por algumas razões possíveis: (a) a terapeuta é uma pessoa com vínculos fortes e supõe inconscientemente que a conexão empática é experimentada como boa por todas as pessoas; (b) a terapeuta não entende como a transferência e a resistência organizadoras operam e, assim, está narcisisticamente gratificada pela conexão aparente que alcançou; (c) o cliente é um mestre em escapar suave e eficientemente das conexões interpessoais — em qualquer momento, ou apenas quando as questões organizadoras estiverem sob foco; (d) uma sedução mútua sutil está operando em nome da "recuperação" e assim a resistência e a contra-resistência estão ganhando o jogo, e as duas partes estão com medo da conexão pessoal e íntima presumivelmente por causa das demandas emocionais intensas; (e) a alternância de personalidade, o *flashback* repentino, ou a mudança de assunto focam-se nas causas históricas da dissociação e/ou em algum outro sinal de alerta; ou (f) a busca de memórias e de validação fecha a possibilidade de experimentar na transferência do aqui-e-agora o horror emocional do trauma e do colapso infantis e impede o modo como a conexão com o terapeuta está estimulando seu aparecimento. Em todas essas possibilidades, o que é trágico é que a possibilidade muito real de trazer à vida e elaborar a memória traumática é perdida pela técnica terapêutica utilizada.

Espero ter conseguido chamar a atenção para como nossa situação atual é precária. Aprendemos a seguir as pessoas profundamente em suas ansiedades psicóticas infantis para proporcionar uma oportunidade de reviver e dominar terapeuticamente o problema do contato emocional no contexto de uma psicoterapia adulta de relacionamento. Mas a possibilidade de uma reação terapêutica negativa é bastante grande. Em *Working the organizing experience* (Hedges, 1994c), especifico uma série de aspectos que caracterizam o desenvolvimento da psicose de transferência, descrevo as preocupações subjetivas comuns da pessoa que vive uma experiência organizadora e levanto várias questões técnicas que devem ser consideradas pelos terapeutas que optam por realizar uma psicoterapia intensiva e de longo prazo. O livro de casos que o acompanha, *In search of the lost mother of infancy* (Hedges, 1994a), proporciona uma visão geral teórica e técnica para trabalhar com a experiência organizadora, além de relatos detalhados de estudos de casos extensos e difíceis, de um longo trabalho com transferências organizadoras, apresentados por oito psicoterapeutas. O trabalho de elaboração da transferência organizadora ou da psicose de transferência é demonstrado quando esta ocorre como um modo onipresente da personalidade e quando ela existe apenas em núcleos sutis de personalidade bem desenvolvidas em outros aspectos.

Os clientes que foram traumatizados muito cedo na vida correm o risco de desenvolver uma reação terapêutica negativa sob a forma de uma psicose de transferência que pode de repente, sem aviso, voltar-se destrutivamente contra o analista. As acusações falsas contra estes não irão parar até que os terapeutas aprendam a trabalhar com os processos primitivos da mente humana!

16

Terapeutas em Risco

Virgínia Wink Hilton
Robert Hilton
Lawrence E. Hedges

Os autores deste livro apresentaram uma série de questões psico-dinâmicas, pessoais, legais e éticas que os terapeutas estão enfrentando hoje. Somos atacados em várias frentes por perigos que ameaçam solapar de muitas maneiras a prática da psicoterapia. As conseqüências de não dar atenção a esses perigos são muito grandes. Freqüentemente ouvimos protestos e expressões de desânimo por parte de nossos colegas, pois a terapia que conhecemos antes não pode mais ser praticada. Os autores, entretanto, acreditam que esses perigos criam um desafio para a terapia e, em última instância, isso será benéfico para os terapeutas e para os clientes.

Os atuais clientes de psicoterapia têm uma probabilidade muito menor do que no passado de concordar com a frase "o médico é quem sabe". O tratamento antiético ou de baixa qualidade não é mais tolerado ou oculto no grau em que o foi no passado. A pressão por uma maior qualidade é uma boa notícia para a profissão. Mas outras forças que estão em ação na cultura nos indivíduos criam perigos para o clínico atuante. A predominância do que é conhecido como a mentalidade de vítima, a necessidade de encontrar respostas rápidas, o desejo de delegar a responsabilidade e de encontrar culpados, a rapidez com que se buscam litígios — esses e outros fatores têm um papel na criação de uma atmosfera em que as falsas memórias e as falsas acusações produzem medos, constrição e até paranóia entre os clínicos. Acreditamos que essas tendências e essa época nos obrigam a nos examinar bem de perto.

Conforme trabalhamos com quem busca nossa ajuda, torna-se mais importante do que nunca que antes encaremos nossas questões psíquicas mais profundas. O ditado "Médico, cura a ti mesmo" é mais relevante hoje do que antes. O clima atual exige que entendamos mais claramente como nos curamos, crescemos e expandimos por meio dos encontros com nossos clientes. Apenas quando entendermos a profundidade de nosso próprio envolvimento emocional no processo terapêutico poderemos ser clínicos plenamente responsáveis e atentos, abertos e capazes com uma clareza ilimitada para acompanhar nossos clientes em suas jornadas pessoais únicas.

Referências Bibliográficas

ABRAMOWITZ, S. I.; ABRAMOWITZ, C. V.; ROBACK, H. B. et al. (1976). Sex-role related countertransference in psychotherapy. *Archives of General Psychiatry* 33:71-3.

ALEXANDER, F. (1961). *The scope of psychoanalysis*. Nova York: Basic Books.

APPELBAUM, P.; e JORGENSON. L. (1991). Psychotherapist-patient sexual contact after termination of treatment: an analysis and a proposal. *American Journal of Psychotherapy* 148(11):1466.

AUDEN, W. H. (1948). Age of anxiety. Em *Collected works, poems*. Nova York: Random House, 1991.

AXELROD, S.; e BRODY, S. (1968). *Infant feeding at six weeks*. Filme disponível por meio de Southern California Bioenergetic Society Library Catalog, nº 1.

BACAL, H.; e THOMPSON, P. (1993). *The psychoanalyst's selfobject needs and the effect of their frustration on the treatment: a new view of countertransference*. Ensaio apresentado na 16ª Conferência Anual sobre Psicologia do *Self*, Toronto, outubro.

BALINT, M. (1949). Changing therapeutical aims and techniques in psychoanalysis. Em *Primary love and psycho-analytic technique*, ed. M. Balint. Nova York: Liverright, International Psycho-analytical Library, 1953, pp. 221-35.

BATES, C. M.; e BRODSKY, A. (1989). *Sex in the therapy hour: a case of professional incest*. Nova York: Guilford.

BELOTE, B. (1974). *Sexual intimacy between female clients and male therapists: masochistic sabotage.* Tese de doutoramento não publicada, California School of Professional Psychology, Berkeley.

BIBRING, G. (1936). A contribution to the subject of transference resistance. *International Journal of Psycho-analysis* 17:181-9.

BIRD, B. (1972). Notes on transference: universal phenomenon and the hardest part of analysis. *Journal of the American Psychoanalytic Association* 20:51-67.

_____ (1972). Notes on transference: universal phenomenon and hardest part of analysis. Em *Classics in psycho-analytic technique,* ed. R. Langs. Nova York: Jason Aronson, 1981.

BLUM, H. J. (1973). The concept of eroticized transference. *Journal of the American Psychoanalytic Association* 21:61-76.

BOLLAS, C. (1979). The transformational object. *International Journal of Psycho-Analysis* 59:97-107.

_____ (1983). Expressive uses of the countertransference. Em *Shadow of the object: psychoanalysis of the unthought known,* pp. 200-36. Londres: Free Association Press, 1987.

_____ (1987). *The shadow of the object: psychoanalysis of the unthought known.* Londres: Free Association Press.

BOUHOUTSOS, J. (1984). Sexual intimacy between psychotherapists and clients: Policy implications for the future. Em *Women and mental health policy,* ed. L. Walker, pp. 207-27. Beverly Hills, CA: Sage.

BOUHOUTSOS, J.; HOLROYD, J.; LERMAN, H. *et al.* (1983). Sexual intimacy between psychotherapists and patients. *Professional psychology: research and practice* 14(2):185-196.

BREUER, J.; e FREUD, S. (1893-95). Studies on Hysteria. *Standard Edition* 2.

BROWN, L. S. (1988). Harmful effects of post-termination sexual and romantic relationships with former clients. *Psychotherapy:* 25, 249-55.

BUCKLEY, P.; KARASU, T. B.; e CHARLES, E. (1981). Psychotherapists view their personal therapy. *Psychotherapy: theory, research, and practice* 18(2):99-305.

BUTLER, S. (1975). *Sexual contact between therapists and patients.* Tese de doutoramento não publicada, California School of Professional Psychology, Los Angeles, CA.

BUTLER, S.; e ZELEN, S. L. (1977). Sexual intimacies between therapists and patients. *Psychotherapy: theory, research, and practice* 139:143-4.

CARLSON, R. (1986). After analysis: a study of transference dreams following treatment. *Journal of Consulting and Clinical Psychology* 54:246-2.

CHEATHAM V. ROGERS 824 S. W. 2d 231 (1992).

CHESLER, P. (1972). *Women and madness.* Nova York: Avon.

CLAVREUL, J. (1967). The perverse couple. Em Schneiderman, *Returning to Freud: clinical psychoanalysis in the school of Lacan.* New Haven: Yale University Press, 1980.

D'ADDORIO, L. (1977). *Sexual relationships between female clients and male therapists.* Tese de doutoramento não publicada, California School of Professional Psychology, San Diego, CA.

DEUTSCH, H. (1926). Occult processes occurring during psychoanalysis. Em *Psychoanalysis and the occult,* ec. G. Devereaux. Nova York: International Universities Press, 1953.

DILEO V. NUGENT 592 A.2d 1126 (1990).

DURRE, L. (1980). Comparing romantic and therapeutic relationships. Em *On love and loving: psychological perspectives on the nature and experience of romantic love,* ed. K. S. Pope, pp. 228-43. San Francisco: Jossey-Bass.

EISSLER, K. R. (1953). The effect of the structure of the ego on psychoanalytic technique. *Journal of the American Psychoanalytic Association* 1:104-43.

ELIOT, T. S. (1950). The waste land. Em *The complete poems and plays.* Nova York: Harcourt, Brace.

ERNSBERGER, C. (1979). The concept of countertransference as a therapeutic instrument: its early history. *Modern psychoanalysis* 4:141-64.

EVAN F. V. HOUGHSON UNITED METHODIST CHURCH 8 Cal. App.4th 828 (1992).

FELDMAN-SUMMERS, S.; e JONES, G. (1984). Psychological impacts of sexual contact between therapists or other health care practitioners and their clients. *Journal of Consulting and Clinical Psychology* 52 (6):1054-61.

FENICHEL, O. (1945). *The psychoanalytic theory of neurosis.* Nova York: W. W. Norton.

FERENCZI, S. (1926a). The further development of anactive therapy in psychoanalysis. Em *Further contributions to the theory and technique of psychoanalysis,* pp. 198-217. Londres: Hogarth.

_____ (1926b). Contra-indications to the active psycho-analytical technique. Em *Further contributions to the problems and methods of psycho-analysis,* pp. 156-67. Londres: Hogarth.

_____ (1933). Confusion of tongues between adults and the child. Em *Final contributions to the problems and methods of psycho-analysis,* pp. 126-42. Londres: Hogarth Press, 1955.

_____ (1952). *First contributions to psycho-analysis*, compilado por John Rickman. Nova York: Brunnet/Mazel.

_____ (1955). *Final contributions to the problems and methods of psycho-analysis*. Nova York: Brunner/Mazel.

_____ (1962). *Further contributions to the theory and technique of psycho-analysis*. Nova York: Brunner/Mazel.

FERENCZI, S.; e RANK, O. (1923). *The development of psychoanalysis*. Nova York e Washington: Nervous and Mental Disease Publishing Co.; 1925.

FREDRICKSON, R. (1992). *Repressed memories*. Nova York: Simon e Schuster.

FREEDMAN, L.; e ROY, J. (1976). *Betrayal*. Nova York: Stein and Day.

FREUD, A. (1951). Observations on child development. Em *Indications for child analysis and other papers*, pp. 143-62. Nova York: International Universities Press, 1968.

_____ (1952). The role of bodily illness in the mental life of children. Em *Indications for child analysis and other papers*, pp. 260-79. Nova York: International Universities Press, 1968.

_____ (1958). Child observation and prediction of development. Em *Research at the hampstead child-therapy clinic and other papers* (1970), pp. 102-35. Extraído de Khan, M. M. R. (1974). *The privacy of the self*. Nova York: International Universities Press.

FREUD, S. (1895a). Project for a scientific psychology. *The complete psychological works of Sigmund Freud. Standard Edition* 1:283-397.

_____ (1905). Fragments of an analysis of a case of hysteria. *Standard Edition* 7:3-124.

_____ (1905). Three essays on the theory of sexuality. *Standard Edition* 7:125-244.

_____ (1910). The future prospects of psychoanalytic therapy. *Standard Edition* 1:141-51.

_____ (1912a). Papers on technique: the dynamics of transference. *Standard Edition* 12:92-108.

_____ (1912b). The dynamics of transference. Em *Classics in psychoanalytic technique*, ed. R. Langs. Nova York: Jason Aronson, 1981.

_____ (1914). Recollecting, repeating and working through (further recommendations on the techniques of psycho-analysis II). *Standard Edition* 12:145-56.

_____ (1915). Observations on transference love (further recommendations on the technique of psycho-analysis III). *Standard Edition* 12:159-71.

_____ (1915). Observations on transference love. Em *Collected papers*, vol. 2. ed. E. Jones, pp. 377-91. Nova York: Basic Books.

_____ (1918). An infantile neurosis. *Standard Edition* 17:1-124.

_____ (1920). Beyond the pleasure principle. *Standard Edition* 18:3-64.

_____ (1923). The ego and the id. *Standard Edition* 19:3-68.

_____ (1925). An autobiographical study. *Standard Edition* 20:75-77.

_____ (1933). New introductory lectures on psycho-analysis. *Standard Edition* 22:1-184.

_____ (1937). *The ego and the mechanics of defense.* Nova York: International Universities Press.

GABBARD, G; ed. (1989). *Sexual exploitation within professional relationships.* Washington, D.C.: American Psychiatric Association.

GABBARD, G; e POPE, K. (1988). Sexual intimacies after termination: clinical, ethical, and legal aspects. *Independent practitioner* 8(2):21-6.

GARTRELL, N.; HERMAN, J.; OLARTE, S.; *et al.* (1986). Psychiatrist-patient sexual contacts: results of a national survey. I: prevalence. *American Journal of Psychiatry* 143:1126-31.

_____ (1987). Reporting practices of psychiatrists who knew of sexual misconduct by colleagues. *American Journal of Orthopsychiatry* 57 (2): 287-95.

GORKIN, M. (1987). *The uses of countertransference.* Nova York: Jason Aronson.

GREEN, A. (1986). The dead mother. Em *On private madness.* Londres: Hogarth.

GREEN, T. A. (1992). *Satan and psyche: the ego's encounter with evil.* Manuscrito não publicado.

GREENACRE, P. (1954). The childhood of the artist: libidinal phase development and giftedness. *Psychoanalytic study of the child* 47-72. Nova York: International Universities Press.

_____ (1958). Towards the understanding of the physical nucleus of some defense reactions. *International Journal of Psycho-analysis* 39:69-76.

_____ (1960). Further notes on fetichism. *Psychoanalytic study of the child* 15: 191-207. Nova York: International Universities Press.

GREENSON, R. (1965). The working alliance and the transference neurosis. Em *Explorations in psychoanalysis,* pp. 199-225. Nova York: International Universities Press.

_____ (1978). *Explorations in psychoanalysis.* Nova York: International Universities Press.

GROSS, J. (1994). Suit asks, does "memory therapy" Heal or Harm? *The New York Times*, 8 de abril.

GUNTRIP, H. (1964). *Healing and the sick mind*. Nova York: Appleton-Century.

HEDGES, L. E. (1983). *Listening perspectives in psychotherapy*. Nova York: Jason Aronson.

_____ (1989). Working the countertransference. Palestra gravada em vídeo, 5 de maio de 1989. Orange, CA: Listening Perspectives Study Center.

_____ (1992). *Interpreting the countertransference*. Northvale, NJ: Jason Aronson.

_____ (1994a). *In search of the lost mother of infancy*. Northvale, NJ: Jason Aronson.

_____ (1994b). *Remembering, repeating, and working through childhood trauma*. Northvale, NJ: Jason Aronson.

_____ (1994c). *Working the organizing experience*. Northvale, NJ: Jason Aronson.

_____ (1994d). Taking recovered memories seriously. *Issues in child abuse accusation* 6(1):1-30. Northfield, MN: Institute for Psychological Therapies.

HEDGES, L. E.; e COVERDALE, C. (1985). Countertransference and its relation to developmental concepts of empathy and interpretation. Manuscrito não publicado. Orange, CA: Listening Perspectives Study Center.

HEIMANN, P. (1950). On countertransference. Em *Classics in psychoanalytic technique*, ed. R. Langes. Nova York: Jason Aronson.

HERMAN, J. (1981). *Father-daughter incest*. Cambridge, MA: Harvard University Press.

HERMAN, J.; GARTRELL N.; OLARTE, S. *et al.* (1987). Psychiatrist-patient sexual contact: results of a national survey, II: psychiatrists'attitudes. *American Journal of Psychiatry* 144(2):164-9.

HILTON, R. (1990). Physical contact in psychotherapy: the transference and countertransference implications. Ensaio apresentado na California Association of Marriage and Family Therapista Conference, maio.

_____ (1993). Ending with and open heart. Ensaio apresentado na Pacific Northwest Bioenergetic Conference, Whistler, Colúmbia Britânica, agosto.

HILTON, V. W. (1987). Working with sexual transference. *Journal of Bioenergetic Analysis* 3(1): 77-88.

_____ (1989). Sexual countertransference. Em *Training manual*. Pacific Northwest Bioenergetic Conference.

_____ (1993). When we are accused. *Journal of Bioenergetic Analysis* 5/2: 45-51.

_____ (1994). The devil in America. *The California therapist*, vol. 6 exemplar 1, jan./fev. 37-41.

HOLMER, N. M.; e WASSEN, H. (1947). *Mu-Ingala or the way of muu, a medicine song from the Cunas of Panama.* Goteborg. (Citado em Levi-Strauss, 1949.)

HOLROYD, J. C. (1983). Erotic contact as an instance of sex-based therapy. Em *The handbook of bias in psychotherapy*, ed. J. Murry e P. R. Abramson, pp. 285-308. Nova York: Praeger.

HOLROYD, J. C.; e BOUHOUTSOS, J. (1985). Sources of bias in reporting effects of sexual contact with patients. *Psychotherapy: research and practice* 16:701-9.

HOLROYD, J. C.; e BRODSKY, A. M. (1977). Psychologists' attitudes and practices regarding erotic and nonerotic psychical contact with patients. Em *American psychologist* 32: 843-49.

HORNEY, K. (1950). Neurosis and human growth. Em *Collectec works of Karen Horney,* vol 2. Nova York: W. W. Norton.

HORAK v. BIRIS 130 Ill. App. 3d 140, 474 N.E. 2d 13 (1985).

JABLONSKI by PAHLS v. UNITED STATES 712 F.2D 39 (9º Cir. 1983).

JACOBSON, E. (1964). *The self and the object world.* Nova York: International Universities Press.

JAMES W. v. SUPERIOR COURT 17 Cal. App 4º 246 (1993).

JOURNAL OF PSYCHOHISTORY (primavera de 1994). 21(4).

KARDENER, S.; FULLER, M.; e MENSH, I. N. (1973). A survey of physicians' attitudes and practices regarding erotic and nonerotic contact with patients. *American Journal of Psychiatry* 130 (10): 1077-181.

KENWORTHY, T. A.; KOUFACOS, C.; e SHERMAN, J. (1976). Women and therapy: a survey on internship programs. *Psychology of Women Quarterly* 1:125-37.

KERNBERG, O. F. (1965). Notes on countertransference. *Journal of American Psychoanalytic Association* 13:38-56.

_____ (1975). *Borderline conditions and pathological narcissism.* Nova York: Jason Aronson.

_____ (1980). *Internal world and external reality.* Nova York: Jason Aronson.

KHAN, M. M. R. (1963). The concept of cumulative trauma. *Psychoanalytic study of the child* 18:286-306. Nova York: International Universities Press.

KITCHENER, K. (1988). Dual relationships: What makes them so problematic? *Journal of Counseling and Development* 67:217-21.

KLEIN, M. (1946). Notes on some schizoid mechanisms. *International Journal of Psycho-analysis* 27:99-110.

KLUFT, R. (1992). Palestra realizada na "Advanced Treatment of Personality Disorders Conference", Westword Institute, El Cerrito, CA.

KOHUT, H. (1971). *The analysis of the self.* Nova York: International Universities Press.

_____ (1977). *The restoration of the self.* Nova York: International Universities Press.

_____ (1984). *How does analysis cure?* Chicago: University of Chicago Press.

KRIS, E. (1951). Some comments and observations on early autoerotic activities. *Psychoanalytic study of the child* 6:95-116. Nova York: International Universities Press.

_____ (1956a). The personal myth. *Journal of the American Psychoanalytic Association* 4:653-81.

_____ (1956b). The recovery of childhood memories in psychoanalysis. *Psychoanalytic study of child* 11:54-88. Nova York: International Universities Press.

LANDIS, C. E.; MILLER, H. H.; e WETTSTONE, R. P. (1975). Sexual awareness training for counselors. *Teaching psychology* 2:33-6.

LANGS, R. (1975). Therapeutic misalliances. *International Journal of Psychoanalytic Psychotherapy* 4:77-105.

_____ (1976a). *The therapeutic interaction,* vol. 2. Nova York: Jason Aronson.

_____ (1976b). *The bi-personal field.* Nova York: Jason Aronson.

_____ (1979). *The supervisory experience.* Nova York: Jason Aronson.

_____ (1980). *The therapeutic environment.* Nova York: Jason Aronson.

_____ ed. (1981). *Classics in psychoanalytic technique.* Nova York: Jason Aronson.

_____ (1983). Countertransference and the process of cure. Em *Curative factors in dynamic psychotherapy,* ed. S. Slipp. Nova York: McGraw-Hill.

LANNING, K. (1992). *Investigator's guide to allegations of "ritual" child abuse.* Quantico, VA: Science Unit, National Center for the Analysis of Violent Crime, Federal Bureau of Investigation, FBI Academy.

LESTER, E. (1982). *The female analyst and the eroticized transference.* Ensaio apresentado na American Psychological Association.

LE VEY, A. (1969). *The satanic bible*. Nova York: Avon.

LEVI-STRAUSS, C. (1949). The effectiveness of symbols. Em *Structural anthropology*, vol. 1, pp. 186-205. Nova York: Basic Books, 1963.

LEWIS, R. (1988). Exhibitionism. *Journal of Bioenergetic Analysis* 3(2).

LITTLE, M. (1981). Counter-transference and the patient's response to it. Em *Transference neurosis and transference psychosis*. Nova York: Jason Aronson.

——————— (1990). *Psychotic anxieties and containment: a personal record of an analysis with Winnicott*. Northvale, NJ: Jason Aronson.

LOEWALD, H. W. (1960). On the therapeutic action of psycho-analysis. *International Journal of Psycho-analysis* 41:16-33.

LOFTUS, E. (1993). The reality of repressed memories. *American psychologist* 48:518-37.

LOFTUS, E.; e WATERS, E. (1994). *Making memories*.

LOWEN, A. (1971). *The language of the body*. Nova York: Collier.

——————— (1975). *Bioenergetics*. Londres: Penguim.

——————— (1988). *Love, sex and your heart*. Nova York: Macmillan.

MARKBOUROUGHT CALIFORNIA INC. v. SUPERIOR COURT 227 Cal. App. 3d 705 (1991).

MARLENE F. v. AFFILIATED PSYCHIATRIC MEDICAL CLINIC, INC. 48 Cal. 3d 583, 257 Cal. Rptr. 298, 770 P. 2d 278 (1989).

MARMOR, J. (1972) Sexual acting-out in psychotherapy. *American Journal of Psychoanalysis* 22:3-18.

MARSTON v. MINNEAPOLIS CLINIC OF PSYCHIATRY AND NEUROLOGY 329 N. W. 2d 306 (Minn. 1983).

MASTERS e JOHNSON Report 2(1): verão, 1993.

MATHIS v. MORRISSEY 11 Cal. App. 4º 332 (1992).

MAZZA v. HUFFAKER 61 N. C. App. 170, 300 S.E.2d 833 (1983).

MCDOUGALL, J. (1989). *Theaters of the body*. Londres: Free Association Press.

MILLER, A. (1981). *Prisioners of childhood*, trad. R. Ward. Nova York: Basic Books.

MILLER, W. A. (1981). *Make friends with your shadow*. Minneapolis: Augsberg.

MILNER, M. (1952). Aspects of symbolism in comprehension of the not-self. *International Journal of Psycho-analysis*. 33:181-95.

MODELL, A. H. (1976) "The holding environment" and the therapeutic action of psychoanalysis. *Journal of the American Psychoanalytic Association* 24:285-308.

MONEY-KYRLE, R. E. (1956). Normal counter-transference and some of its deviations. *International Journal of Psycho-analysis.* 37:360-6.

MONTOYA v. BEBENSEE 761 P.2d 285 (Cal. App. 1988).

NATTERSON, J. (1991). *Beyond countertransference. the therapist's subjectivity in the therapeutic process.* Northvale, NJ: Jason Aronson.

NEWMAN, W. A. (1974). *Dorland's medical dictionary,* 25ª ed. Filadélfia: W. B. Saunders.

NORMAN, H.; BLACKER, D.; OREMLAND, J.; e BARRET, W. (1976). The fate of the transference neurosis after termination of a satisfactory analysis. *Journal of American Psychoanalytic Association* 24:471-98.

NOTO v. ST. VINCENT'S HOSPITAL 142 Misc. 2d 292 (1988).

OFSHE, R. (1992). Inadvertent hypnosis during interrogation: false confession due to dissociative state, misidentified multiple personality, and the satanic cult hypothesis. *International Journal of Experimental Hypnosis* 40:125-56.

OFSHE, R.; e WATTERS, E. (1994). *Making monsters: repressed memories, satanic cult abuse and sexual hysteria.* Nova York: Simons and Schuster.

OREMLAND, J.; BLACKER, K.; e NORMAN, H. (1975). Incompleteness in successful psychoanalysis: a follow-up cast study. *Journal of American Psychoanalytic Association* 23:819-44.

ORR, D. W. (1954). Transference and countertransference: a historical survey. *Journal of American Psychoanalytic Association* 2:621-71.

PERSON, E. S. (1985). The erotic transference in women and in men: differences and consequences. *Journal of American Academy of Psychoanalysis* 13(2):159-80.

PFEFFER, A. (1963). The meaning of analysis after analysis. *Journal of American Psychoanalytic Association* 11 229-44.

PLASIL, E. (1975). *Therapist.* Nova York: St. Martin's/Masek.

POPE, K. S. (1987). Preventing therapist-patient sexual intimacy: therapy for a therapist at risk. *Professional psychology: research and practice* 18(6):624-8.

_____ (1988). How clients are harmed by sexual contact with mental health professionals: the syndrome and its prevalence. *Journal of Counseling and Development* 67:222-6.

_____ (1990). Therapist-patient sexual involvement: a review of the research. *Clinical psychology review* 10:477-90.

POPE, K. S.; e BOUHOUTSOS, J. C. (1986). *Sexual intimacy between therapists and patients.* Nova York: Praeger.

POPE, K. S.; KEITH-SPIEGEL, P.; e TABACHNICK, B. G. (1986). Sexual attraction to clients: the human therapist and the (sometimes) inhuman training system. *American psychologist* 147-57.

_____ (1987). Ethics of practice. *American psychologist* 42:993-1006.

POPE, K. S.; LEVENSON, H.; e SCHOVER, L. (1979). Sexual intimacy in psychology training: results and implications of a national survey. *American psychologist* 34:682-9.

POPE, K. S.; SONNE, J. L.; e HOLROYD, J. (1993). *Sexual feelings in psychotherapy*. Washington, D. C. American Psychological Press.

RACKER, H. (1957). The meaning and uses of countertransference. Em *Transference and countertransference*. Nova York: International Universities Press, 1968.

_____ (1953). Countertransference neurosis. Em *Transference and countertransference*. Nova York: International Universities Press, 1968.

REICH, A. (1951). On countertransference. *International Journal of Psychoanalysis* 32:25-31.

RICHARD H. v. LARRY D. 198 Cal. App.3d 591 (1988).

ROBERTIELLO, R.; e SCHOENEWOLF, A. (1987). *101 common therapeutic blunders*. Norhtvale, NJ: Jason Aronson.

ROGERS, M. L. (1992). Evaluating adult litigants who allege injuries from sexual abuse. *Journal of Psychology and Theology* 20:3.

ROY v. HARTOP 81 Misc. 2d, 366 N.Y.S.2d 297 (NY 1985).

RUTTER, P. (1989). *Sex in the forbidden zone*. Los Angeles: Jeremy P. Tarcher.

SANFORD, John A. (1981). *Evil, the shadow side of reality*. Nova York: Crossroads.

SCHAFER, R. (1976). *A new language for psychoanalysis*. New Haven, CT: Yale University Press.

SCHOVER, L. R. (1981). Male and female therapists' responses to male and female client sexual material: an analogue study. *Archives of sexual behavior* 10:477-92.

SCHWABER, E. (1979). Narcissism, self psychology and the listening perspective. Leitura prévia à palestra dada na University of California, Los Angeles Conference on the Psychology of the Self-Narcissism, outubro.

_____ (1983). Psychoanalytic listening and psychic reality. *International Journal of Psycho-analysis* 10:379-91.

SEATLES, H. (1959/1965). Oedipal love in the countertransference. Em *Collected papers on schzophrenia and related subjects*, pp. 284-303. Nova York: International Universities Press.

_____ (1979a). Countertransference and theoretical model. Em *Countertransference and related subjects*. Nova York: International Universities Press.

_____ (1979b). The countertransference with the borderline patient. Em *Advances in psychotherapy of the borderline*, ed. J. Leboit e A. Capponi. Nova York: Jason Aronson.

SILVERBURG, W. V. (1918). The concept of transference. *Psychoanalytic Quarterly* 17:309-10.

SIMMONS v. UNITED STATES 805 F.2d 1363 (9º Cir. 1986).

SMITH, M. (1993). *Ritual abuse.* Nova York: HarperCollins.

SONNE, J.; MEYER, C. B.; BORYS, D.; e MARSHALL, V. (1985). Clients' reaction to sexual intimacy in therapy. *American Journal of Orthopsychiatry* 55:183-89.

SPEIGS v. JOHNSON 748 P.2d 1020 (Ore. App. 1988).

SPENCE, D. (1982). *Narrative truth and historical truth.* Nova York: W. W. Norton.

STERN, D. N. (1985). *The interpersonal world of the infant.* Nova York: Basic Books.

STONE, L. G. (1980). *A study of the relationships among anxious attachment, ego functioning, and female patients' vulnerability to sexual involvement with their male psychotherapists.* Tese de doutoramento não publicada, California School of Professional Psychology, Los Angeles.

STRACHEY, J. (1934). The nature of the therapeutic action of psychoanalysis. *International Journal of Psycho-analysis* 15:117-26.

STRAUSBURGER, L. H.; JORGENSON, L. e SUTHERLAND, P. (1992). The prevention of psychotherapist sexual misconduct: avoiding the slippery slope. *American Journal of Psychotherapy* 46(4):544-54.

SULLIVAN, H. S. (1953). *The interpersonal theory of psychiatry.* Nova York: W. W. Norton.

SULLIVAN v. CHESHIER (N.D.Ill 1994) 846 F. Supp. 654.

SWARTZ v. THE REGENTS OF THE UNIVERSITY OF CALIFORNIA 226 Cal. App. 3d. 149.

TERR, L. (1994). *Unchained memories: true stories of traumatic memory loss.* Nova York: Basic Books.

THOMPSON, C. (1946). Transference as a therapeutic instrument. Em *Current therapies of personality disorders*, ed. B. Gluck, pp. 194-205. Nova York: Grune & Stratton.

_____ (1950). *Psychoanalysis: evolution and development.* Nova York: Hermitage House.

TOMM, K. (1991). The ethics of dual relationships. *The calgary participator: a family therapy newsletter* 1:3. (Reimpresso em *The California therapist* jan./fev. de 1993.)

TOWER, L. E. (1956). Countertransference. *Journal of the American Psychoanalytic Association* 4(2):224-55.

TRONICK, E.; e COHN, J. (1988). Infant-mother face-to-face communicative interaction: age and gender differences in coordination and the occurence of miscoordination. *Child development* 60:85-92.

TROTTER v. OKAWA 145 S.E.2d. 121 (Va. 1994).

TUSTIN, F. (1981). *Autistic states in children.* Londres: Routledge e Kegan Paul.

_____ (1986). *Autistic barriers in neurotic patients.* New Haven, CT: Yale University Press.

VINSON, J. S. (1987). Use of complaint procedures in cases of therapist-patient sexual contact. *Professional psychology: research and practice:* 18, 159-64.

WALKER, E.; e YOUNG, T. D. (1986). *A killing cure.* Nova York: Henry Holt.

WARREN, J. (1994). Trial focuses on validity of recovered memories. *Los Angeles Times*, 6 de abril.

WINK, W. (1986). *Unmasking the powers.* Filadélfia: Fortress Press.

WINNICOTT, D. W. (1947). Hate in the countertransference. Em *Through paediatrics to psycho-analysis.* Nova York: Basic Books.

_____ (1949). Birth memories, birth trauma, and anxiety. Em *Through paediatrics to psycho-analysis*, pp. 174-94. Nova York: Basic Books.

_____ (1954). Metapsychology and classical aspects of regression. Em *Through paediatrics to psycho-analysis*, 278-94. Nova York: Basic Books.

_____ (1958). *Through paediatrics to psycho-analysis.* Nova York: Basic Books, 1975.

_____ (1971). *Playing and reality.* Londres: Tavistock.

_____ (1974). Fear of breakdown. *International review of psycho-analysis* 1:103.

WOLOWITZ, H. (1972). Hysterical character and feminine identity. Em *Readings on the psychology of women,* ed. R. Bardwick, pp. 307-14. Nova York: Harper and Row.

WRIGHT, L. (1993). Remembering Satan. *The New Yorker,* 17 de maio (Parte I) pp. 60-81, 24 de maio (Parte II) pp. 54-76.

_____ (1994) *Remembering Satan.* Nova York: Knopf.

YAPKO, M. (1994). *Suggestions of abuse.* Nova York: Simon and Schuster.

Sobre os Autores

ROBERT HILTON é bastante conhecido como um "terapeuta dos terapeutas". Tem um consultório particular em Orange County há 28 anos e ensina nas Universidades da Califórnia — Irvine e San Diego, e na Universidade Internacional dos Estados Unidos em La Jolla. É um dos co-fundadores do Instituto da Califórnia do Sul para Análise Bioenergética, em 1972, onde continua a ser um dos professores seniores. É ainda membro da faculdade do Instituto Internacional para Análise Bioenergética e dá palestras em nome dessa instituição nos Estados Unidos e na Europa. Suas publicações relevantes incluem "Touching in psychotherapy" e "Countertransference: an energetic perspective".

VIRGINIA WINK HILTON exerce a psicoterapia há 20 anos. Além disso, tem ensinado e treinado psicoterapeutas nos Estados Unidos e em diversos países europeus. Interessa-se particularmente pelas questões sexuais no processo terapêutico, pela ética profissional e pelo relacionamento entre questões socioculturais e processo pessoal. A dra. Hilton é a diretora de ensino no Instituto da Califórnia do Sul para Análise Bioenergética. É também diretora executiva eleita pelo Instituto Internacional de Análise Bioenergética. Suas publicações incluem "Working with sexual transference", "Sexual countertransference", "On being fully alive: the masculine and feminine principle", "When we are accused" e "The devil in America".

LAWRENCE E. HEDGES é diretor fundador do Instituto Psicanalítico de Newport, onde atualmente trabalha como psicanalista supervisor e didata. É diretor do Centro de Estudos de Perspectivas de Escuta e trabalha em consultório particular, especializado na formação de psicoterapeutas em Orange, Califórnia. O dr. Hedges é professor de psicologia e de psicanálise no Instituto de Graduação da Califórnia e exerce um cargo na Universidade da Califórnia na Escola de Medicina de Irvine, no Departamento de Psiquiatria. É autor de diversos ensaios e dos seguintes textos psicoterápicos: *Listening perspectives in psychotherapy*; *Interpreting the countertransference*; *Remembering, repeating and working through childhood trauma*; *In search of the lost mother of infancy*; *Strategic emotional involvement* e *Working the organizing experience*.

O. BRANDT CAUDILL JR. é advogado desde 1976, tendo se graduado no Centro de Leis da Universidade de Georgetown. Especializado na defesa de psicoterapeutas em processos civis, em comitês de ética e em conselhos de exercício profissional, o dr. Caudill tem feito inúmeras apresentações para os departamentos da Associação Americana de Psicologia, Associação de Psicologia da Califórnia e Associação de Psicologia do Arizona. Tem escrito extensamente sobre assuntos de interesse dos psicoterapeutas, incluindo audiências administrativas, memórias reprimidas, relacionamentos duais e arquivo de anotações. É co-autor de *Law and mental health professionals*, juntamente com Kenneth S. Pope.

- - - - - - - - - - dobre aqui - - - - - - - - - - - -

ISR 40-2146/83
UP AC CENTRAL
DR/São Paulo

CARTA RESPOSTA
NÃO É NECESSÁRIO SELAR

O selo será pago por

summus editorial

05999-999 São Paulo-SP

- - - - - - - - - - dobre aqui - - - - - - - - - - - -

TERAPEUTAS EM RISCO

summus editorial

CADASTRO PARA MALA DIRETA

**Recorte ou reproduza esta ficha de cadastro, envie completamente preenchida por correio ou fax,
e receba informações atualizadas sobre nossos livros.**

Nome:_____ Empresa:_____

Endereço: ☐ Res. ☐ Coml. _____ Bairro:_____

CEP: _____-_____ Cidade: _____ Estado: _____ Tel.: (   ) _____

Fax: (   ) _____ E-mail: _____ Data de nascimento: _____

Profissão:_____ Professor? ☐ Sim ☐ Não Disciplina: _____

1. Você compra livros:

☐ Livrarias   ☐ Feiras
☐ Telefone   ☐ Correios
☐ Internet   ☐ Outros. Especificar:_____

2. Onde você comprou este livro?

_____

3. Você busca informações para adquirir livros:

☐ Jornais   ☐ Amigos
☐ Revistas   ☐ Internet
☐ Professores   ☐ Outros. Especificar:_____

4. Áreas de interesse:

☐ Educação   ☐ Administração, RH
☐ Psicologia   ☐ Comunicação
☐ Corpo, Movimento, Saúde   ☐ Literatura, Poesia, Ensaios
☐ Comportamento   ☐ Viagens, *Hobby*, Lazer
☐ PNL (Programação Neurolingüística)

5. Nestas áreas, alguma sugestão para novos títulos?

_____

6. Gostaria de receber o catálogo da editora? ☐ Sim ☐ Não

7. Gostaria de receber o Informativo Summus? ☐ Sim ☐ Não

Indique um amigo que gostaria de receber a nossa mala direta

Nome:_____ Empresa:_____

Endereço: ☐ Res. ☐ Coml. _____ Bairro:_____

CEP: _____-_____ Cidade: _____ Estado: _____ Tel.: (   ) _____

Fax: (   ) _____ E-mail: _____ Data de nascimento: _____

Profissão:_____ Professor? ☐ Sim ☐ Não Disciplina: _____

summus editorial

Rua Itapicuru, 613 – cj. 72   05006-000   São Paulo - SP   Brasil   Tel.: (11) 3872 3322   Fax: (11) 3872 7476
Internet: http://www.summus.com.br   e-mail: summus@summus.com.br

cole aqui